SOLEDAD

du même auteur

Le fils du soleil, roman jeunesse, Éditions Pierre Tisseyre
Le roman d'Agatha, roman jeunesse, Éditions Pierre Tisseyre
La licorne de Pékin, roman jeunesse, Éditions Pierre Tisseyre
Orchidées et Noix de coco, roman jeunesse, Éditions Pierre Tisseyre
L'Anaconda qui dort, roman jeunesse, Éditions Pierre Tisseyre
Laurence, roman jeunesse, Éditions Pierre Tisseyre
La mémoire meurtrie, Éditions Pierre Tisseyre
Les Olden : la suite, Éditions Pierre Tisseyre

Yves Arnau

SOLEDAD
Au sud du Paradis

roman

LANCTÔT
ÉDITEUR

LANCTÔT ÉDITEUR
1660 A, avenue Ducharme
Outremont (Québec)
H2V 1G7
Tél. : (514) 270.6303
Téléc. : (514) 273.9608
Adresse électronique : lanctotediteur@videotron.ca
Site internet : www.lanctotediteur.qc.ca

Photo de la couverture : Yves Arnau

Mise en pages : Folio infographie

Distribution :
Prologue
Tél. : (450) 434.0306 ou 1.800.363.3864
Téléc. : (450) 434.2627 ou 1.800.361.8088

Distribution en Europe :
Librairie du Québec
30, rue Gay-Lussac
75005 Paris
France
Téléc. : 43.54.39.15

Nous remercions le ministère du Patrimoine canadien et le Conseil des arts du Canada de l'aide accordée à notre programme de publication. Nous remercions également la SODEC, du ministère de la Culture et des Communications du Québec, de son soutien. Lanctôt éditeur bénéficie du Programme de crédit d'impôt pour l'édition de livres du Gouvernement du Québec, géré par la SODEC.

Dépôt légal – 4e trimestre 2001
Bibliothèque nationale du Québec
ISBN 2-89485-195-2

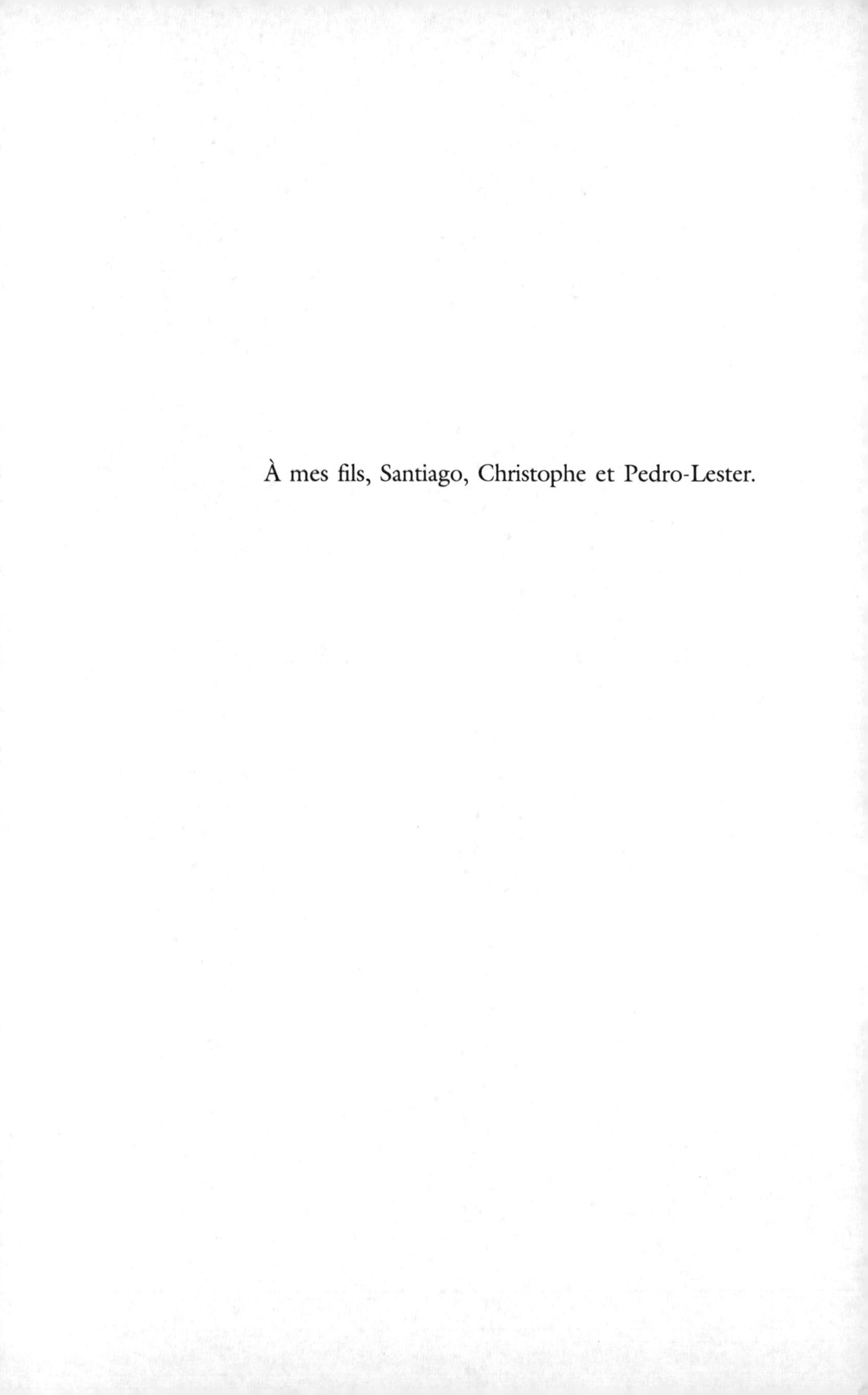

À mes fils, Santiago, Christophe et Pedro-Lester.

Chapitre premier

Une violente rafale s'engouffra par l'ouverture béante, derrière la maison. Le flanc de la colline avait toujours dévié la trajectoire du vent, le renvoyant sur la paroi de la petite demeure. Soledad avait souvent pensé à charger Pépé de fermer cette fenêtre — de bons volets en bois auraient fait l'affaire —, mais elle avait toujours négligé d'en parler. Un petit vase en grès, contenant quelques marguerites en plastique qui égayaient une petite commode, fut emporté par le souffle et se brisa sur le sol. Laurencio s'agita dans son sommeil. Soledad caressa doucement ses cheveux en lui susurrant des mots réconfortants. Elle aussi avait été effrayée par la brusquerie de la bourrasque et son cœur se débattait dans sa poitrine. Elle alla ramasser les dégâts. L'orage éclata. Se mêlant au « vent des fous », une pluie se mit à tomber et des éclairs illuminèrent la nuit par intermittence. C'est bien ce que Soledad redoutait depuis des heures. Elle était terrorisée par les orages et s'efforçait chaque fois d'être forte devant son petit. Pour l'heure, Laurencio dormait et elle tentait de ne pas céder à la panique, malgré les trombes de pluie poussées dans la maison par le vent déchaîné. La jeune fille alla à la fenêtre d'en avant, souleva les persiennes et regarda le ciel zébré d'éclairs aveuglants. Elle crut apercevoir des phares qui venaient de s'éteindre sur le chemin d'entrée au village. Dans l'obscurité trouée de lumières fugaces, Soledad avait atteint le summum de la nervosité. Elle referma les persiennes et alla se coucher près de Laurencio. Elle prit son enfant dans ses bras et chercha le réconfort en se blottissant contre lui sous les draps. C'est ainsi que fit Soledad ce soir-là pour retrouver la paix de l'âme : elle tint son enfant dans ses bras. Elle voulut oublier les trombes de pluie qui trempaient le sol de sa maison, les éclairs qui illuminaient la petite habitation, *el viento de locos* qui soufflait sa folie sur les êtres, elle voulut attendre que tout passe. Elle prit son petit contre son cœur et ferma les yeux.

Laurencio Alcázar-Estebán n'était qu'un enfant de quatre ans. Il était à l'aube d'une existence dont personne n'aurait pu soupçonner l'orientation extraordinaire qu'elle allait prendre après cette nuit de furie destructrice. Une tempête tropicale si violente et meurtrière que nul n'en aurait pu anticiper les conséquences, en dépit de l'imagination la plus fervente.

□

Le *barrio* était une minuscule agglomération de petites maisons de parpaings, situées les unes près des autres, quelque part sur la route qui conduit à La Havane, en longeant la côte, au nord occidental de l'île. Soledad Estebán-García y arriva un soir de juillet 1978, sous un ciel rouge et noir, poussée par un vent chaud et doucereux. Elle avait un nourrisson de quinze jours dans les bras et le visage marqué par une grande fatigue ; durant quatre jours, par monts et par vaux, elle avait battu la campagne, du pas exténuant du fuyard, et se sentait perdue comme un animal aux abois. Le bébé pleurait et elle le tenait contre sa poitrine, sachant parfaitement qu'il lui fallait trouver quelque nourriture pour lui et pour elle. Soledad n'était elle-même qu'une toute jeune fille de treize ans, et la *niña*, comme on la désignait encore au *barrio*, avait un appétit féroce, autant pour les choses de l'estomac que pour celles de la vie. Au terme de cette course qui avait endolori son petit corps frêle, enfin la route, juste devant elle, à l'orée du boisé. Elle s'arrêta un instant, regardant le chemin de terre qui passait sous ses yeux, trois mètres en contrebas. Il filait en serpentant au milieu du petit groupe d'habitations. Son visage s'illumina et elle soupira de soulagement.

« Comment descendre de là ? » pensa-t-elle.

Serrant son bébé dans ses bras avec précaution, elle évalua le trajet de la descente, assise au bord du talus, les jambes allongées devant elle. D'un coup de reins, elle se laissa glisser jusqu'en bas, pour atterrir sur ses pieds meurtris. Soledad était une enfant forte, elle absorba la douleur comme une digne *guajira* de son île. Elle avait dans les veines l'endurance, la patience et l'obstination silencieuse du sang noir des Esteban, par son père, et la fougue passionnée, la volonté conquérante des García, par sa mère. Quelques meurtrissures n'auraient pu l'arrêter. D'autant plus que ce patelin au bout du sentier allait être son asile, elle le ressentit. De ces petites maisons en ciment montait une telle tranquillité qu'elle y marcha tout droit. Ne pensant plus à la douleur de ses pieds, elle regarda en avançant les toitures plates qui se découpaient sur le ciel rougeoyant. Derrière chacune d'elles se dressait un bouquet de cocotiers aux cimes arquées vers le soleil couchant, en un salut respectueux. Le vent qui montait des plaines de *cañas* était tiède. Soledad en goûta la douceur veloutée sur sa peau et sentit sa poitrine s'apaiser, libérée enfin de l'anxiété qui l'avait tenaillée depuis sa fuite nocturne.

Elle se dirigea sans hésiter vers une petite maison, au flanc d'une colline, dont la porte d'entrée avait grincé sur ses gonds pour laisser sortir deux poules qui s'éloignèrent en caquetant.

— Voici notre maison, mon petit.

Elle avait été, au premier coup d'œil, persuadée que c'était là qu'elle vivrait avec son enfant : le temps lui donna raison. Elle entra, d'un regard circulaire constata que la *casita* n'était habitée que par quelques volailles, qu'elle chassa prestement du pied. Se recroquevillant dans un coin, elle berça le bébé en lui caressant le dos et décida alors d'occuper les lieux, de s'installer à demeure, après avoir gobé en grimaçant deux œufs ramassés sur le sol.

— Jamais on ne nous enlèvera ce toit de sur la tête et personne ne nous séparera, murmura-t-elle à l'enfant qui pleurait, ou je jure de le pourchasser de ma malédiction jusqu'à son dernier jour. Je t'en fais la promesse solennelle.

Elle prononça ces mots, les yeux mi-clos et remplis de larmes. Puis, ouvrant son corsage pour regarder sa poitrine désespérément juvénile et stérile, elle referma aussitôt le petit chemisier souillé en soupirant. Le bébé pleura encore longtemps. Finalement, l'épuisement eut raison de l'enfant et de la mère et tous deux s'endormirent sur le sol de terre battue.

Au petit matin, avant même que le coq n'ait poussé son cri, le *barrio* entier parlait de la *niña* et du bébé découverts par le vieux Pépé Vicario, entré là à quatre heures du matin, comme à son habitude, pour aller ramasser quelques œufs frais.

Xiomara Vicario était une vieille femme tranquille et pragmatique. Elle avait aussitôt évalué la situation et, sans poser une seule question, s'en était allée jusqu'à la grange pour tirer la vache. Elle était revenue déposer devant la *niña* un bol de lait chaud et un compte-gouttes qu'elle avait sorti d'un tiroir comme si elle l'eût gardé là en attendant ce moment précis. Xiomara ne jetait jamais rien, elle conservait papier, tissu, cordes et autres choses, « pour les en-cas », disait-elle. Puis, la vieille s'était assise au bout de la table, sans un mot, pour regarder Soledad nourrir le bébé.

Le jour suivant la découverte de la jeune mère et du bébé, Pépé Vicario confectionna un lit. Il descendit dans la *vega*, sa machette à la ceinture, à cinq heures du matin, pour en remonter vers midi, chargé de *cañas* de deux mètres de longueur, les plus beaux qu'il avait pu trouver. Puis il lia solidement les bambous ensemble à l'aide de lanières coupées dans la voile d'une vieille chaloupe qui pourrissait au soleil derrière la maison. Fier de son travail terminé, il alla prévenir Xiomara, sa femme, qui de son côté achevait un matelas. Elle avait sacrifié à cet ouvrage les quelques sacs de farine et de riz vides qu'elle gardait précieusement de côté depuis des années. Elle les avait cousus ensemble et avait bourré cette enveloppe de tout ce qu'elle avait jugé apte à entrer dans la fabrication d'une paillasse. La dernière couture effectuée, Pépé chargea le fardeau sur ses épaules. Le vieil homme traversa le sentier qui passait devant chez lui, grimpa en soufflant jusqu'à la maisonnette accrochée, cent mètres plus loin, au flanc de la colline. Il arriva haletant au bout de son trajet et jeta la paillasse sur le lit de bambous. Il se retourna vers Soledad, qui le regardait, ébahie et ravie : elle et son bébé pourraient désormais se blottir la nuit venue.

— Merci. Merci mille fois, *Señor* Vicario, dit-elle. Je ne sais pas comment vous dire...

Le vieux fit un signe de la main pour mettre un terme à la confusion et à l'embarras de la jeune fille, et pour la première fois depuis leur rencontre il se permit une question :

— Comment s'appelle ton fils ?

Soledad haussa les épaules. Il était manifeste qu'elle n'avait pas encore réfléchi à la question.

— *No sé.* Je l'appelle « mon petit ».

Pépé Vicario s'approcha pour regarder l'enfant dans les bras de sa mère. Il eut une expression de profonde tristesse. Soledad vit des larmes remplir le regard du vieillard. Il fixa le bébé un long moment, perdu dans une pensée qui ressemblait à un chagrin sans fond.

— Laurencio ! Il a une figure de Laurencio, dit-il dans un murmure, avec un hochement de tête.

Soledad regarda l'enfant à son tour, sourit, puis releva les yeux vers Pépé Vicario.

— Laurencio. Oui, Laurencio, c'est ça ! décida-t-elle. C'est son nom : Laurencio !

— Je le savais ! Je le savais, reprit Pépé. J'étais sûr que c'était un Laurencio, dit-il, l'air radieux.

Puis, le vieux se dirigea vers la sortie et se retourna avant de passer la porte.

— On t'attend pour manger, ce soir. Descends quand tu veux.

Il fit un signe de la main.

— *Hasta luego, niña, hasta luego, Laurencio !*

Pépé Vicario tourna les talons et s'éloigna pour redescendre le sentier de terre, d'un pas allègre.

Quelques semaines plus tard, la *niña* avait fait la connaissance de tous les habitants du *barrio*. Le hameau entier, qui comptait six maisons, avait spontanément adopté Soledad et Laurencio. Chacun des *guajiros* et *guajiras*, comme ils se désignaient eux-mêmes, avait envers cette petite et son enfant une foule d'attentions bienveillantes. Ils voyaient tous à leur confort et à leur bonheur. C'était une action commune parfaitement tacite. Les six familles distinctes dans leur routine de vie, dans leur quotidien élémentaire semblaient n'en former qu'une seule. Le bébé et la mère ne manquaient plus de rien et la petite maison était de plus en plus « leur » maison. On fournissait à Soledad beaucoup plus qu'elle n'aurait demandé et elle tenta, une fois, de freiner cette générosité, sans succès. Elle était prise en charge comme l'enfant de chacun. Une telle harmonie, une telle concordance remplissaient sa vie de tant d'amour que Soledad en pleurait la nuit, dans le secret de son lit de bambous. Puis elle s'endormait, après avoir chuchoté à l'oreille de Laurencio :

— Un jour, on vivra au paradis, mon chéri.

L'enfant s'endormait dans les bras chaleureux de sa mère, qui, à son tour, s'abandonnait aux rêves.

Laurencio Alcázar-Estebán était un enfant de quatre ans. Soledad, une jeune fille-mère de dix-sept ans. Tous, au *barrio*, connaissaient désormais son histoire et semblaient l'avoir oubliée. Jamais personne ne pressa la jeune fille de questions. On ne lui demanda pas comment elle était arrivée jusque-là, ni d'où elle venait. Rien, jamais, ni dans les mots ni dans les gestes, ne faisait allusion aux circonstances de sa venue. Et bien qu'on la baptisât spontanément la *niña*, on la traitait comme *una señorita*. Ce n'est qu'au fil du temps et parcimonieusement que Soledad raconta les événements qui avaient conduit ses pas jusqu'au petit village.

Elle et Laurencio vivaient au *barrio* comme s'ils y avaient vu le jour. Laurencio était le plus jeune enfant de cette petite communauté, dont la population adulte était comprise entre les soixante-deux ans de Pépé Vicario, et les quarante-quatre ou quarante-cinq ans de Pedro Montilla, qui n'avait jamais été très fixé sur sa date de naissance.

L'enfant de Soledad, *el niño de la niña*, comme on disait, trottinait sur le sentier de terre qui descendait jusque chez Pépé et Xiomara.

— *Abuelo ! Abuela ! Soy yo, Laurencio !* criait-il en dévalant la pente de sa course dandinante.

Il y avait au moins un an déjà que le petit avait pris cette habitude et faisait ce trajet en criant. Cette descente qu'il accomplissait deux ou trois fois par jour et cette petite voix d'enfant heureux remplissaient d'un bonheur indicible les cœurs de Pépé et de Xiomara. Quelles que fussent leurs occupations, les deux vieux lâchaient tout pour courir sur le perron accueillir le petit Laurencio les bras ouverts. Tantôt c'était Pépé qui entrait dans la maison en portant l'enfant, l'air victorieux, tantôt c'était sa femme qui le couvrait de baisers sur les yeux et le front. L'un et l'autre n'étaient pas peu fiers de leur titre d'*abuelo* et *abuela*.

Soledad était devenue une très belle jeune fille et, sans rechercher cet effet, elle se faisait remarquer deux fois plutôt qu'une par quiconque la rencontrait. Elle avait fait forte impression sur Sebastian Mendez, un jeune homme de vingt-quatre ans conscient de son charme et de son pouvoir de séduction, que tous, y compris ses compagnons de travail, surnommaient «*guapo*». Toutes les jeunes filles de la région le connaissaient, et chacune d'entre elles avait déjà tenté des approches plus ou moins concluantes. Leur succès ou leur échec était directement relié aux attributs physiques dont la nature les avait dotées, unique critère de sélection du garçon. Pour Soledad, ce fut différent. Elle remarqua Sebastian dès son arrivée au *barrio*, mais ne fit jamais rien pour qu'il s'en rendît compte. Jamais le jeune Mendez n'aurait pu prétendre à un encouragement à la hardiesse de la part de la jeune fille, qui semblait l'ignorer. Bien entendu, le désir et l'orgueil de Sebastian n'en étaient que davantage attisés.

La première fois qu'elle l'aperçut, c'était le jour de ses quinze ans. Le jour où Pépé et Xiomara avaient organisé pour elle une fête mémorable. Ils avaient invité les habitants du village voisin à la *barbacoa* et à boire du rhum et de la bière, pour célébrer la métamorphose de Soledad. La *niña* devenait officiellement la *señorita*. Ce jour-là, la jeune fille sentit le regard de Sebastian Mendez s'attarder sur elle; une vague de chaleur parcourut alors son corps et empourpra son visage. Rougeur qu'on pouvait heureusement attribuer aux quelques verres qu'elle avait exceptionnellement consommés.

Pépé Vicario était *jefe*. Ce titre de chef arrivait de soi, avec la responsabilité, envers le Parti, du bon déroulement et des comptes rendus des assemblées du Comité de défense de la révolution (CDR). Tout le monde, au *barrio*, était membre du Parti. Exception faite de Pedro Montilla, tous assistaient aux réunions. Bien que membre convaincu, Montilla refusait toute manifestation de ce genre.

— Il faut garder les yeux hors de la propagande, disait-il.

Et quand on lui demandait pourquoi, il faisait cette parabole:

— Le bateau qui se place trop sous le vent risque d'être entraîné dans n'importe quelle direction si aucune main énergique ne tient le gouvernail.

Pedro Montilla était l'unique pêcheur du *barrio*. La coupe de canne à sucre, la cueillette du tabac, la culture des champs de coton, la fabrique de rhum, rien de tout ça ne l'interpellait. Pour lui, n'existaient que la mer et ses changements de couleurs, le grondement des vagues sous la caresse du vent, les embruns plein visage, sa barque, son filet et ses instruments inusités, qu'il inventait et fabriquait au fil de ses besoins, selon le genre de poisson qu'il traquait. Jamais il n'ôtait sa casquette blanche de capitaine, qu'il tenait d'un touriste canadien rencontré sur une plage.

— *Un yuma canadiense !* disait-il.

Le *jefe*, Pépé Vicario, avait nommé Pedro *capitan del Partido* un soir où le rhum avait coulé à flots, comme cela arrivait régulièrement au *barrio*. Cette nomination de beuverie, de *borrachera*, Montilla la prenait très au sérieux. C'est ainsi qu'en ce qui concernait les orientations du Parti le capitaine veillait au grain et aux vents contraires. Et si une idée politique commençait à lui sembler louche, par manque de pertinence dans le contexte de l'intérêt du *pueblo*, Montilla courait chez Pépé Vicario et lui faisait un rapport critique et verbal — il détestait écrire — que le *jefe* consignait tout aussi verbalement. Vicario soumettait rarement ces critiques aux assemblées, sauf s'il accordait un certain bien-fondé à l'une d'entre elles. De fait, les remarques de Pedro Montilla étaient le plus souvent pleines de sens, mais encore eût-il fallu que Pépé les écoutât avec plus d'intérêt.

Grâce à Pedro Montilla, le poisson frais était monnaie courante sur toutes les tables familiales. Pour ce jour de fête, Xiomara lui avait commandé les plus beaux spécimens qu'il remonterait dans ses filets. Montilla n'avait pas lésiné et lui avait rapporté deux thons magnifiques, qui s'étendaient sur la table, grillés et tranchés de la queue jusqu'aux ouïes, garnis de morceaux de citron, plus une dizaine de langoustes déposées sur du riz aux haricots noirs que la vieille avait patiemment préparé. Il y avait du pain, des tomates vertes et des rouges, du café, des plats de *tamales* et de *boniatos*, de la bière et du rhum de sept ans, des cigares gros comme le pouce. Du yaourt, du chocolat et du cola pour les enfants. Xiomara attendait le moment où elle apporterait la surprise : le gâteau de Soledad, qu'elle avait préparé en secret et qu'elle gardait enfermé sous clé dans le garde-manger.

La fête de Soledad se prolongea jusqu'au coucher du soleil. Sous un ciel orangé flamboyant, les palmiers étiraient leurs longues silhouettes aux têtes courbées. C'était une journée sans vent, la chaleur lourde et moite collait le moindre vêtement sur la peau. Les hommes jouaient aux dominos en buvant et en fumant, les femmes se divertissaient et riaient dans le secret de leur conciliabule. Quelques enfants couraient ici et là. Les deux thons grillés exhibaient leurs squelettes sur la table et, depuis quelque temps déjà, les cuillers avaient résonné au fond de la marmite de riz aux langoustines.

Assise avec les femmes, Soledad était radieuse : sa chevelure longue et bouclée était défaite et Xiomara y avait piqué deux fleurs d'hibiscus qui restaient fraîches et fermes malgré qu'elles aient décoré la tête de la jeune fille toute la journée. Une musique montait de la radiocassette fournie par Vicente Ortega, dont le cousin, Patchouli, accompagnait les rythmes sur son bongo. Soledad avait abaissé l'encolure de son chemisier pour dégager ses épaules, avait machinalement remonté sa robe bleue à mi-cuisses, cherchant de l'air en vain ; et tandis qu'elle riait à gorge déployée des plaisanteries de ses compagnes, ses quinze ans de beauté tropicale troublante irradiaient au-delà de l'innocence. Sebastian Mendez n'avait vu qu'elle toute la journée. Alors que le jour commençait à s'incliner, dans une lumière orangée, Soledad lui apparaissait plus belle encore. Le jeune homme ne pouvait détacher ses yeux de cette peau basanée, couleur de café. Il promenait son regard des chevilles aux genoux, s'attardait sur les cuisses luisantes de sueur, montait jusqu'aux épaules, profitait furtivement de la nuque, au hasard des gestes de la jeune fille qui cherchait la fraîcheur. Ce spectacle ajoutait à la moiteur du corps de Sebastian. Cela devint insoutenable. Le jeune Mendez, à qui aucune *muchacha* ne résistait, n'en resterait pas là, comme un vulgaire *guajiro* craintif et sans confiance. Après tout, n'était-il pas le plus beau garçon à des kilomètres à la ronde ?

— Danse avec moi, petite !

Toutes les femmes se retournèrent dans sa direction pour le regarder, mais pas celle à qui il s'était adressé. Il se tenait debout à côté du banc où Soledad était assise, une main dans une poche, l'autre le long du corps, sa chemise, imprimée de palmiers verts et de soleils rouges, largement ouverte sur sa poitrine, où l'on voyait perler la sueur. Le temps que Soledad mit à lever les yeux vers lui lui parut une éternité. Soledad avait tout doucement, sans hâte, tourné la tête dans sa direction et le fixait sans sourire, comme si quelque chose n'allait pas. Sebastian crut mourir étouffé par le doute. Que se passait-il ? Toute autre *chica* serait déjà debout. Il n'aurait pas eu le temps de finir sa phrase qu'elle se serait déjà déhanchée au son du bongo de Patchouli, tournant autour de lui, l'œil brillant et plein de promesses. Soledad le dévisageait sans un mot. Des yeux bleus comme un ciel parfait. Des mèches bouclées et rebelles sur le front cuivré, des sourcils noirs et magnifiques comme dessinés au fusain, des cils qui n'en finissaient plus autour de ce bleu limpide où Sebastian crut se perdre à jamais durant quelques courtes secondes. Enfin, la jeune fille se décida à parler :

— Tu m'appelles « petite » ? demanda-t-elle, le sourcil froncé. J'ai quinze ans aujourd'hui, tu ne le savais pas ?

— Heu ! Si, bien sûr... bredouilla Sebastian. Je te demande pardon.

Il reprit la demande en y mettant la forme :

— *Señorita : quieres bailar conmigo, por favor ?*

« Mademoiselle » et « s'il vous plaît », avait-il dit.

— *Con mucho gusto, caballero,* répondit-elle.

Soledad découvrit ses dents blanches comme une rangée de perles et sauta de son banc. Puis, déjà envahie par le rythme de son île, qui montait du bongo et du *bata* que le noir Patchouli frappait de ses mains longues, fines et brillantes, elle attrapa le jeune homme par la manche de sa chemise et l'entraîna quelques mètres plus loin. Xiomara et ses compagnes regardèrent danser la jeune fille à la beauté imparable. À travers Soledad, les aînées, assises là, retrouvaient la fougue brûlante que les années de mariage, les accouchements et l'implacable quotidien de leur vie de *campesinas* avaient éteinte. Elles observaient, sourire aux lèvres et l'œil rêveur, les secousses des hanches et la rondeur des fesses, la caresse suggestive de la petite robe bleue sur les cuisses chaudes et humides. Elles contemplaient la délicatesse des gestes et des mains, qui tantôt appelaient, tantôt repoussaient, et la chevelure noire et volage qui répondait à chaque mouvement de tête. Les hommes oublièrent leurs dominos et leurs cigares, le temps de cette danse. Au *barrio*, tous ignoraient que Soledad pouvait danser ; ce jour-là, ils découvrirent qu'elle avait le rythme sous la peau et dans le sang. Pépé Vicario murmura pour lui-même :

— Plaise à Dieu que le sort protège cet ange.

Le vieux Vicario et sa femme aimaient Soledad et son petit Laurencio comme leurs propres enfants ; ils avaient les larmes aux yeux lorsqu'ils échangèrent un regard, comme si la vieille avait entendu la pensée du vieux. Elle eut pour son mari un imperceptible hochement de la tête que Pépé comprit sans effort. La fête était réussie et Soledad entrait de plain-pied et superbement dans le monde des adultes. Elle était heureuse ; ils l'étaient aussi.

Xiomara se leva. Il était temps de sortir le gâteau. Elle ressortit de la maison et le déposa avec ostentation sur la table, sous les yeux admiratifs de tous les invités qui s'étaient attroupés. C'était une œuvre de haut calibre, un gâteau remarquable avec une crème épaisse qui mit l'eau à la bouche de chacun. Lorsque l'assemblée se mit à chanter l'air de circonstance : *Féliz cumpleaño, Soledad,* la jeune fille pleurait et riait à la fois, plongeant un énorme couteau dans l'objet de sa joie. Xiomara avait une mine ravie. La surprise avait été totale : nul n'avait soupçonné l'existence de ce gâteau avant qu'elle ne le tire de son armoire. Tous se léchèrent les doigts et en reprirent, Soledad en tête. Puis, la jeune fille en réserva un gros morceau pour le réveil du petit Laurencio, qui s'était endormi dans son panier tressé.

La fête s'enfonça doucement dans la nuit de l'île, sous un énorme croissant de lune et des milliers d'étoiles brillantes qui piquaient le ciel immense. C'est à la lueur des lampes à pétrole que les derniers invités quittèrent le *barrio*, fatigués et repus. Le lendemain, une dure journée de travail les attendait tous mais, qu'importe, on ne manque pas une occasion de célébrer dans l'île.

Deux années s'étaient écoulées depuis cette fête mémorable et, à dix-sept ans, Soledad était devenue encore plus belle. Le corps avait trouvé ses courbes, le regard bleu s'était approfondi, la voix avait mûri et la jeune métisse éblouissait d'une beauté incendiaire. Sa silhouette longue et fine dansait à chacun de ses pas sur le sentier qui descendait de sa maison vers la demeure de ses parents adoptifs. Soledad brûlait de curiosité en dévalant la pente à la hâte. Pépé et Xiomara avaient envoyé le petit, qui avait grimpé en courant jusqu'à la maison, pour livrer le message fidèlement : les vieux voulaient lui parler, c'était important. Deux heures plus tôt, ils étaient tous ensemble autour de la table pour le repas du soir, et on avait parlé de tout et de rien, comme à l'accoutumée. Que signifiait cette soudaine convocation ?

— *Es muy importante, mamy*, avait bien dit l'enfant de quatre ans, le doigt en l'air.

Puis il était redescendu aussi rapidement qu'il était monté, précédant sa mère sur le chemin. Lorsque Soledad entra dans la maison, elle trouva Pépé Vicario assis au bout de la table, la main refermée sur un verre de rhum. La jeune fille sut aussitôt que le vieux était préoccupé. Il avait déposé son regard devant lui et le souleva à peine pour marquer l'entrée de Soledad. Xiomara se tenait à l'écart, faisant maladroitement mine d'être affairée à l'évier. Elle se retourna et invita la *niña* à s'asseoir.

— *Quieres un mojito ?* lui demanda-t-elle.

Soledad acquiesça d'un signe de tête. La vieille laissa tomber quelques feuilles de menthe et une tranche de lime au fond d'un verre, y versa un tiers d'eau, y ajouta deux cuillerées de sucre et un tiers de rhum.

— *Gracias*, fit la jeune fille avec un regard en biais vers le vieil homme taciturne.

— Aujourd'hui, au champ, entama Pépé, le jeune Mendez est venu me voir pendant la pause.

Soledad avala une gorgée de sa boisson. Recevant les premiers mots du vieux comme une catastrophe, elle s'ajusta sur sa chaise, tremblant de tout son corps.

— Il avait à me parler et il l'a fait, poursuivit Pépé Vicario.

La gorge serrée, Soledad prit la parole.

— Sur la tête de mon enfant, je vous...

— Ne jure pas, l'interrompit Xiomara. Ne jure pas, *querida*.

— Je voulais vous en parler moi-même depuis longtemps. Je voulais le faire...

Elle parlait en fixant son verre à son tour.

— Plusieurs fois je suis venue jusqu'ici pour vous mettre au courant, mais... mais, devant vous, je n'y arrivais pas... j'avais... honte. Pardonnez-moi. Je vous aime tant. Je ne veux pas vous faire de la peine... jamais.

Elle pleura doucement. Xiomara et Pépé échangèrent alors un regard désemparé.

— Ne pleure pas, petite, dit Pépé de sa voix calme et râpeuse. Les gens ont tous leurs rêves : tu as les tiens, on ne t'en veut pas. Ne pleure pas.

Xiomara ne fut pas dupe. Ce n'était pas ce que Pépé croyait. La petite était une femme, et il ne fallait pas plus que quelques larmes, débordant de ces yeux bleus et roulant sur ces joues au seul nom de Sebastian Mendez, pour que la vieille pressente toute la vérité. Elle se rappelait les regards que le jeune homme avait attardés sur sa fille le jour de ses quinze ans, comme ils avaient dansé longtemps dans la moiteur du soir. Elle n'ignorait pas ce qui s'était passé dans la tête et le corps du jeune homme ce jour-là, alors qu'il respirait l'odeur de Soledad et la dévorait des yeux en entendant son rire cristallin. Depuis ce temps-là, Mendez était revenu au *barrio*. Xiomara l'avait aperçu sans en souffler mot à quiconque. Elle n'avait pas besoin de longues explications pour comprendre ce qui attirait le jeune homme. Elle était fille de vétérinaire, vivait à la campagne depuis toujours et appliquait systématiquement les mêmes lois de comportement aux animaux et aux humains. Xiomara comprit prestement que Soledad s'apprêtait à dévoiler quelque chose à Pépé, s'y croyant obligée. Elle voulut préserver le secret de sa fille et s'empressa d'intervenir :

— Attends, ma chérie. Je crois que tu ferais mieux d'écouter ton père d'abord.

Soledad leva son regard mouillé vers la vieille, qui lui adressa une moue furtive avec un léger signe de la main. Pépé vida son verre.

— Oui, dit-il, c'est pas si grave. Cette histoire de passeport et de papiers m'a surpris, c'est tout.

Il leva enfin les yeux sur Soledad, qui l'écoutait, troublée.

— Pourquoi tu ne nous as jamais parlé de ça ? Tu rêves de l'Amérique, et après ? Tu n'es pas la première à tomber dans cette trappe. Des milliers et des milliers d'autres sont comme toi dans le pays. Il suffit de voir la capitale, où la moitié des gens ne rêvent qu'à ça, eux aussi.

Il fit une pause.

— Non, ce n'est pas un crime, reprit-il, c'est seulement que… j'aurais voulu l'apprendre par toi.

Xiomara Vicario tira une chaise.

— Ainsi, c'était ça, dit-elle en s'asseyant, c'était ça le paradis dont le petit parle sans arrêt.

La première fois que l'enfant avait dit à la vieille : « *Un jour je vais aller vivre au paradis avec maman* », elle avait cru qu'il lui parlait du ciel. Elle lui avait répondu en lui expliquant qu'il irait, pour sûr, au paradis, et sa mère aussi, qu'ils y seraient ensemble, avec *abuela* et *abuelo* d'ailleurs, mais qu'il avait toute la vie devant lui pour s'y préparer. Alors, bien sûr, elle avait ri quand le petit Laurencio lui avait répliqué :

— Non, nous aurons les papiers très bientôt !

— L'Amérique : le paradis ! Sainte Mère de Dieu ! soupira-t-elle.

Pépé se renfrogna et se versa brusquement du rhum. Les deux femmes levèrent la tête vers lui. Il semblait furieux. Il avala une rasade et posa bruyamment son verre sur la table.

— Je t'en prie, calme-toi, mon vieux, dit doucement Xiomara.

Pépé Vicario se dressa sur ses jambes. Il ne fallait jamais lui dire de se calmer. Xiomara le savait mais, depuis trente-cinq ans qu'ils étaient mariés, elle n'en tenait pas compte.

Le *jefe* prit la parole. Ce n'était plus Pépé le *guajiro*, avec sa voix calme et râpeuse, mais le délégué officiel *del Partido* qui venait d'apparaître. Même le petit Laurencio, qui jouait sur le plancher avec une marmite et son couvercle, remarqua la transfiguration de son grand-père.

— Qu'est-ce que tu as, grand-père ? demanda-t-il.

Soledad fit un signe discret de la main vers l'enfant, l'incitant à poursuivre son jeu.

— *America es mierda !* lança Vicario en battant l'air de sa main. Une merde qu'on sert à manger à la planète entière et que les pauvres gens avalent avec le sourire ! Ils en redemandent chaque jour de leur vie, et pourquoi ? Parce que le papier dans lequel on la leur enveloppe est tellement beau et coûte tellement cher qu'ils ne peuvent pas admettre qu'on y met de la merde ! C'est sûrement autre chose ! *Claro !* Et c'est ce qu'on leur dit ! On leur dit que c'est autre chose ! Leur télévision, leurs journaux, leurs magazines, toute la publicité leur disent qu'ils doivent continuer d'en demander et qu'un jour ils en seront tellement pleins qu'ils seront heureux !

Pépé s'arrêta, avala le fond d'alcool qui restait dans son verre.

— Ces crétins en veulent toujours plus parce qu'ils ont la matière grise passée à la moulinette ! Le capitalisme leur a si bien lavé le cerveau que les parois sont glissantes comme un plancher ciré et plus aucune idée n'y tient debout ! Ils ont le culot de parler de notre propagande ! Quand leur seule doctrine est le dollar et pas pour l'épanouissement qu'il peut procurer au peuple, mais pour le pouvoir qu'il apporte à ceux qui le possèdent ! Pour le contrôle qu'il donne à une poignée sur la majorité !

— Ça suffit, Pépé ! dit Xiomara. C'est pas le moment de te lancer dans ce genre de discours, tu n'es pas à une assemblée. Tu crois vraiment que la petite a besoin de ça maintenant ?

— Laisse-le parler. Ça ne fait rien, dit faiblement Soledad.

— Et comment qu'elle a besoin de ça ! C'est dans ce monde qu'elle veut partir vivre ! C'est cette merde qu'elle prend pour le paradis ! Oui, je crois qu'elle doit voir les choses comme elles sont avant qu'il soit trop tard !

— Oh ! je t'en prie, arrête, Pépé ! fit Xiomara en lui prenant la main.

Alors, Vicario inspira un grand coup, remonta son pantalon, et Soledad vit briller des larmes dans ses yeux. Le vieux refusait tout débordement sentimental et sortit de la maison, tirant brusquement la porte derrière lui.

— *No papy !* lança Soledad, espérant le retenir.

Vicario était déjà dehors.

— Si j'avais pu savoir que je lui ferais une telle peine...

Xiomara lui prit les mains et les serra dans les siennes.

— Justement, tu ne pouvais pas savoir, et nous sommes responsables plus que toi de ce qui arrive aujourd'hui.

— Non. Tout est ma faute, depuis quatre ans.

— Depuis quatre ans, coupa Xiomara, depuis quatre ans que nous t'avons avec nous, on aurait dû t'en parler depuis longtemps.

Elle fit une pause pour laisser échapper un soupir déchirant. Soledad chercha le regard de la vieille femme et y plongea le sien, plein d'interrogations.

— Quoi, maman ? Qu'est-ce qu'il y a ? interrogea-t-elle.

— Nous avions un fils, Pépé et moi, confia alors Xiomara. On l'a perdu, il y a huit ans. Il avait vingt-cinq ans.

Une larme roula sur sa joue. Soledad lui serra les mains très fort.

— Qu'est-ce qui s'est passé ? demanda la jeune fille bouleversée.

— Les requins... dit la vieille. Il avait pris la mer sur un radeau de fortune... en pleine nuit. Il rêvait de l'Amérique, lui aussi. Il est sûrement au paradis maintenant.

Elle essuya ses larmes. Soledad passa elle aussi sa main sur ses yeux.

— Comment s'appelait-il ?

La vieille femme esquissa un sourire un peu triste et tourna la tête vers l'enfant qui jouait sur le plancher avec sa marmite et son couvercle.

— Laurencio... murmura Soledad. Comment ne m'en suis-je pas douté ?

Soledad fut effrayée sur le coup. Son sang ne fit qu'un tour et son cœur se mit à battre la chamade lorsqu'elle entrevit une silhouette passer dehors, derrière les persiennes de la petite fenêtre. Elle resta silencieuse sous son drap, qu'elle avait agrippé et tiré au-dessus d'elle. Dans le petit lit de bambous, près de sa mère, Laurencio dormait à poings fermés. Puis elle entendit un doigt toquer le bois de la porte.

— Soledad... c'est moi...

Elle reconnut avec soulagement la voix de Sebastian. C'est la colère qui l'habitait quand elle sauta du lit. Elle tira sur ses cuisses le long t-shirt qui lui servait de chemise de nuit et alla ouvrir. Le jeune homme voulut entrer, mais elle posa sa main contre sa poitrine pour le faire reculer de quelques pas et sortit avec lui sur le seuil, tirant la porte derrière elle.

— Tu es complètement fou ! Tu m'as fait une de ces peurs ! J'ai failli mourir ! Ne refais plus jamais ça ! Qu'est-ce que tu fais ici ?

— Il fallait que je te voie, Soledad. Je pense à toi sans arrêt. J'ai couru tout le long du chemin. Plus j'avançais, plus je sentais ta chaleur et plus mon cœur battait fort, jusqu'à me faire mal dans la poitrine. *Me muero por ti, muchacha.*

— Tu meurs de désir pour moi, mais est-ce que tu m'aimes, Sebastian ?

Le visage levé, comme cherchant une brise inexistante, les yeux clos, Soledad, fébrile, attendit durant une seconde, désespérée, une réponse du jeune homme. L'instant suspendu retomba sans qu'elle ne soit exaucée.

— Depuis qu'on se connaît, poursuivit-elle, je me suis donnée à toi, combien... six, peut-être sept fois, et jamais tu ne m'as parlé d'amour.

— Je ne fais que ça ! répliqua le jeune homme, perplexe.

— Non, fit-elle sèchement. Tu me parles de mon parfum, de mes seins, de mes cuisses, de mes cheveux, de mes yeux. Toutes les parties de mon corps t'intéressent, c'est vrai, excepté mon cœur. Tu ne t'en informes jamais, Sebastian. Pas plus que tu ne me parles du tien. Qu'est-ce que je suis pour toi ? Un corps qui te fait de l'effet ? Une petite *guajira* métissée bonne à baiser ? C'est tout ? Depuis deux ans qu'on se connaît, jamais tu ne m'as dit : « *Te amo, Soledad.* »

— Comment ? Mais, à l'instant…

— Quoi ? l'interrompit-elle impatiemment. Tu as couru tout le long du chemin ! Tu as senti ton cœur battre fort ! C'est normal quand on court vite et longtemps et qu'on fume comme tu fumes, *chico* ! C'est pas de l'amour, ça.

Elle se détourna et s'éloigna de quelques pas pour regarder le ciel sombre et profond rempli d'étoiles. La nuit était lourde et suffocante.

— J'aimerais qu'il pleuve, dit-elle.

Sebastian s'avança jusqu'à elle, la prit délicatement par les épaules et la retourna doucement. Il la regarda un instant, et Soledad retint son souffle, une fois encore, dans l'attente des paroles qu'elle voulait, plus que tout, entendre ce soir. Il fallait qu'il les prononce enfin.

— Qu'est-ce qui t'arrive, Soledad ? Je ne te reconnais pas ce soir. C'était bien, nous deux, non ? Et puis, il y a l'Amérique ! Tu as oublié l'Amérique ? J'ai presque l'argent qu'il faut, Soledad, pour les visas et les passeports ! Je sais : ça fait deux ans que je t'en parle, mais c'est long ! J'ai presque la somme qu'il faut ! Le type du ministère dont je t'ai parlé, ce Carlos Fuentes, il dit qu'avec quatre cents dollars américains il peut obtenir les papiers pour toi, ton petit et moi. Et puis, il y a ces touristes à Varadero avec qui j'ai noué des liens d'amitié ! Ils sont prêts à t'aider, à nous aider en nous invitant chez eux, là-bas, au Canada ! C'est l'Amérique là-bas aussi, tu sais ! Tu ne vas pas laisser tomber maintenant, Soledad ! Pas au moment où on va enfin y arriver !

Sebastian Mendez parlait avec une sorte de panique dans la voix qui aurait pu passer pour de la sincérité. Soledad entendait autre chose, une autre musique, et ça ne lui plaisait pas. Était-ce qu'elle ne croyait plus à la bonne foi de Sebastian ? Après tout, elle n'avait jamais vu la couleur de cet argent dont il parlait tant ! Était-ce qu'elle ne voyait plus l'Amérique comme le paradis ? Ou était-ce simplement qu'elle ne se sentait plus capable de quitter Pépé et Xiomara depuis qu'elle savait pour leur fils dévoré par les requins ? Quoi qu'il en soit, le garçon n'avait pas prononcé les mots qu'elle aurait voulu entendre.

Si, Sebastian, je laisse tomber. Ma vie est ici, avec mon petit et mes vieux. Retourne chez toi et oublie-moi comme j'ai oublié l'Amérique. C'est mieux comme ça.

Mendez resta muet de stupeur devant la décision tranchante de Soledad. Cette petite métisse jouait avec lui en lui envoyant en pleine figure son refus sur un ton de magistrat. Pour qui se prenait-elle ? Pour qui le prenait-elle ?

— *Que te passa, chica !* D'où tu sors avec tes grands airs ? lança-t-il méprisant. Tu crois que je vais te laisser me faire ça ?

— Je t'aime bien, Sebastian, ne le prends pas mal, mais je n'ai aucune permission à te demander. Je sais ce que j'ai à faire pour mon enfant et pour moi.

Elle esquissa un mouvement pour se retirer, mais le jeune homme la saisit par le bras et la tira vers lui brutalement.

— C'est ce qu'on va voir. Je suis Sebastian Mendez et tu ne te moqueras pas de moi ! Aucune *muchacha* ne m'a jamais traité comme ça, tu m'entends ? Tu crois que je vais laisser *una negrita* me jeter comme un paquet à la poubelle ? lui souffla-t-il au visage pour l'humilier.

Soledad voyait le vrai Sebastian Mendez devant elle pour la première fois. Elle le réalisa à cet instant.

— Regarde-moi bien et écoute-moi bien, Sebastian, dit-elle en pesant ses mots. Je m'appelle Soledad Estebán-García et je te dis : « Va au diable ! »

À court d'arguments et de moyens, Sebastian la gifla. Soledad fit la grimace en se tenant la joue, puis, sans crier gare, de toutes ses forces, elle lui lança son genou entre les jambes. Mendez grimaça à son tour, plié en deux, et tomba à genoux dans la poussière.

— *De rodillas, cabrón !* Et estime-toi heureux que je ne pousse pas un cri. Tout le *barrio* serait ici en une minute pour te briser les reins à coups de bambou ! Et maintenant file, c'est ce que tu as de mieux à faire.

La jeune fille se hâta de rentrer dans la maison et poussa la barre devant la porte. Elle entendit les gémissements de Sebastian de l'autre côté, puis les mots qu'il prononça :

— Tu vas me le payer cher, *muchacha* ! Cher !

Soledad vit enfin le garçon s'éloigner de sa maison et disparaître sur le sentier. Elle alla rejoindre son petit Laurencio endormi, tira le drap sur elle et pleura une bonne partie de la nuit.

Les jours qui suivirent furent chargés d'une grande tristesse pour Soledad. Quelque chose en elle s'était brisé. Depuis la fête de ses quinze ans, depuis ce jour où elle avait senti le désir courir dans son sang et sur sa peau, alors qu'elle avait dansé avec lui et pour lui, Sebastian était devenu le centre de ses pensées. Elle avait secrètement nourri un rêve d'amour authentique et impérissable. Elle s'était finalement abandonnée au jeune homme, qui l'avait traquée durant des semaines. Elle lui avait offert ce qu'il disait désirer le plus au monde de peur de le voir se fatiguer d'attendre et de le perdre. Il était tant sollicité et convoité par toutes les jeunes filles de la région. Il fallait bien, avait-elle pensé, lui démontrer l'amour qu'elle lui portait. Les mots ne sont que des mots et le plus souvent ne suffisent pas. Alors, elle l'avait fait, et son plaisir avait été mêlé de crainte car elle connaissait le revers de la médaille, elle qui était devenue enceinte en succombant à de belles paroles et qui s'était retrouvée seule, un enfant dans le ventre, avant même d'avoir eu le temps de refermer les jambes et de baisser sa robe.

Le père de Laurencio était aussi un beau garçon de dix-sept ans aux yeux brillants d'une convoitise que l'enfant qu'elle était avait confondue avec une promesse d'amour éternel. Il avait disparu le soir même, laissant derrière lui le champ qu'il avait ensemencé en abandonnant la récolte à son sort. Elle ignorait tout de lui, sauf son nom : Alcázar. Aucun prénom, c'est dire à quel point l'instant d'intimité fut bref et vide. Elle pensait à ce garçon de temps à autre, mais quatre années s'étaient écoulées et l'image s'estompait dans son souvenir. Parfois, regardant Laurencio, elle entrevoyait furtivement les traits de ce visage. L'enfant avait hérité du regard vert et perçant de son père.

Soledad résolut de se consacrer plus que jamais à son fils et à ses vieux, comme elle disait. Pépé et Xiomara Vicario méritaient, plus que personne au monde, d'être aimés et choyés par la fille qu'elle était devenue pour eux. Elle fit tant et si bien pour leur démontrer son affection et son amour que les deux vieillards finirent par se convaincre, sans qu'ils abordent jamais le sujet, qu'elle avait abandonné son rêve de voyage vers *el norte*. Ils avaient raison. Soledad avait une fois pour toutes décidé que sa vie entière se passerait sous le ciel immense des Caraïbes, au sud du paradis.

Chapitre 2

LAURENCIO ALCÁZAR-ESTEBÁN était un enfant de quatre ans. On était en août de l'année 1982 et, le cinq juillet, le *barrio* avait célébré l'anniversaire du petit de Soledad. Comme de coutume, Pedro Montilla avait vu à ce que les produits de la mer ne manquent pas sur la table. Comme de coutume aussi, l'homme à la casquette blanche, celui que le *jefe* Vicario avait élevé au titre de *el capitan del Partido*, avait raconté beaucoup d'histoires de pêche pendant le repas. Tous plus extraordinaires les uns que les autres, les récits de Pedro ne comportaient qu'une infime portion de vérité contre une large part d'invention. Tout le monde le savait, mais peu importait : il les racontait si bien et avec tant de drôlerie qu'on lui en redemandait encore et encore. À quarante-quatre ou quarante-cinq ans, il ne savait pas très bien, Pedro était célibataire et vivait avec sa mère, la vieille Olguita, percluse d'arthrite et dont les genoux étaient si déformés et douloureux qu'elle avait peine à rester debout plus de quelques minutes.

— Quel menteur ce garçon ! disait-elle de son fils en riant.

Pedro Montilla s'était mis à la pêche vers l'âge de trente ans. Il soutenait mordicus qu'il avait un jour fait monter et conduit en haute mer à la recherche d'espadons Ernest Hemingway en personne. Il décrivait l'homme comme étant aimable, affable, sympathique et parlant, ma foi, un espagnol très correct pour un Américain. Personne ne croyait cette histoire, surtout après que Pépé Vicario eut fait remarquer publiquement à Pedro qu'au moment où il s'était mis à pêcher, il y avait une quinzaine d'années, Hemingway était mort depuis six ou sept ans. Malgré cela, Montilla persistait et prétendait qu'il savait bien, lui, qui il avait fait monter dans sa barque.

Donc, une fois encore, en ce jour de l'anniversaire du petit Laurencio, Pedro Montilla avait régalé l'assistance de ses histoires extraordinaires. Vers la fin de l'après-midi, les éclats de rire insouciants et l'allégresse firent place au trouble et à l'émotion dense. Rien de dramatique ou de réellement triste ; non, ce fut plutôt un moment profondément touchant. Montilla se leva d'un coup, droit devant sa chaise. Il fit des yeux le tour de la table afin d'y croiser le regard de chacun. Il y eut un silence de plomb car, chose rarissime, le pêcheur avait retiré sa casquette de capitaine et la tortillait dans ses mains. Tous crurent qu'il allait faire un discours. Il s'agissait en vérité d'un énorme aveu public. Durant dix bonnes minutes et devant tout le monde du *barrio*, Pedro Montilla étala le contenu intégral de son cœur. Une telle chose ne s'était jamais vue. Lui, disait-il, qui vivait avec sa mère, qui n'avait jamais cru bon de fonder une famille, qui n'avait toujours eu qu'une passion, l'océan, avouait aujourd'hui le piteux état dans lequel il se trouvait à la suite d'un incendie qui s'était déclaré au fond de lui. Un terrible feu qui le dévorait de l'intérieur. Ainsi parla-t-il. Ce brasier avait été allumé par une femme que tout le monde voulut connaître. Il s'agissait, selon Pedro Montilla, de la femme la plus délicate, merveilleuse et angélique que la Terre ait jamais portée. On le pressa alors de la nommer.

— Cette femme s'appelle... Soledad.

On entendit les insectes voler durant plusieurs secondes. Soledad restait muette, paralysée par l'embarras. Pedro Montilla mit fin à son supplice en reprenant la parole, s'excusant du choc qu'il savait lui causer par cet aveu, mais expliquant qu'il avait été forcé de le faire de peur de mourir étouffé par son secret trop lourd à porter.

— *Perdoname,* dit-il enfin, les yeux baissés.

Il enfonça sa casquette sur sa tête, tourna les talons confusément et se retira d'un pas rapide. Il disparut derrière les habitations.

— Bon, ma chérie, dit enfin Pépé Vicario à Soledad, mieux vaut un homme qui emmène des fantômes à la pêche qu'un autre qui court le jupon! Non?

Tout le monde partit d'un rire libérateur, la vieille Olguita en tête.

Le mois d'août fut brûlant. Soledad avait été tout ce temps aux prises avec un dilemme qui lui était encore un véritable fardeau. Elle n'avait toujours pas trouvé, ni les mots ni la manière pour parler à Pedro Montilla. La peur de le blesser, d'être mal comprise l'empêchait d'aller frapper à la porte de la vieille Olguita et de son fils.

Xiomara Vicario arriva essoufflée en haut du sentier qui menait chez sa fille. Elle s'arrêta un instant devant la porte et regarda en bas sa maison, celle des Lopez, celle des Montilla, celle des Herrera, des Segura, et tout au fond du *barrio*, derrière les autres maisons, elle aperçut Augustino Márquez et sa femme Magdalena, devant leur porte, qui semblaient se disputer. Cette scène était monnaie courante et faisait partie du quotidien de Xiomara. Il y avait près de vingt-cinq ans qu'elle vivait ici et aimait profondément cet endroit. C'était sa deuxième maison en trente-cinq ans de mariage avec Pépé et c'est là qu'elle mourrait, elle le savait. Olguita était la doyenne de l'endroit, et Xiomara la seconde, suivie de près par Flora Lopez. Elles étaient les trois vieilles, puis il y avait les autres, les moins de quarante ans, considérées comme les jeunes: Magdalena Márquez, vingt-neuf ans ; Angela Herrera, trente-trois ans ; Placida Segura, trente-six ans. Ces femmes, leurs maris et leurs enfants étaient pour Xiomara, avec sa propre famille, tout ce dont elle avait besoin pour se sentir heureuse. Plus que des voisins, ils étaient les membres d'un même clan ; de véritables amis sur lesquels on pouvait toujours compter et qui avaient infailliblement le comportement qu'on attendait d'eux dans les moments de crise, dans le besoin. L'accueil qu'ils avaient tous fait à sa petite Soledad en avait été une grande démonstration. Xiomara se sentait redevable à chacun d'entre eux. N'était-ce pas grâce à ça qu'elle avait retrouvé ce qu'elle avait perdu au fond de son cœur : les élans d'amour d'une mère et la fierté incommensurable d'être grand-mère ?

La vieille femme esquissa un sourire de satisfaction et se décida à entrer dans la maison. Elle n'y trouva personne et s'étonna.

— *Mi amor... ! Laurencio ! Soledad !*

— Ici, grand-mère !

La petite voix de l'enfant lui parvenait de dehors, au-dessus de sa tête.

« Qu'est-ce qu'ils fabriquent sur le toit ? » se demanda Xiomara.

Comme toutes les maisons de parpaings du *barrio*, celle de Soledad avait un toit plat en ciment qui avait été recouvert d'une bonne couche de terre d'une cinquantaine de centimètres où avaient poussé mauvaises herbes et fleurs sauvages. La première fonction de ce genre de toiture étant de conserver efficacement la fraîcheur dans la maison, il arrivait aussi qu'on utilise cet espace pour y aménager un petit jardin où poussaient tomates, ail et autres petits légumes. Soledad avait entrepris de désherber son toit et d'y faire pousser des plantes de son choix, avec l'assentiment enthousiaste de Laurencio qui trouvait exaltant de jouer sur le toit de la maison avec sa mère. Xiomara prit un peu de recul, sur le côté de la petite habitation, pour les regarder d'en bas. Une échelle de bois de cinq ou six échelons s'appuyait contre le mur.

— Monte, grand-mère !

L'enfant hurlait comme si la vieille s'était trouvée à des kilomètres.

— Ne crie pas comme ça, mon chéri, dit Xiomara, amusée. Je ne suis pas sourde.

— *Sube, abuela*, répéta le petit, moins fort.

— Tu me prends pour une acrobate ? Je vais me casser les reins si j'essaie de grimper là-haut !

— Non, je vais t'aider. Tu vas voir, c'est facile ! *Muy fácil !* dit-il en sautillant de joie.

Voyant le petit si heureux à l'idée de faire grimper sa grand-mère sur le toit de sa maison, Xiomara ne résista pas plus longtemps. Elle saisit l'échelle à deux mains et entama son ascension. Elle monta sans trop de difficulté jusqu'au dernier barreau, sous la surveillance émerveillée de son petit-fils. Soledad lui tendit la main pour l'aider à franchir le passage de l'échelle jusque sur le toit.

— *Esta bien, esta bien*, dit la vieille femme, j'y arrive.

Elle posa un pied au bord du toit et c'est alors que l'autre pied glissa du barreau, Xiomara tenta de s'agripper quelque part, mais sa main ne saisit que le vide. Elle fit une chute de deux mètres sous les yeux horrifiés de Soledad et du petit et se retrouva sur le dos, immobile et les yeux grands ouverts sur le bleu du ciel. Laurencio se mit à crier, Soledad était en état de choc. La mère et l'enfant regardaient la pauvre vieille immobile au pied de l'échelle.

— *Mamy ! Mamy, abuela esta muerta ! Esta muerta !* criait le petit en pleurant. Elle est morte !

Et si aucun son ne pouvait sortir de la bouche de Soledad, celle-ci partageait la même conviction terrifiante que son enfant. En bas, Xiomara semblait être morte sur le coup. La jeune fille ordonna à l'enfant de ne pas bouger et se hâta de descendre dans l'échelle quand la voix de la vieille se fit entendre.

— Ne va pas t'estropier, toi aussi, dit-elle à sa fille.

— *Mamy!* soupira Soledad. Tu n'as rien? Dis: tu n'as rien?

— *Creo que me rompió el culo!* dit Xiomara en grimaçant.

Soledad et son fils ne purent retenir un éclat de rire. C'était la première fois que Xiomara laissait échapper une grossièreté.

« Je crois que je me suis cassé le cul! » venait-elle de dire.

Soledad accourut auprès d'elle en riant pour l'aider à se relever. Xiomara Vicario, encore allongée sur le dos, pointa un doigt vers le ciel.

— Regarde, dit-elle, *las tiñosas,* là-haut! Elles m'ont déjà repérée, les sales bêtes!

Haut dans le ciel d'azur, les grands oiseaux noirs décrivaient des cercles. Ils tournoyaient sous les nuages blancs et semblaient attendre un festin.

— Allez-vous-en! Allez-vous-en! cria Laurencio du haut du toit en battant l'air de ses petits bras. *Abuela esta viva! Esta viva!* criait-il très sérieux aux oiseaux.

Xiomara s'esclaffa de rire et poussa simultanément un cri de douleur.

La nouvelle de l'accident fit rapidement le tour du petit village et, à l'occasion des visites que nul ne manqua de faire à la maison des Vicario, on épancha plus de rires aux larmes que de réelle compassion rien qu'en entendant raconter l'événement. La chute n'avait laissé aucune séquelle grave et Xiomara commençait à oublier son coccyx, qui l'avait quand même fait souffrir une bonne dizaine de jours.

Peu de temps après, un soir, vers les sept heures, alors que du ciel bas assombri de gros nuages tombait une pluie abondante et chaude, on frappa à la porte des Vicario.

— Entrez! lança Pépé sans bouger de sa place.

Pedro Montilla se présenta alors devant les deux vieillards, trempé de la tête aux pieds. Il passa sa main sur son visage et demeura près de la porte, restée ouverte. Dehors, derrière lui, les hallebardes grosses comme le pouce s'écrasaient sur le palier. Une telle pluie n'était pas rare dans l'île. Les gens des campagnes appréciaient ces ondées tropicales, dont la nature assoiffée avait grand besoin.

« *Hola, Montilla,* entre et assieds-toi, dit Pépé.

— *Gracias, Vicario,* dit Pedro en s'approchant, mais je n'en ai pas pour longtemps. Je suis venu pour vous demander, à toi et à ta femme, la permission de monter là-haut, chez Soledad. J'ai à lui parler.

— Tu es un brave homme, Pedro Montilla, fit Pépé. Xiomara et moi, on apprécie les égards que tu as pour nous et le respect que tu portes à la petite. Va. Monte la voir. J'espère seulement que tu sais ce que tu fais et que tu ne vas pas là haut pour en redescendre plus malheureux.

— Pourquoi tu dis ça, Pépé ? Soledad vous a parlé ?

— Non, non, fit rapidement Vicario.

— Si, intervint Xiomara. Si, Pedro. À moi oui, elle a parlé. Je sais qu'elle tient à s'expliquer elle-même avec toi, mais je te dirai quand même : ne te fais pas d'illusion et ne lui en veux pas. Je suis sûr que tu pourras comprendre ce qu'elle te dira.

Pedro hocha la tête et eut un sourire fataliste.

— Ne soyez pas inquiets, j'ai beaucoup réfléchi et je me suis fait une raison. Soledad est beaucoup trop bien pour moi. C'est une princesse et elle mérite ce qu'il y a de mieux... Quelle pluie ! ajouta-t-il en essuyant ses yeux.

Les Vicario échangèrent un regard de compassion, comprenant que le pêcheur venait d'essuyer plus que de l'eau de pluie sur son visage.

— *Bueno. Ve y hasta luego, Montilla !* dit Pépé sur un ton qu'il voulait naturel.

Après un signe de la main, Montilla sortit et s'éloigna sur le sentier.

Il arrivait fréquemment que Soledad, par beau temps, empruntât une bicyclette à l'un ou l'autre des habitants du *barrio*. Ce jour-là, c'était Placida Segura qui lui avait prêté la sienne. Le plus souvent, c'était celle de Magdalena Márquez qu'elle utilisait lorsqu'elle était disponible et, sauf exception, elle l'était presque chaque fois ; Magdalena était mère de trois enfants, ce qui ne lui laissait pas beaucoup de temps pour les promenades à vélo. Les Márquez avaient vécu un drame déchirant peu de temps avant l'arrivée de Soledad au *barrio* : un accident terrible les avait privés de leur aîné. Le garçonnet de six ans, qui jouait avec une boîte d'allumettes, était mort brûlé vif à la suite de l'explosion d'un jerrican d'essence entreposé derrière la maison. Les Márquez en furent gravement perturbés et, le mois suivant, Magdalena mit au monde un enfant attardé. Augustino ne s'était jamais vraiment remis de la perte de son fils et s'était mis à boire comme un trou. Lorsqu'il regardait son dernier, bientôt âgé de cinq ans, la bouche ouverte, l'œil hagard, avec le comportement et le vocabulaire rudimentaire d'un bébé d'un an, il ne trouvait qu'un seul baume à sa douleur : le rhum. C'était invariablement la véritable raison de leurs fréquentes disputes.

Au sortir du *barrio*, le petit chemin de terre serpentait dans la campagne. À quelque trois kilomètres, il y avait un endroit paisible où Soledad aimait flâner. Elle l'avait découvert un dimanche de promenade à pied, accompagnée de Laurencio, Xiomara et Pépé. Depuis, elle y était retournée plusieurs fois, tantôt avec le petit assis sur le guidon de la bicyclette, tantôt toute seule comme aujourd'hui. Ses balades en solitaire lui permettaient plus de fantaisies sur le trajet. Elle zigzaguait entre les pierres, piquait quelques pointes de vitesse, s'arrêtait, repartait au gré de ses impulsions. Elle profitait au maximum de l'air, qui fleurait le parfum des manguiers, et des caresses du vent doux toujours empreint de l'odeur de la mer qui brisait ses lames sur les rochers, à quinze minutes de route sur sa droite.

Lorsqu'elle arriva à destination, Soledad descendit de sa bicyclette et l'appuya contre le tronc d'un grand palmier au bord du chemin. Sous ses pieds, un petit passage se faufilait à pic entre les rochers et, tout en bas, à une vingtaine de mètres, il y avait ce qu'on appelait la *caleta*, la crique, un endroit isolé et tranquille où la mer s'enfonçait dans la côte rocheuse et où les vagues venaient finir leur course. Par jour calme, c'était un léger clapotis qui berçait les visiteurs de la *caleta*, mais lorsque l'océan grondait, des trombes déchaînées se jetaient sur les rochers, emplissant la crique d'une mousse blanche et bouillonnante qui lui donnait l'aspect d'un immense baquet de lessive. En cet après-midi de fin août, la surface de l'océan était lisse et miroitait des feux d'un soleil jaune. Depuis son promontoire, Soledad regarda au loin, là où le bleu du ciel se confondait avec celui de la mer au point qu'elle ne distinguait pas la ligne d'horizon. Puis, elle entreprit de descendre en prenant soin de regarder où elle posait les pieds. Une chute dans ce passage escarpé eût été fatale. Elle le savait et s'agrippait avec précaution aux parois humides d'embruns et garnies de mousses. Une scène pour le moins confondante attendait Soledad au terme de sa descente.

Tout en bas, au pied des rochers, il y avait une sorte de passerelle naturelle, sculptée par les vagues dans la roche, et qui permettait d'accéder à l'unique endroit assez plat et large pour s'y installer. Il s'agissait d'un haut rocher légèrement concave, tout juste de la taille d'un lit et qui faisait face à la mer. Cette plateforme était dissimulée par un mur de roc qu'il fallait contourner en s'y accrochant solidement pour ne pas tomber à l'eau, quatre mètres plus bas. Une fois arrivé, on était à l'abri de tous les regards. Voilà pourquoi la *caleta* était aussi appelée *la cama de la juventud*, le lit de la jeunesse. Seules la passion amoureuse et l'agilité de la jeunesse permettaient d'accomplir avec succès le trajet jusqu'à ce nid d'aigle face à l'océan.

Soledad entreprit de contourner le pan de roc. Alors qu'elle se trouvait suspendue au-dessus des eaux, un rire de femme retentit. Soledad resta figée de surprise. À aucun moment il ne lui était venu à l'idée que l'endroit puisse être occupé en plein après-midi, un jour de semaine. D'ordinaire, les amoureux s'y retrouvaient le samedi ou le dimanche, de préférence à la tombée du jour. Soledad résolut de faire marche arrière. À cet instant, le rire se fit entendre une fois encore. Soledad hâta la manœuvre, souhaitant être déjà sur sa bicyclette, filant sur le chemin.

— Attends, Sébastian ! dit la voix sur le rocher.

Ce nom résonna dans les oreilles de Soledad comme un choc digne d'une lame de fond s'écrasant sur la côte. Non pas qu'elle attachât une quelconque importance aux frasques sentimentales de Sébastian — elle n'était même pas sûre qu'il fût question du même garçon — non, sa curiosité se dirigeait plutôt vers la femme. Qui était-elle ? Seule une personne de la région pouvait connaître la *caleta*. Ce fut plus fort qu'elle. Elle décida de rester là, accrochée entre le ciel et l'eau, pour tenter d'entendre. Elle perçut des gloussements et des gémissements qui ne trompaient pas sur l'occupation du couple sur le rocher. Soledad se hissa sur la paroi, tendit le cou autant qu'il lui fut possible et put enfin apercevoir des vêtements, entassés aux pieds de l'homme et de la femme nus comme des vers. Un ultime effort pour se soulever sur sa jambe et elle vit leurs visages. La surprise faillit lui faire lâcher prise et elle crut qu'elle allait pousser un cri. Sa curiosité assouvie, elle fit demi-tour si rapidement qu'elle se demanda plus tard comment elle avait quitté cette paroi et comment elle était remontée sur sa bicyclette.

Elle pédala d'abord sur le petit chemin comme si elle avait eu le Diable à ses trousses, puis réalisa qu'il n'y avait aucune raison de risquer de se rompre le cou. Elle s'arrêta, descendit de son vélo et marcha un peu pour reprendre ses sens. Elle ne pouvait plus penser qu'aux deux visages qu'elle venait de voir. L'un lui inspirait un ressentiment teinté de mépris, l'autre faisait naître en elle une compassion pleine d'appréhension.

Soledad fit le chemin du retour dans une parfaite insensibilité aux charmes du trajet. Son esprit était soumis à une intuition désagréable. Elle éprouvait ce mauvais pressentiment à travers tout son corps. Elle eût été incapable de dire pourquoi, mais quelque chose au fond d'elle-même tirait une sonnette d'alarme. Ce qu'elle venait de voir, elle le savait, allait attirer un grand malheur sur le *barrio* et ses habitants qu'elle aimait profondément, sur elle-même et sur son enfant. Quelle forme prendrait ce malheur, elle l'ignorait, mais elle était convaincue par l'avertissement que lui servait tout son être. Depuis sa plus jeune enfance, Soledad avait plusieurs fois vécu l'expérience de tels présages, que les événements avaient chaque fois corroborés. Elle prenait donc très au sérieux sa prémonition.

Rentrée au village, elle fila déposer la bicyclette de Placida Segura devant sa porte, sans prendre le temps, comme d'habitude, d'entrer pour remercier la jeune femme. Puis, elle courut jusque chez Xiomara et retrouva Laurencio qui jouait aux cartes avec sa grand-mère. Elle embrassa son enfant sur les yeux et le front, puis prit place à la table auprès d'eux. La vieille Xiomara lui trouva un air étrange et la dévisagea un long moment, comme si elle avait cherché à lire quelque chose sur le visage de sa fille.

— Bonne promenade ?

Pour toute réponse, elle n'obtint qu'un hochement de tête plein d'ambiguïté.

Le soir venu, après avoir souhaité bonne nuit à Pépé et à Xiomara, Soledad commença lentement à gravir le petit sentier qui montait chez elle. Son fils courait dans la clarté de la lune énorme et pleine. Soledad regardait son enfant, et ce regard percevait le visible et l'invisible. Paradoxe étrange, sa rêverie était accompagnée d'une lucidité si aiguë que Soledad pouvait voir une aura d'innocence flotter autour de son petit, qui s'amusait de tout et de rien : d'un caillou à la forme évocatrice, d'une sauterelle qui lui chatouillait le creux de la main, ou encore des images qu'il voyait dans le ciel en observant la course des nuages. Cet enfant, c'était son trésor, sa raison de vivre ; même lorsqu'elle avait rêvé de l'Amérique, ce n'était pas pour elle, mais pour lui. Ce qu'elle désirait le plus au monde, c'était le mettre à l'abri de tout besoin, de tout malheur. Elle se souvint de ces deux magazines étrangers qu'elle avait eus sous les yeux un jour et qui lui avaient fixé ces images de bonheur sur mesure dans la tête. Écrit en gros au-dessus des photos, le mot *PARADIS*. Des images abandonnées sur l'île par des voyageurs. Pépé avait expliqué, dans sa manière particulière de parler *del norte*, que c'était bel et bien leur façon d'empoisonner subrepticement le régime et d'ébranler la foi de la population de l'île. Ils envoient des *turistas* qui laissent traîner derrière eux des cadeaux empoisonnés. Soledad réalisait aujourd'hui la naïveté dont elle avait fait preuve, croyant que le bonheur de son petit résidait dans ce paradis artificiel que critiquait si lucidement le *jefe* Vicario. Elle regarda son fils qui sautillait devant elle et ressentit son innocence comme la sienne propre. Elle découvrait avec Laurencio un univers qu'elle n'avait jamais connu. Celui de l'enfance. La sienne avait été occultée, annihilée. Il lui semblait être passée de l'état de bébé naissant à celui de coupeuse de canne à sucre et à celui de mère sans avoir jamais eu le temps de s'arrêter ailleurs. Elle en était là, c'est tout ce qu'elle pouvait dire. Elle eut une pensée pour son père, *el negro*, comme elle se souvint qu'on l'avait déjà nommé devant elle pour la blesser, et pour sa mère. Juaquina García et Fidel Esteban étaient de pauvres gens et elle ne leur en voulait pas. Qu'étaient-ils devenus après son départ? Pourquoi n'avaient-ils pas voulu de son enfant? Ils en seraient si fiers aujourd'hui! Soledad fut soudain tentée par l'idée de redescendre le sentier et de raconter à ses parents d'adoption ce qu'elle avait vu cet après-midi à la *caleta*. Pendant tout le repas, elle avait résisté à l'envie de le faire. Cette fois encore, elle s'interdit la chose.

Arrivé à la maison, Laurencio entra le premier et Soledad referma la porte sur le clair de lune et sur le mauvais pressentiment qui la tenaillait. Le petit sauta sur le lit, attendant d'être préparé par sa mère pour la nuit. Chaque soir, ce rituel était un moment privilégié entre Laurencio et Soledad, et ce jeu, car c'en était un, se terminait toujours, toutes lampes éteintes, au creux de la paillasse que Xiomara avait confectionnée, avec un baiser sur le front et des caresses dans les cheveux.

— Tu as encore oublié, maman, disait le petit depuis quelques jours.

Alors Soledad, une fois encore, au creux de l'oreille, lui promit le paradis. Cette fois elle pensa à celui que tous les gens de bonne foi espèrent au bout de leur vie.

C'est dans le calme et la chaleur sereine de leurs deux corps que la jeune mère et son enfant sombrèrent dans le sommeil. C'est dans l'angoisse d'un cri horrible que Soledad en fut tirée, vers deux heures du matin. Elle sauta du lit pour aller relever les persiennes de la petite fenêtre. La clarté laiteuse de la lune inondait le centre du *barrio*. Elle pouvait voir toutes les maisons aussi bien qu'en plein jour. Laurencio ne s'était pas réveillé: il dormait, poings fermés, d'un sommeil de plomb. Heureusement, car le drame atroce dont Soledad allait être témoin depuis le seuil de sa porte n'était pour les yeux de personne, encore moins ceux d'un enfant. La jeune fille sortit rapidement de la maison et entendit les voix d'un homme et d'une femme qui se disputaient. C'étaient les Márquez, elle en fut convaincue aussitôt, mais elle ne parvenait pas à les apercevoir. La maison de Augustino et Magdalena était sans éclairage, comme toutes les autres. Soudain, Soledad vit une femme qui courait s'éjecter littéralement de l'ombre, entre l'habitation des Lopez et celle des Herrera. Elle reconnut sans peine Magdalena, qui tituba jusqu'au centre de la place et s'écrasa sur le chemin de terre. Une tragédie se déroulait sous les yeux horrifiés de Soledad. Elle pouvait distinctement voir une grande tache de sang sur la robe de la jeune femme, à la hauteur du ventre. Elle se précipita alors sur le chemin en pente et tomba sur les genoux. Elle se fit mal, mais chercha à se relever aussitôt. Ce sentier lui semblait long pour la première fois. Elle poursuivit sa course jusqu'à mi-chemin, mais fut stoppée par l'apparition fulgurante de Augustino Márquez, qui se dirigeait vers sa femme du grand pas désordonné d'un homme sous l'emprise de l'alcool. Il tenait à la main une machette dont la lame reflétait les éclairs d'une colère aveugle. Il arriva auprès de la pauvre femme qui perdait son sang sur le chemin et, hurlant, il évoqua le mal qu'elle lui avait fait ! la vie qu'elle lui avait gâchée ! le mensonge et la perfidie ! Puis il se laissa tomber sur les genoux, plongea sa machette dans la poitrine de Magdalena et se recroquevilla, couché sur le sentier, pleurant toutes les larmes de son corps.

L'horreur était à son comble et Soledad tomba, elle aussi, sur les genoux. C'était là la catastrophe qu'elle avait anticipée tout le jour et elle se condamnait déjà de n'avoir pu la prévenir. Ce ne fut qu'à cet instant que les lumières s'allumèrent devant les portes. Tour à tour, les habitants du *barrio* s'approchèrent de la scène du drame. Il était trop tard, Augustino Márquez venait de tuer sa femme et personne n'y pouvait rien.

L'investigation policière détermina rapidement les causes du drame. L'équation était simple : infidélité, jalousie et alcool étaient les ingrédients du cocktail qui avait conduit à ce crime passionnel. Pour les autorités, l'affaire fut vite classée. Augustino Márquez fut incarcéré dans un centre de réinsertion civile, duquel il ne sortirait que pour passer les cinq prochaines années de sa vie dans un camp de travail. Les trois enfants du couple furent envoyés chez une sœur de Magdalena, près de Santiago, à l'autre bout du pays.

Pour Soledad, rien n'était classé. Elle sentait gronder jusque dans ses entrailles un typhon terrifiant rugissant dans le lointain, dont la direction pourrait changer sans crier gare à tout moment, et qui viendrait sur elle et les siens. Elle en avait la certitude : cela viendrait d'un seul coup et emporterait tout sur son passage. Elle aurait voulu se raconter qu'elle se trompait mais, rien à faire, la perception aiguë qu'elle en avait ne mentait pas. Le drame des Márquez allait être suivi d'un autre, tout aussi cauchemardesque.

Tout le monde à des kilomètres à la ronde apprit par l'enquête policière l'infidélité insoupçonnée de Magdalena, mais seuls Xiomara et Pépé furent mis au fait des détails de l'histoire. Soledad leur avait enfin raconté l'épisode de la *caleta* et ils se sentaient riches de ce secret que chacun aurait voulu connaître. On avait même, pendant un temps, soupçonné en silence le seul célibataire du village : le pauvre Montilla, parce qu'il avait été, plus que tout autre peut-être, bouleversé par le drame et avait pleuré publiquement. C'était dans la nature des gens de l'île d'être fortement curieux de tout ce qui était la vie privée d'autrui. On appelait cela *chismografìa* et cette passion du commérage et du cancan ne ternissait en rien la gentillesse des gens, leur générosité et l'entraide spontanée dont ils étaient capables.

Magdalena Márquez fut inhumée au cimetière du *pueblo*, à côté de son enfant, décédé cinq ans auparavant. Ironie du sort ou obscure volonté humaine, la pierre tombale de Magdalena était juxtaposée à celle d'une autre grande infidèle, morte il y avait presque soixante-quinze ans dans des circonstances semblables : Julieta Reyes. L'histoire de cette

Juliette, qu'on ne manquait pas de comparer à l'autre, était devenue à travers les générations une légende qu'on évoquait encore et que les femmes de l'île se racontaient pour s'émouvoir aux larmes et se convaincre de l'existence du grand amour.

« Qui sait ce qu'on dira d'elle dans cent ans... » pensa Soledad en déposant des fleurs sur la tombe de Magdalena.

Elle était montée jusque là-haut pour faire un adieu personnel et serein à l'âme de la jeune femme assassinée. Sur le chemin du cimetière, elle avait préparé un bouquet de fleurs sauvages et l'avait enveloppé dans le petit foulard de soie coloré avec lequel elle nouait ses cheveux depuis que Magdalena le lui avait offert. Soledad se rappelait comment la jeune femme l'avait spontanément retiré de sa propre chevelure pour l'attacher autour de la sienne. Sans un mot, juste un sourire. Dans l'adresse que Soledad fit intérieurement à la disparue, il y avait des excuses désolées. Elle demandait à être pardonnée de s'être trompée en voulant garder secrète l'idylle des amants de la *caleta*, convaincue qu'elle aurait dû intervenir dès la première manifestation de son noir présage. Xiomara et Pépé avaient eu beau lui répéter qu'elle avait bien fait et qu'elle n'avait aucune responsabilité dans le triste destin de Magdalena, Soledad ne parvenait pas à se soustraire à l'idée qu'elle s'était faite des choses et de leurs circonstances.

Elle arrangea le bouquet contre la modeste pierre tombale et redescendit vers le village, le cœur alourdi par des songes nébuleux qui planaient dans sa tête. Soudain, elle se rappela un voyage à Matanzas, en compagnie de Fidel, son père, alors qu'elle avait six ou sept ans. C'était chez une vieille Noire, qu'elle avait baptisée « la sorcière ». D'abord étonnée de revivre cet étrange souvenir, là, sur le chemin qui l'éloignait du cimetière, Soledad s'abandonna très vite à cette remémoration. La vieille Noire était une animiste de grande renommée dans toute la partie occidentale de l'île.

On l'invitait partout pour présider à des cérémonies santéristes et on venait même de la capitale pour la consulter chez elle. Fidel Esteban avait expliqué cela à sa fillette pendant le voyage de deux heures qui les avait conduits à Matanzas. Soledad se rappelait même la rue, la porte d'entrée de la vieille maison, la couleur de la céramique sur le sol. Elle se rappelait tout. Son père était allé rendre visite à cette femme afin qu'elle extirpe de son corps un sentiment de culpabilité envers elle ne savait plus quoi, peu importait d'ailleurs, et qui minait sa vie. La vieille Noire aux yeux globuleux et aux doigts noueux avait consulté les mains de Fidel Esteban sous tous les angles, fouillé le fond d'une tasse de tisane qu'elle lui avait fait boire, interrogé une amulette d'os de poulet séchés reliés ensemble par une cordelette et avait prononcé quelques incantations accompagnées d'un chant étrange et sans air d'une voix aigre et sèche. Fidel Esteban s'était dès lors considéré comme guéri de son mal et avait toujours affirmé avoir très bien employé ses douze pesos. Comme le sang qui courait dans ses veines, les sentiments de Soledad envers les *orishas*, le vaudou et leur caractère occulte étaient ambigus. D'une part, elle ressentait de la fascination et, de l'autre, elle rejetait tout cela comme de la foutaise primitive. Ce fut pourtant ce jour-là le sang noir qui parla et Soledad prit une décision. Avec un peu de chance, cette vieille sorcière était encore en vie. Elle irait à Matanzas lui demander de la soulager des remords et, pourquoi pas, pendant qu'elle y serait, des prémonitions dont elle était trop souvent victime. Elle devait parler à ses parents de cette décision. Il faudrait que Xiomara et Pépé comprennent car elle ressentait avec violence le besoin de revoir cette vieille Noire à Matanzas. C'était un ordre impératif que lui intimait tout son être. Elle précipita sa marche.

Le dimanche suivant, Pépé Vicario terminait d'apprêter la rutilante Ford 1955 qu'il ne sortait que pour les grandes occasions et qu'il entretenait avec une précaution ostentatoire. Il versa quelques litres d'essence dans le réservoir et essuya le bouchon chromé pour lui rendre son éclat. Il souleva le capot avec un air de satisfaction et vérifia l'eau du radiateur, toucha du bout du doigt quelques fils ici et là. Enfin, il termina son inspection minutieuse par une marche lente tout autour du véhicule, un chiffon blanc immaculé à la main, qu'il passait par intermittence sur la carrosserie d'un vert et d'un blanc éclatants qui n'en avait nul besoin tant elle étincelait de tout son lustre. Pépé Vicario était fier, et avec raison, de cette automobile qu'il tenait de son père, lequel l'avait gagnée aux dés à un Américain importateur de lingerie féminine, l'année où ils disparurent tous de l'île. C'était une magnifique Ford Fairlane deux portes : le modèle coupé deux tons, Crown Victoria. Lorsque, pour le taquiner, on rappelait au *jefe* que l'objet de son orgueil était américain, il expliquait qu'il n'y avait aucune contradiction à reconnaître et apprécier le savoir-faire technique de quelqu'un dont on condamne la manière de penser. Puis, il faisait diversion, alléguant que cette voiture était un bijou de famille, seul souvenir qu'il avait de son pauvre père bien-aimé. Alors que tous savaient depuis toujours que Manuel Vicario avait été le plus grand vaurien, menteur et tricheur au jeu que la terre de l'île eût jamais porté.

Sous le soleil déjà ardent de huit heures du matin, Pépé retira son chapeau de paille blanc, s'essuya le front et s'appuya contre la Ford en croisant les jambes. Il avait revêtu sa *guayabera* préférée : la bleue. Il en possédait aussi une blanche et une noire ; à part la couleur, elles étaient identiques. La noire était exclusivement réservée aux occasions malheureuses et il souhaitait qu'elle reste au fond de l'armoire. Il avait dû la porter quelques semaines auparavant pour l'enterrement de la pauvre Magdalena, mais il n'aimait pas beaucoup cette chemise, lui reconnaissant pourtant une utilité indéniable, le destin étant ce qu'il est. Pépé endossait la *guayabera* blanche pour les choses très officielles : les rendez-vous dans les bureaux de l'État, les démarches administratives incombant à sa charge de *jefe* du *barrio*, les revendications au nom des membres et toutes ces choses pour lesquelles il revêtait, plus que la chemise, la peau du *guajiro* militant et patriote qu'il était au fond du cœur. La dernière occasion était une convocation à une réunion du Parti, de haut niveau. Cette chemise-là, il l'enfilait beaucoup plus volontiers et avec une émotion pleine de fierté. Quant à la bleue, sa préférée, elle signifiait le plaisir, les manifestations agréables : les fêtes, le carnaval annuel, les bons moments de l'existence. Vicario réalisa que la dernière fois remontait à la fête donnée pour les quinze ans de Soledad. Plus de deux ans, maintenant ! C'était résolument la chemise qu'il portait le moins. Il se gratta le dessus de la tête en grimaçant.

« Que fait la petite ? » pensa-t-il.

Soledad apparut dans le cadre de la porte, suivie de Xiomara et de Laurencio accroché à la jupe de sa grand-mère. La jeune fille était d'une beauté digne du tableau d'un grand artiste.

— Une véritable déesse ! lança Pépé.

Soledad embrassa son fils, qui en retour la serra très fort par le cou, pleurnichant en lui demandant si elle pouvait l'emmener. Sa grand-mère lui expliqua que c'était impossible, mais que sa mère lui rapporterait une surprise de la ville. L'enfant se calma et courut ouvrir la portière de l'auto à sa mère. Soledad en fit un jeu avec son fils : elle mima la princesse prenant place dans son carrosse.

— Merci, mon prince, fit-elle au passage.

Elle portait une petite robe à mi-cuisses, de mousseline blanche et légère, retenue aux épaules par deux cordons noués en boucles. Sa chevelure était divisée en plein centre et, de chaque côté de son visage ovale, pendait une poignée de cheveux lustrés, délicatement nouée d'un ruban d'organdi diaphane. Sa peau d'un brun doré tranchait sous cette touche de blanc. Elle tenait un large sac de corde tressée et marchait dans des sandales qui faisaient l'ensemble avec le bagage. Elle prit place sur le siège de la voiture et Laurencio referma la portière avant de s'appuyer de toute sa petite hauteur sur le bord de la fenêtre baissée.

Debout devant la voiture, Vicario regardait sa fille, béat d'admiration. Xiomara lui envoya une tape sur l'épaule.

— *Anda, viejo !* Qu'est-ce que tu attends ?

Pépé prit place derrière le volant de sa Ford et son visage ne put dissimuler l'émotion qu'il ressentait chaque fois au moment de tourner la clé dans le démarreur : le bruit du moteur de sa voiture le remplissait de vanité, de gloriole. Il tourna la clé les yeux rivés dessus. L'auto émit un bêlement de chèvre agonisante. Pépé relâcha la clé avec un frisson dans le dos et un clignement nerveux des yeux. Il la tourna de nouveau, avec le même résultat. Cette fois, filet de sueur entre les omoplates et tremblement des membres. Il sortit énergiquement de la voiture et fila relever le capot. Il se souvint qu'il ne connaissait rien à la mécanique et sentit un poids dans la poitrine. Xiomara, qui connaissait son époux mieux que personne, s'avança pour minimiser le problème d'un geste de la main. C'est alors que Vicario regarda pour la première fois les Herrera et les Segura, réunis devant la maison des Montilla, qui l'observaient, souriants. Il se demanda depuis combien de temps ces quatre-là l'épiaient.

— Je ne sais pas ce qu'elle a ! Elle ne fait jamais ça ! lança-t-il dans leur direction.

Tout le monde baissa les yeux, y compris le petit Laurencio, mal à l'aise tant son grand-père était pathétique. Chaque sortie de la Ford de Pépé Vicario débutait par cette même scène. Tous retenaient une envie irrésistible d'éclater de rire. Il ne fallait surtout pas ! La chose était bien comprise de tout le monde. Enfin, Juan Segura, tirant des bouffées de sa pipe, se détacha du groupe nonchalamment et, comme d'habitude, fit remonter Vicario dans sa voiture. Il retira le filtre à air, plongea le tuyau de sa pipe dans le carburateur et demanda à Pépé de tourner la clé. La Ford toussa un peu, puis le moteur se mit à ronronner pendant qu'un nuage de fumée noirâtre s'exhalait du pot d'échappement. Comme d'habitude, Pépé remercia Segura d'un signe de la main furtif pendant que celui-ci, tête baissée et pipe entre les dents, s'affairait à remettre le filtre à sa place. Puis, il retourna rejoindre les autres, comme d'habitude, pendant que Pépé se dirigeait déjà vers le chemin de terre qui menait hors du *barrio*. Il klaxonna enfin deux fois avant de disparaître dans le virage, comme d'habitude.

Depuis quatre années que Soledad était au *barrio*, c'était la troisième fois seulement qu'elle montait dans cette voiture. Elle pensa que son père avait voulu lui faire plaisir en acceptant de l'emmener voir cette vieille Noire à Matanzas. Le trajet se fit sans encombre et Vicario ne cessa de parler de tout et de rien. Soledad l'écoutait distraitement, ce qui allait très bien à Pépé, qui n'en demandait jamais plus en conduisant. Il suffisait qu'on l'écoutât ou qu'on feignît de le faire. La jeune fille s'était longuement abandonnée à sa rêverie, se revoyant sur ce même parcours, en compagnie de Fidel Esteban, et sa petite enfance lui sembla si loin derrière elle qu'un énorme soupir s'arracha de sa poitrine. Vicario tourna la tête, s'imaginant que le discours qu'il tenait ennuyait sa fille ; il resta muet sur plus de trois kilomètres au moins. Il fallut que Soledad lui demande ce qui se passait pour qu'il reprenne la parole, sans plus la lâcher jusqu'à Matanzas.

La ville baignait dans le soleil de la matinée lorsqu'ils atteignirent la *plaza,* comme disait Pépé, un parc central et ombragé, avec ses bancs et ses habitués. Les vieillards y côtoyaient les adolescents et les enfants. Pour les gens de la campagne comme Soledad et Pépé, cette animation avait des airs d'événement et de festivité, alors que la chose était le quotidien des citadins. Le parc était le lieu de ralliement habituel et journalier. Pépé stoppa la voiture au bord du trottoir et coupa le moteur. Il décrispa un instant ses doigts et ses avant-bras, n'ayant lâché le volant à aucun moment pendant deux heures.

Puis, Vicario dévoila à Soledad la manière dont ils allaient faire les choses à partir de cet instant. La rue où vivait encore la vieille Noire, Pépé s'était renseigné avant d'entreprendre ce voyage, se trouvait à deux pâtés de maisons. Il ne l'accompagnerait pas, vu qu'il ne prisait pas ce genre d'endroit et qu'en plus il voulait profiter de l'occasion pour visiter un vieil ami qui logeait près de là. Ils se retrouveraient à la voiture à midi et iraient manger ensemble dans un endroit de sa connaissance, tout près de *la bodega*.

Soledad l'embrassa sur la joue et tourna les talons pour remonter la petite rue étroite et pavée. Les façades des maisons, décorées de leurs balustrades en fer forgé, s'alignaient le long du trottoir sur lequel elle marchait, faisant tourner toutes les têtes sur son passage. Le tissu blanc de la petite robe de Soledad dansait autour de ses jambes fines et longues à chacun de ses pas. Elle se déplaçait dans l'air chaud comme un papillon. Des garçons sifflèrent sur son passage et elle se sentit flattée et gênée à la fois, comme si elle s'était soudain trouvée toute nue. C'était la première fois de sa vie qu'elle faisait cette expérience. Elle pressa le pas en baissant la tête.

— *Hola, chica !* lança une voix de l'autre côté de la rue.

Ce fut moins le timbre de voix que le ton présomptueux qui fit que Soledad reconnut Sebastian Mendez. Elle tourna la tête dans sa direction sans s'arrêter. Elle ne l'avait jamais revu depuis ce jour, sur la *cama de la juventud*, à la *caleta*. Elle se demanda comment le garçon avait réagi au drame, dont il avait été l'artisan pour une bonne part selon elle. Mendez traversa la rue en courant et l'appela.

— *Hola, Soledad !* C'est moi, Sebastian !

Comme si elle avait pu l'oublier ! Elle s'arrêta, ne pouvant plus faire autrement.

— Où tu t'en vas comme ça, belle comme le soleil ? *Bellissima !*

— Quelqu'un à voir. Je suis en retard.

— Attends ! Attends un peu, dit-il en l'attrapant par le bras pour la retenir. J'ai tellement pensé à toi, Soledad.

— Tu n'es qu'un sale menteur, Mendez. Tu t'es consolé très vite dans les bras de Magdalena Marquez ! Alors, garde tes salades pour les autres filles, tu veux bien ! À propos, c'est terrible ce qui lui est arrivé, non ?

— Ah la jalousie ! J'ai toujours dit que ça ne valait rien.

Voilà tout ce que Soledad vit de compassion chez cet individu faux et insensible. Elle le regarda avec un air plein de mépris puis poursuivit son chemin. Le garçon la rejoignit en deux enjambées.

— Hé ! Quel regard ! s'exclama-t-il en lui reprenant le bras. Tu te prends toujours pour une reine, je vois !

Il lui fit mal en resserrant son étreinte. Soledad grimaça. Son sac à main décrivit un arc dans l'air et Mendez le prit en pleine figure. Il faillit perdre l'équilibre sous les rires amusés des observateurs assis sur le seuil de leurs maisons aux portes largement ouvertes sur la rue. Soledad repartit de son pas volontaire. Elle n'ignorait pas qu'elle venait d'infliger à Mendez la honte de sa vie et qu'elle s'en était fait ainsi un ennemi pour toujours, mais elle ne le craignait pas.

Elle fut la première à revenir à la voiture. Elle attendit Pépé avec le sentiment d'égarement anxieux qui l'avait accompagnée depuis sa sortie de chez la vieille Gisela, « la sorcière ». La consultation avait mis Soledad dans tous ses états dès le début et elle avait dû la subir jusqu'au bout bien qu'elle eût souhaité au moins dix fois se retrouver ailleurs. La « sorcière » s'était agitée, avait même poussé des cris qui avaient alerté des voisins pourtant habitués. Sous un masque de bois d'ébène plus noir qu'elle-même, elle avait énoncé des mises en garde peu rassurantes dans un sabir où se mêlaient l'espagnol, le yoruba et le créole et Soledad n'avait rien compris à la mascarade morbide qu'elle venait de vivre. La vieille avait parlé de mort sanglante et d'esprits diaboliques en évoquant le viril Chango, tombeur impénitent, maître du feu, du tonnerre, de la guerre et de la danse, et avait bouleversé la pauvre Soledad, venue jusqu'ici pour être apaisée.

Pépé était en retard. Il était une heure moins vingt lorsqu'elle l'aperçut à son insu sortir d'une maison, de l'autre côté du parc. Une femme plutôt rousse l'accompagnait sur le perron et l'embrassa fougueusement sur la bouche avant de le laisser s'éloigner. Soledad crut un instant qu'elle s'était trompée. Ça ne pouvait être Pépé Vicario qui avait embrassé cette femme à la tenue légère. Pourtant, l'homme qui s'avançait à travers le parc en direction de la voiture, cette silhouette familière était bien celle du *jefe* Vicario. Soledad s'éloigna et feignit d'arriver la deuxième.

— Ça a été plus long que ce que j'aurais pensé, dit-elle, l'air dégagé. Tu n'as pas attendu trop longtemps ?

Vicario consulta sa montre.

— Une petite demi-heure. Mais ça n'a pas d'importance, j'ai passé le temps.

Soledad n'en revenait pas. C'était la première fois, selon elle, que Pépé lui mentait. Son aplomb la stupéfiait.

« Quelle affreuse journée ! » pensa-t-elle.

En quelques heures, elle s'était fait un ennemi juré, avait failli mourir d'effroi devant une vieille folle et avait découvert l'insoupçonnable nature de son père adoptif. C'était décidément trop. La ville grouillante de monde lui apparut comme ce lieu de perdition de la Bible dont parlait souvent Flora Lopez.

L'excursion dominicale de Soledad et de Pépé Vicario se termina, comme le vieux l'avait planifié, par un repas dans un petit restaurant populaire des environs de la *plaza*. Soledad ne put s'empêcher de se demander combien de fois Pépé s'était assis là en compagnie de sa rousse pulpeuse. Elle se sentit forcée de descendre Pépé Vicario du piédestal sur lequel elle l'avait placé : il n'était après tout qu'un homme, comme les autres dans l'île, et il succombait lui aussi à la bagatelle. Soledad eut une pensée attristée pour Xiomara.

Le chemin du retour fut plus calme. Pépé Vicario, lui, paraissait tellement serein et vidé de toute fébrilité que Soledad décida de faire un somme jusqu'à la maison, se jurant d'oublier cette journée éprouvante. Elle fit un cauchemar qui la trempa de sueur.

Chapitre 3

Le petit aéroport était envahi de nouveaux arrivants. Quatre files de voyageurs fatigués et fébriles s'allongeaient jusqu'aux portes. Ceux qui attendaient encore dehors, rougis et défraîchis par le voyage, traînant leurs bagages comme autant de boulets aux pieds des forçats, étouffant dans la chaleur torride de cette matinée, piaffaient d'impatience devant la lenteur de la démarche douanière. C'était une chose qui tombait particulièrement sous le sens lorsqu'on arrivait dans l'île. Le rythme des gens, du temps lui-même et de la vie en général dégringolait de plusieurs mesures dans l'espace d'un soupir. Comme un véhicule lancé en trombe sur l'autoroute puis obligé à la plus grande décélération pour traverser un village populeux. C'était cependant ce que tous ces gens, tendus et chargés de toute l'adrénaline de leur vie nordique et moderne, venaient chercher pendant leur séjour: cette nonchalance, cette apathie, cette patience souriante des hôtes. Les douaniers armés, pleins de délicatesses et d'indolence, vérifiaient méticuleusement les passeports, les visas et les cartes d'identité de chaque passager pendant que dans la file d'attente valises et bagages de toutes sortes étaient poussés du pied et gagnaient du terrain.

De l'autre côté des tourniquets de l'entrée, s'amassait une foule dense d'insulaires, venus accueillir qui un frère, qui une sœur, une cousine ou un voisin qui revenait de « là-bas ». On faisait signe de la main, on s'exclamait et on prenait appui sur ceux d'en avant pour tenter d'apercevoir celui qu'on venait chercher. À l'écart de cette foule animée, deux jeunes hommes dans la vingtaine étaient assis et fumaient en discutant à voix basse. Ils attendaient aussi des passagers, mais semblaient en avoir l'habitude et ne plus voir d'intérêt à se jeter dans la bousculade. L'un d'eux était Sebastian Mendez, l'autre, un copain d'enfance qui depuis toujours partageait ses frasques. Ils avaient fait les quatre cents coups ensemble et Marco Cespedez était devenu le frère que Sebastian Mendez n'avait jamais eu. Marco jeta son mégot de cigarette devant lui et posa le pied dessus ; il venait d'apercevoir quelqu'un. Tête baissée, il boutonna rapidement sa chemisette noire à gros pois blancs et chuchota, en se tordant la bouche :

— Ça y est, Sebastian !

Sebastian Mendez découvrit ses dents blanches, se leva et écarta les bras en direction de trois passagers qui venaient d'apparaître, leurs sacs de voyage en bandoulière.

— *Que rojizos !* jeta Marco vers Sebastian. Des langoustines dans l'eau bouillante !

Mendez lui intima de fermer sa boîte et de les accueillir comme lui. Marco se composa une figure de circonstance et imita son ami.

Les trois hommes étaient des touristes et représentaient trois générations se talonnant : Mike Capplan, Canadien, trente-trois ans, célibataire, langue maternelle : anglais, pdg d'une petite entreprise de marketing de quatre associés située en plein centre de Montréal, Québec. Signe distinctif : néant. Tony Bellini, Canadien, quarante-quatre ans, marié, langue maternelle : italien, propriétaire du *Dolce Vita*, un club privé du centre-ville de Montréal. Signe distinctif : petite cicatrice près de l'œil gauche. David Sloman, Canadien, cinquante-deux ans, célibataire, langue maternelle : anglais, auteur de livres pour enfants, résidant en banlieue de Montréal. Signe distinctif : néant. Ces trois individus n'avaient rien en commun, à part la concupiscence qui les avait réunis quelques années auparavant. Ils partageaient un goût pour la perversion qui en avait fait des compagnons de vacances. C'était un véritable safari qu'ils se donnaient l'impression d'organiser chaque année à l'affût des plus belles et plus jeunes filles. Ils les achetaient, littéralement et au prix fort, pourvu qu'elles répondissent sans rechigner à leur besoin de sexualité dépravée. C'était leur troisième séjour sous les tropiques, à raison d'un voyage par an, toujours à la même époque. Sebastian Mendez avait fait leur connaissance dès leur premier voyage et était devenu le pourvoyeur attitré, le guide de chasse en quelque sorte, de Mike, Tony et David. Ceux-ci savaient comment obtenir ce qu'ils voulaient de lui. Ces messieurs avaient des arguments plein les poches et Sebastian les considérait comme ses touristes. Il s'accrochait à eux dès leur arrivée et, sans harcèlement ni familiarité mais avec savoir-faire, se trouvait toujours à la portée de leur bon vouloir et de leurs portefeuilles. L'année précédente, Sebastian avait gagné assez d'argent avec ses trois pigeons pour se laisser vivre tranquillement jusqu'à leur retour. Et ils étaient là, devant lui, rouges de chaleur et d'outrecuidance. Sebastian Mendez apprenait secrètement l'anglais mais continuait de prétendre qu'il n'en saisissait pas un traître mot, ce qui lui permettait d'être au fait du mépris que les trois hommes lui portaient en glanant ici et là des réflexions et des plaisanteries, le plus souvent méchantes, hautaines et racistes, qu'ils faisaient entre eux. Mendez s'en fichait. Il les trouvait stupides et nourrissait pour eux une morgue plus spectaculaire que leurs trois arrogances réunies. Ces types-là arrivaient dans son pays et croyaient pouvoir tout acheter. Soit. Lui, Sebastian Mendez, et son ami Marco Cespedez s'évertueraient à les soulager de leur fortune par tous les moyens qui existaient, ajoutés à ceux qu'ils pouvaient inventer.

Il avança vers eux, bras ouverts et large sourire charmeur. Marco le suivit de près.

— *Amigos!* Vous êtes là enfin!

— Salut, Pépito, grogna Mike sur un ton bourru. Appelle-nous un taxi, ça presse!

Mike avait parlé rapidement, mais Sebastien avait saisi le mot *taxi*, ce qui lui suffit pour s'agiter et faire signe en direction d'une voiture qui attendait le long du trottoir. Les trois hommes avaient une façon insolente de traiter les gens. Ils s'adressaient aux natifs de l'île avec une condescendance méprisante qui, loin d'en faire les êtres supérieurs qu'ils s'imaginaient être, donnait la mesure de leur vulgarité et de leur fatuité. Comme tous ceux de leur race, ils s'estimaient beaucoup, à hauteur de l'argent qu'ils laissaient derrière eux. Ils s'arrogeaient le droit de baptiser du nom *Pépito* qui bon leur semblait, « un manque flagrant de la considération la plus élémentaire lorsqu'on est en visite à l'étranger », pensait Marco Cespedez, qui avait beaucoup de mal à accepter les mauvaises manières de ces trois personnages.

— Laissez-moi vous aider, mes amis, fit Sebastian en les soulageant de quelques sacs. Vous avez fait un bon voyage? Mais bien sûr: ça se voit. Venez, venez!

Il les conduisit jusqu'à la voiture et vit que Marco n'était pas très chaud à l'idée de porter les valises d'individus qu'il détestait profondément. Il fit un signe de tête discret afin que son comparse se décide à bouger et à marquer sa joie. On fourgua les bagages dans le coffre de la petite voiture, Marco ouvrit la portière et David Sloman s'installa sur le siège avant, près du chauffeur stoïque et moustachu. Sloman passa devant Marco sans un mot de remerciement, sans même le voir. Cespedez se sentit plein de dépit.

— *De nada, pendejo!* fit-il dans un beau sourire.

Mendez lança un regard plein de colère à son copain, qui venait de traiter David de crétin. La réflexion était passée bien au-delà des principaux intéressés, mais n'avait pas échappé au chauffeur du taxi, qui ne put retenir un rire. Mendez n'aimait pas ce petit jeu, coutumier pour Marco mais que lui trouvait idiot et risqué. Mike Capplan et Tony Bellini prirent place sur la banquette arrière.

— OK, Pépito, jeta Capplan par la fenêtre de la voiture. On se revoit plus tard, à l'hôtel!

Et le taxi démarra, laissant Sebastian et Marco dans un nuage d'oxyde de carbone. Marco attendit; lorsque le véhicule se fut éloigné, il partit d'un pas furieux vers la route, par-delà les champs d'herbes hautes qui cernaient l'aéroport. Sebastian le suivit en courant. Les questions étaient superflues; Mendez savait mieux que quiconque quelle mouche piquait son camarade. Il avait promis à Marco qu'en l'accompagnant accueillir ses touristes il gagnerait facilement cinq dollars américains car il aurait la moitié du billet que ses trois pigeons allaient sûrement lui mettre dans la poche avec désinvolture. Un tel billet au marché noir, *en la calle* comme ils disaient, représentait plus que ne pouvait gagner un travailleur de l'île en trois mois de dur labeur.

Or, ils se retrouvaient tous deux sans un *peso* de plus qu'en arrivant et étaient quittes pour retourner jusqu'à la ville à pied, en auto-stop, ou pour faire le trajet ballottés dans l'autobus du peuple: *la guagua*. Marco fulminait et avançait à grandes enjambées, les mâchoires serrées.

— C'est rien. On n'a pas fini de les voir, ils sont là pour trois semaines, dit Sebastian.

On est là à faire les larbins pour ces *puercos*: «mes amis» par-ci, «mes amis» par-là! «Et donnez-moi vos bagages!» «Vous avez fait bon voyage?» Et quoi encore, *coño!* Tu m'avais assuré qu'on reviendrait dans le taxi avec eux! Tu parles: on s'est levés à six heures du matin et on est venus jusqu'ici par nos propres moyens attendre deux heures pour se faire traiter de Pépito par ces trois *maricones!* Tu avais affirmé qu'ils commenceraient à nous distribuer des dollars en posant le pied à terre! hurla Marco en retirant sa chemise.

— C'était comme ça la dernière fois. Je pouvais pas savoir, moi!... Calme-toi, Marco. Je te promets qu'on leur en prendra vingt, trente, cinquante fois plus, avant qu'ils retournent chez eux.

Il retira sa chemise à son tour.

— Tes promesses, je les connais !

— Fais-moi confiance, *amigo* : on ne les laissera pas nous prendre pour des cons ou ils regretteront d'avoir rencontré Sebastian Mendez et Marco Cespedez.

Les deux amis marchèrent côte à côte vers la route devant eux, portant en silence le soleil de fin de matinée sur leurs épaules nues.

Le *Sol de la Isla* était un hôtel immense et pourtant chaleureux. La chimie résultait de ces deux caractéristiques souvent antinomiques et elle s'expliquait par la gentillesse du personnel. De la direction à la simple *camarera*, on abordait le client, mais surtout on se laissait aborder par lui, en le faisant se sentir un invité important. Cela était distillé dans une telle convivialité, une telle grâce et une telle pondération que le voyageur s'en sentait aussitôt rassuré.

L'hôtel avait été érigé par des investisseurs espagnols au bord de la mer. Moderne et forcément local à la fois, en raison des hibiscus, des paons multicolores en liberté dans les jardins autour de la piscine et d'une végétation tropicale dense. Bref, les photos de rêve des dépliants publicitaires ne mentaient pas et la nature embaumante plongeait les nouveaux arrivants dans une torpeur bienfaisante. Le restaurant avec orchestre, abrité sous un toit de palmes de cocotier séchées au soleil, diffusait une musique rythmée qui prenait aux jambes les plus raides. On traversait ce paradis, exhibant ses muscles ou ses bourrelets, le nez dans une brise parfumée aux algues marines qui soufflait de la mer des Antilles. C'est au quatrième et dernier étage de cet hôtel que Mike Caplan, Tony Bellini et David Sloman avaient leurs chambres. Ils étaient descendus au *Sol de la Isla*, la première fois, guidés par le hasard, mais y revenaient depuis délibérément.

Quatre jours s'étaient écoulés depuis l'arrivée de ces touristes et Sebastian et Marco n'avaient empoché que sept dollars. Les deux garçons, assis sur un muret de pierre à l'ombre d'un bosquet de verdure, se torturaient les méninges pour trouver l'idée qui allait ouvrir une fois pour toutes les vannes de la générosité chez les pigeons. Ils surveillaient l'entrée de l'hôtel du matin au soir, bavardant avec les chauffeurs des taxis garés là en permanence. Pour Mendez et Cespedez, c'était un travail qu'ils commençaient vers midi et terminaient souvent tard la nuit. Marco avait admis que, vu comme ça, mieux valait s'occuper des porcs riches que des porcs sales.

Il leur était strictement interdit de pénétrer dans l'hôtel, à moins d'une invitation expresse d'un client, et même alors leur présence n'était pas appréciée par les autorités ; seule l'hospitalité de l'île obligeait à ce genre d'indulgence, si le plaisir du client était en cause. C'était ainsi que Sebastian et Marco connaissaient et étaient connus de tout le personnel de l'hôtel, qui leur accordait la même déférence qu'à la vraie clientèle mais qui s'amusait fermement de les voir manœuvrer pour les *pesos* qui tombaient dans leurs poches au fil des efforts qu'ils faisaient pour paraître amicaux, avenants et détachés à la fois. Depuis l'arrivée de leurs touristes, les deux compagnons n'avaient reçu qu'une seule invitation et cette fin de soirée ne s'était pas avérée très fructueuse.

— Tu te rends compte, avait dit Sebastian. Il paraît que chez eux tout le monde a autant d'argent dans les poches ! C'est incroyable !

— Des conneries ! avait répliqué Marco. Une fille m'a dit un jour sur la plage qu'il y a des gens qui dorment dehors dans la neige, comme des animaux, parce qu'ils n'ont rien.

— Et tu l'as crue ?

— Pourquoi pas ? Ses yeux brillaient de sincérité et d'émotion.

— Bah ! C'est pas pour ça qu'ils brillaient, ses yeux, idiot !

— Tu sais quoi ? Tu es pire que les trois *maricones* de Montréal.

— Je te l'ai dit, *amigo*: ils ne savent pas sur qui ils sont tombés, ces trois-là !

Ce jour-là, c'est vers les deux heures d'un après-midi incendiaire que les deux amis aperçurent David Sloman et Tony Bellini qui sortaient du grand hall du *Sol de la Isla*. Mendez se précipita au-devant d'eux avec le sourire éclatant dont il avait fait sa marque de commerce.

— *Hola, compadres !* lança-t-il. Mike n'est pas avec vous ?

Les deux hommes échangèrent quelques phrases en anglais qui déroutèrent Sebastian un instant. La communication n'était pas simple en général, mais le peu d'anglais d'une part et les bribes d'espagnol de l'autre avaient fini par installer une forme de langage dont il avait bien fallu s'accommoder. C'est ainsi que Mendez et Marco furent invités à se joindre aux trois touristes.

— Ils nous invitent à manger, boire et passer la soirée avec eux. On doit revenir vers six heures, dit Sebastian.

— C'est ça, répondit Marco, on va attendre qu'ils nous sonnent et on va courir comme des chiens ! *Como perros* !

— Qu'est-ce que ça peut faire ? Merde ! dit Sebastian, perdant patience. Tu connais un meilleur moyen de gagner ta vie ? Tu peux toujours aller couper la canne, ou retourner la terre, ou même te faire engager dans cet hôtel pour sourire toute la journée un plateau à la main ! Moi, ça ne me dit rien ! Je préfère être du côté de ceux qui se font servir, même si je dois passer pour un flagorneur !

— Ça va, ça va, mon frère. Puisqu'il le faut, on ira manger, boire et s'amuser à six heures !

Sebastian lui lança un regard en biais et les deux copains éclatèrent d'un rire qui monta vers le bleu tropical au-dessus de leurs têtes.

□

Il arrivait que des touristes en balade ou un camion militaire de passage traversent le village. Les habitants de la place saluaient de la main, mais il était rare de voir s'arrêter quelqu'un. Le chemin du *barrio* était une voie parallèle à l'autoroute qui s'allongeait d'est en ouest sur la côte nord de l'île. On l'empruntait le plus souvent lorsqu'on voulait profiter d'un panorama plus serein et charmeur que la ligne droite et, somme toute, plus monotone que proposait la voie rapide. En ce jour de septembre, au *barrio*, la vie s'écoulait à la cadence de son quotidien lorsque, vers les quatre heures de l'après-midi, une voiture de police apparut sur le chemin de terre et s'arrêta.

— *Mamy ! Mamy, la policia ! La policia !* cria Laurencio, qui jouait par terre devant la porte de leur maison.

Soledad apparut sur le seuil, replaçant une mèche de cheveux qui tombait sur sa joue. Elle regarda, en bas, le véhicule arrêté au bord du chemin et vit deux policiers en uniforme bleu marine en descendre nonchalamment. Elle fronça les sourcils.

— Qu'est-ce qu'ils peuvent bien vouloir ? dit-elle pour elle-même.

— Attends, je vais le leur demander ! dit Laurencio.

Le garçon fila, rapide comme un chat, sur le chemin avant que sa mère n'ait pu le retenir. Arrivé au bas de la pente, il se mit en conversation avec les deux policiers. Soledad les entendit rire des propos du petit, qui semblait ne s'intéresser qu'aux armes que les nouveaux venus portaient au ceinturon. Puis elle vit Pépé Vicario sortir de chez lui et s'approcher de la voiture. Elle regarda les trois hommes discuter, puis Pépé pointa du doigt dans sa direction. Elle sentit les regards se poser sur elle et Vicario fit un grand geste qui l'invitait à s'approcher. Elle descendit le chemin, fortement intriguée. Le petit Laurencio était installé sur le siège de l'auto, derrière le volant, et mimait une course effrénée.

— Descends de là, Laurencio, ordonna-t-elle.

Les policiers indulgents lui signifièrent que l'enfant ne dérangeait pas.

— *No importa, Señorita*, dit le plus vieux, souriant. Laissez-le jouer.

Ils saluèrent Soledad, se présentèrent et le plus jeune des deux retira sa casquette. Il devait avoir vingt-deux ou vingt-trois ans, pas beaucoup plus, avait des yeux noirs, des cils longs et une bouche sensuelle. Il passa sa main dans ses cheveux sombres coupés court. Il était grand et mince et la couleur de sa peau trahissait des origines métissées. Il regardait Soledad comme si elle avait été un ange descendu du ciel. La jeune fille fut elle aussi intensément troublée par la beauté du garçon et s'efforça de s'intéresser à son compagnon. Il s'agissait d'un homme plus mûr aux tempes grisonnantes et ce fut lui qui prit la parole le premier. Il demanda à Soledad si par hasard elle connaissait une femme nommée Gisela Catala.

— La sorcière ?

— *Si, señorita,* dit le jeune policier, amusé.

— Que lui est-il arrivé ?

La seule évocation du nom de la vieille femme l'avait replongée dans le même état de perturbation qu'elle avait éprouvé au cours de son voyage à Matanzas.

— Rien. Il ne lui est rien arrivé, *señorita*, dit l'aîné des deux, se faisant rassurant.

Puis il expliqua sur un ton plutôt amusé et narquois que les bureaux de la police à Matanzas étaient littéralement harcelés depuis une semaine par cette vieille femme, qui disait avoir vu en rêve des choses atroces. Elle délirait pendant des heures, suppliant les autorités de faire ce qu'il fallait pour empêcher on ne savait quoi au juste, qui semblait la terrifier au point qu'elle ignorait les avertissements excédés que les officiers lui avaient servis. Finalement, à bout de ressources face à cette vieille entêtée, Matanzas avait contacté leur poste pour les charger de venir faire un tour de reconnaissance. La routine quoi. Lorsqu'il arrêta de parler, Soledad avait un bourdonnement sourd et angoissant dans les oreilles. La routine de ce policier avait des allures de cauchemar pour elle. Elle voulut en savoir plus sur les divagations de la vieille Gisela. Le jeune policier s'apprêtait à donner quelques précisions, mais fut stoppé de la main par son compagnon, qui fit un signe de tête en direction de Laurencio. Mine de rien, l'enfant ne manquait pas un iota de la conversation. Pépé comprit vite la délicatesse de l'homme et chargea le petit d'une commission auprès de sa grand-mère. Laurencio s'exécuta sur-le-champ, innocemment.

— C'est une vieille folle, dit le policier. Il ne faut pas t'en faire avec ces bêtises. Elle parle de choses que personne ne comprend : de dangers, de malheurs et de démon à trois têtes ! Tu te rends compte : des démons à trois têtes ! fit-il en riant. Le charabia habituel quoi. Tu la connais, non ! Alors, faut pas t'en faire.

— Mais... pourquoi est-ce que je m'inquiéterais ?

Les deux policiers se regardèrent et se tournèrent vers Vicario, silencieux. Soledad réalisa alors seulement ce qu'elle n'avait pas encore osé s'avouer. Bien qu'elle n'eût rien oublié des mises en garde sordides et des images terrifiantes évoquées par Gisela au cours de la séance, elle s'était convaincue, dans l'intérêt de la paix de son esprit, que tout ce charivari n'avait été que foutaise ; un cirque insensé destiné à lui donner des sensations fortes, à lui en donner pour son argent. Elle comprenait maintenant qu'elle était toujours la cible du délire de la vieille et que ces malheurs et cette mort annoncés la concernaient bel et bien. Soledad eut un frisson d'effroi qui n'échappa à personne. Le jeune policier s'approcha d'elle et il s'en fallut de peu qu'il ne la prenne dans ses bras afin de la réconforter. L'uniforme qu'il portait et le devoir de sa charge l'obligèrent à garder des distances respectables, mais le regard contrit qu'il porta sur Soledad ne trompa personne. Les yeux du jeune policier étaient plongés dans ceux de Soledad. Ce bleu profond au milieu de ce visage si beau et si apeuré lui inspira un sentiment si vigoureux et pénétrant qu'il ne retrouva la parole que pour faire à la jeune fille une extraordinaire et fulgurante déclaration d'amour. Il ne se souciait plus ni de son compagnon ni de Pépé, qui le regardaient et l'écoutaient le menton bas et le front marqué de stupéfaction. Il n'y avait que lui devant celle qui lui apparaissait désormais comme sa raison d'être. Il répéta son nom, Jesus Griego, se dit célibataire, donna son âge exact, vingt-trois ans, et expliqua qu'il n'avait jamais au grand jamais ressenti un tel bouleversement de tout son être et qu'elle n'avait qu'un seul mot à dire pour qu'il l'épouse sur-le-champ. Il ajouta qu'il n'avait, à aucun moment de sa vie, parlé aussi sérieusement. Voilà. Il se tourna vers son compagnon de travail et s'excusa.

— *Esta bien, muchacho, no problema.*

Soledad était désarçonnée par la hardiesse du garçon. Il y avait dans son audace un accent de désespoir qui l'avait émue et ravie à la fois. Elle avait l'esquisse d'un sourire figée sur les lèvres. Elle sentit son corps trembler. Une sorte de frémissement sémillant et mouvant qui allait et venait sous sa peau et lui procurait une volupté s'apparentant à celle qu'elle avait déjà rencontrée en mordant à pleines dents dans une *guayaba* parfumée et pleine de soleil. Elle se retourna enfin vers Pépé, comme pour aller chercher dans son regard un indice du comportement à adopter.

— Avec votre permission, monsieur, dit le jeune policier à Vicario, est-ce que je pourrais revenir voir votre fille? Si elle veut bien, fit-il en se tournant vers Soledad.

Pépé Vicario, à qui personne n'avait jamais demandé ce genre d'approbation, fut pris de court et bafouilla quelques onomatopées. En avisant sa fille, il fut édifié rapidement sur le désir de Soledad. Il n'hésita plus une seule seconde.

— Pourquoi pas, jeune homme. Si Soledad est d'accord, ajouta-t-il pour la forme.

— D'accord? demanda le jeune policier à Soledad.

Elle acquiesça d'un hochement de tête retenu qui s'efforçait de dissimuler l'envie irrésistible qu'elle avait de pousser un cri d'exultation.

— *Bueno*, dit Jesus, je pourrais... je pourrais revenir...

— Ce soir?... jeta Soledad en le regardant fixement.

— Parfait.

Son camarade de travail s'était mis en retrait, appuyé sur le capot de la voiture. Il fumait une cigarette avec un regard nostalgique posé sur la terre du chemin devant lui et il souriait. Vicario le rejoignit et lui demanda une cigarette.

— Pardonnez-moi, dit le policier, je croyais que vous ne fumiez pas.

— J'ai arrêté, répondit Pépé, mais toutes ces émotions, c'est plus de mon âge: ça me rend nerveux.

— Moi, ça me rappelle des souvenirs, soupira l'homme aux tempes grisonnantes. Des choses que j'avais oubliées.

— *Anda, chico!* lança-t-il à son jeune collègue. Il faut y aller maintenant si tu veux revenir.

Il salua Vicario par une vigoureuse poignée de main, souleva sa casquette en direction de Soledad.

— Enchanté de vous connaître, mademoiselle.

Jesus s'arracha bon gré mal gré du regard de Soledad et eut un signe de tête respectueux vers Pépé, qui le lui rendit par un geste de la main.

— *Hasta luego.*

Les deux policiers grimpèrent dans leur véhicule et, sans perdre de temps, s'éloignèrent en soulevant la poussière du chemin, qu'on vit retomber aussitôt dans la lumière déjà oblique de cinq heures. Ce fut un jeudi du mois de septembre, dans une île des tropiques, sur un petit chemin de terre séché par le soleil, que Soledad Estebán-García trouva le grand amour. Elle n'avait aucun souvenir d'avoir déjà été une petite fille. Elle ne se remémorait que larmes, chagrins et peines. Ni la chaleur des bras d'une mère aimante, ni la force de ceux d'un père la soulevant de terre, ni rires, ni jeux. Elle avait été une enfant pleine de peurs et de chimères, puis était devenue une fillette habitée par la colère rageuse et impuissante, par l'espoir colossal de prendre un jour sa revanche sur l'existence. Elle réalisait l'innocence de ses douze ans, qui l'avait amenée à confondre l'ardeur d'un homme et les authentiques élans du cœur. L'amour, elle n'avait compris sa vraie nature qu'à partir de l'instant où elle avait tenu son Laurencio dans ses bras. C'est cette force qui lui avait insufflé celle de courir, son bébé sur sa poitrine, prête à se battre et à mourir pour lui. Elle se sentait indéniablement portée à nouveau par cette chose merveilleuse et, cette fois il s'agissait d'un homme. Et quel homme ! Mon Dieu qu'elle le trouvait beau, séduisant, débordant de charme et de douceur. Même les affreux augures braillés par la vieille Gisela Catala, qui l'avaient tant tourmentée, lui apparaissaient soudain d'une telle dérision. Son cœur battait une chamade qui faisait sauter sa poitrine. Jesus ! Il s'appelait Jesus, comme l'homme sur la croix dans la chambre de Xiomara qui avait apporté l'amour sur la Terre. C'était exactement ce qu'il venait de faire pour elle. Soledad sentit une brûlure délicieuse dans son ventre, un picotement suave à la pointe de ses seins. Elle se mit à rire de l'allégresse qui l'envahissait.

— Ça y est : elle est folle ! s'exclama Pépé Vicario, qui marchait derrière elle sur le chemin.

Soledad se retourna d'un bond, irradiante de bonheur, fit un saut de joie, les bras levés au ciel. Elle courut embrasser Vicario et se dirigea à toute allure vers Xiomara et Laurencio, là-bas, dans la maison, qui ignoraient l'extraordinaire félicité, la formidable grâce que sa vie venait de lui envoyer.

Sebastian Mendez et Marco Cespedez se présentèrent au comptoir d'accueil de l'hôtel *Sol de la Isla* à l'heure dite. Deux heures plus tôt, ils avaient couru jusqu'à la route qui longe la mer en contournant l'hôtel, hélé un fiacre dans lequel ils avaient sauté et s'étaient fait conduire au trot incessant jusqu'à leur domicile dans un petit village à une demi-heure de calèche. Ils avaient demandé au *cochero* de les attendre, s'étaient douchés, changés et peignés pour l'occasion et avaient repris le chemin de l'hôtel, à la cadence du claquement sec et régulier des sabots du cheval sur l'asphalte. Cet aller-retour leur avait coûté cent *pesos*, une jolie somme pour l'humble propriétaire d'un cheval et d'une calèche, mais une bagatelle pour les deux amis au regard de ce qu'ils allaient gagner ce soir-là. Ils demandèrent à être annoncés à la chambre de l'un ou l'autre des trois hommes. Le préposé à l'accueil décrocha le téléphone et annonça la présence dans le hall de *los Señores Mendez y Cespedez*. Ils n'avaient plus qu'à attendre, confortablement enfoncés dans un sofa en cuir bourgogne, en fumant une cigarette et en dévorant des yeux ce décor enchanteur, ces riches touristes qui allaient et venaient et ces jeunes femmes blanches dont l'objectif principal était de retourner chez elles brûlées par le soleil de l'île.

— D'ici, je ne reconnais pas notre pays, souffla Marco.

— C'est parce que tu ne regardes pas aux bons endroits, fit Sebastian. Essaie un moment d'oublier les peaux blanches et concentre-toi sur la couleur de la nôtre. Tu vois tous ces gars et ces filles aux visages et aux bras dorés comme le sucre de canne ou noirs comme le café, tu les vois maintenant ? Dis-moi encore qu'on n'est pas dans notre île, dis-moi encore que tu ne reconnais pas nos frères et nos sœurs.

— Tu veux dire tous ces gens qui se courbent en souriant avec leurs serviettes sur le bras et leurs plateaux à la main ? Oui, je les vois, tu parles ! C'est vrai qu'ils nous ressemblent par la couleur, mais ils ne sont plus de notre race. Je ne vois plus les héros de la patrie et de la révolution, je ne vois que des pauvres gens qui s'accrochent piteusement à un miroir aux alouettes.

— Qu'est-ce que tu me fais là ? Qu'est-ce que tu me chantes ? Merde ! Marco. Tu me gonfles avec tes discours ! Je suis ici pour m'amuser ! Ne m'emmerde pas avec une révolution que tu n'as même pas connue ! T'étais encore dans les *cojones* de ton père, à cette époque ! C'est pas vrai, ça ? Tu sais quoi ? Tu lis trop : c'est pas bon pour ce que tu as. Allez, *compadre* ! lança Sebastian en prenant son copain par le cou. Détends-toi ! La vie est belle et les filles aussi !

— *Dejame tranquilo !*

Puis il promit d'y mettre du sien et de tout faire pour être un parfait gentleman toute la soirée.

— Un vrai gentleman, dit-il. C'est juré.

Mendez interpella un serveur et lui commanda deux cafés bien tassés. Trente minutes d'attente eurent raison de la promesse de Marco. Il fulminait de nouveau et souligna à son ami le manque de politesse de ses touristes. Enfin quoi ! De leur côté, ils avaient couru ventre à terre pendant deux heures pour ne pas arriver en retard ! Il y avait une demi-heure que les autres, là-haut, avaient été prévenus de leur présence. Cespedez ressentait une fois de plus ce malaise qui ressemblait à une blessure sur sa fierté.

C'est alors que les portes de l'ascenseur s'ouvrirent et que Mike, Tony et David parurent.

— Pas trop tôt ! grommela Marco, pendant que Sebastian décochait son sourire de circonstance.

Les trois hommes s'approchèrent en discutant et en riant. Sans savoir pourquoi, Marco s'imagina l'objet de cet amusement ; il sentit monter un ressentiment qu'il s'efforça aussitôt de convertir sur son visage en une expression amicale et cordiale. Il les regarda s'approcher. David, en sandales noires, pantalon de flanelle et polo blanc, précédait Tony, vêtu d'une chemisette noire largement ouverte sur une grosse chaîne en or, d'un pantalon noir et ample au tissu souple et chaussé de mocassins en toile blanche. Mike suivait de près, dans un bermuda bleu à plis français et une chemise aux motifs tropicaux qui rappelaient un feuillage garni de fleurs rouges et jaunes.

Les trois hommes s'arrêtèrent devant Sebastian et Marco, qui venaient de se lever. Les salutations d'usage se firent sur trois plans différents : parfaitement distraites, absentes et superficielles de la part des trois hommes, qui promenaient leurs regards tout autour dans le grand hall ; forcées et secrètement hargneuses de la part de Marco, qui recevait ce désintéressement comme un nouvel affront ; et magnifiquement affectées, mielleuses et fourbes en ce qui concernait Sebastian, qui déployait toutes ses ressources, voulant faire de cette soirée une affaire rentable.

Le groupe se mit en marche vers la salle à manger de l'hôtel. Les cinq hommes se dirigèrent vers le grand escalier en marbre blanc, qu'ils descendirent d'un pas ostentatoire. Ils passèrent près d'un bassin à poissons superbement aménagé et éclairé, fourni d'une végétation verdoyante au milieu de laquelle coulait une chute d'eau cristalline. David Sloman s'arrêta sur le trajet pour acheter une boîte de cigares, qu'un vieil homme silencieux et grave confectionnait sur place avec un art consommé.

Ils arrivèrent enfin à la vaste salle, déjà bruyante de conversations qui allaient bon train. Tony Bellini ouvrit la marche entre les tables décorées de fleurs et de serviettes blanches pliées en cônes pointant vers le plafond. Il choisit une place qui fit l'affaire de tous et Mike appela aussitôt une serveuse. Il commanda une bouteille de vin pour lui et ses deux compagnons et demanda à Sebastian et Marco ce qu'ils voulaient boire.

— *Dos cervezas por favor*, dit Mendez.

Les choses étaient en place pour entamer une soirée dont le déroulement et le contenu allaient s'avérer plus impromptus que tout ce que l'imagination tordue de Sebastian Mendez aurait pu inventer.

C'est à sept heures, ce jour-là, que Soledad vit déboucher sur le chemin, dans le soleil pâle et doré, la motocyclette munie d'un *side-car* de celui qu'elle attendait. Jesus arrêta son engin au bord du chemin, en descendit et entreprit de grimper la côte qui menait chez la jeune femme. Il fut stoppé par la voix de Soledad, derrière lui :

— Par ici ! lança-t-elle.

Jesus l'aperçut sur le seuil de la maison des Vicario et rebroussa chemin dans sa direction. Soledad avait tenu à ce que les premiers instants de ce précieux rendez-vous se déroulent en présence de ses parents adoptifs. Elle se sentirait plus à l'aise ainsi. Et Xiomara aurait l'occasion de faire la connaissance de ce jeune homme si exceptionnellement doué pour chambouler les cœurs. Il était capital pour Soledad que Jesus apprenne à connaître et à aimer Pépé, Xiomara et Laurencio. C'était son univers à elle et elle souhaitait que le garçon y pénètre, le découvre et l'adopte ; après seulement s'estimerait-elle une fois pour toutes bénie du ciel. Ce qui lui arrivait prendrait alors les allures de la perfection. Elle avait beau voir Jesus comme un bel archange descendu d'un paradis pour la trouver, elle ne s'imaginait pas quittant les deux vieillards qui étaient tout pour elle et le suivre, fût-ce vers l'Éden. Ce qu'elle était en train de vivre était un songe merveilleux, un conte de prince et de princesse comme elle en avait mimé si souvent dans ses jeux avec son fils, mais l'amour profond qu'elle portait aux Vicario, ses parents, aurait pu la retenir. Quel déchirement ce serait si Jesus lui demandait de partir avec lui ! Non : le plus beau des chemins que le jeune homme pourrait vouloir gravir à ses côtés commençait ici devant la porte des Vicario et montait jusqu'à sa maison. Seigneur ! cette cabane qu'elle appelait sa maison et où elle se sentait si bien suffirait-elle à un homme comme lui ? Toutes ces questions assaillirent Soledad en un instant, la rendant subitement pleine d'anxiété. Jesus se planta devant elle et la sérénité s'installa de nouveau dans son cœur avec une telle plénitude qu'elle eut le sentiment d'être emportée et ballottée comme un brin d'herbe par une lame de l'océan. Elle avait revêtu une petite robe que Placida Segura lui avait offerte parce qu'elle ne lui allait plus et qui s'ajustait comme un gant sur son corps svelte. Ce vêtement moulant la moindre de ses formes, elle avait hésité à le choisir, par pudeur, mais Xiomara lui avait ouvert les yeux :

— Si tu veux que ce garçon sache tout de toi, qu'il te voie telle que tu es, tu ne dois rien lui cacher, ni dedans ni dehors, avait-elle dit, tout en s'affairant à autre chose.

Soledad avait pensé, une fois de plus, que Xiomara était étonnante. Ses cinquante-six ans n'avaient pas réussi à faire d'elle une femme conservatrice et méfiante. Elle ne se laissait pas berner facilement. Elle prétendait tout ignorer des hommes d'ailleurs, mais ceux de son île, elle les connaissait. Elle savait bien ce qu'il leur fallait. Ignorait elle vraiment les visites de Pépé chez la rousse pulpeuse de Matanzas ? Soledad se le demandait.

— Jesus m'a déclaré sa flamme alors que j'étais toute dépeignée, dans un vieux short et un t-shirt !

— Et tu crois peut-être que ça te rend moins belle ? D'ailleurs, c'est une raison de plus pour le gâter maintenant.

Alors Soledad avait sauté dans ce fourreau qui ne savait mentir sur les trésors que recelaient ses dix-sept ans et quatre mois. C'est ainsi qu'elle se présenta, devant Jesus Griego, qui la fixait comme si le regard qu'ils avaient amorcé quelques heures plus tôt s'était prolongé sans interruption jusqu'à cet instant. La même délicieuse fascination, la même exquise suavité. Plus encore qu'au premier contact, Jesus fut transporté par Soledad. Elle lui inspirait une grande solitude par le visage et la beauté troublante de son regard bleu, et par le corps, une animalité sensuelle et gracieuse mais meurtrie ; il percevait sans peine la douleur qu'elle portait en elle et qui ajoutait à sa beauté.

— *Ho, perdoname !* fit le garçon en portant sa main à son front. J'allais oublier !

Il retourna en courant jusqu'à sa moto et sortit du *side-car* un petit bouquet de fleurs enroulé dans du papier d'emballage brun. Des fleurs ! Mais d'où sortait ce garçon ? Soledad ne trouvait en lui rien du machisme glorifié des hommes de son île ; pourtant, il émanait de toute sa personne une telle force, une telle virilité que Soledad avait peine à résister aux pensées furtives et malicieuses qui s'étaient imposées à elle pendant qu'elle l'attendait. Elle prit les fleurs en souriant et recula de quelques pas à l'intérieur, l'invitant à entrer.

Sortant de sa chambre à coucher, Pépé fit mine d'être surpris par la présence du jeune homme.

— Ah, te voilà ? Assieds-toi, mon garçon.

Il tira des verres et une bouteille de rhum du garde-manger.

— *Ya ! Ya ! Gracias, señor Vicario*, dit Jesus. Une goutte seulement. Je dois conduire ma moto, ajouta-t-il avec un sourire vers Soledad.

Ce sourire ! Soledad se sentit fondre en pâmoison. Elle éprouva le besoin urgent de s'asseoir tant ses jambes s'affaiblirent d'un coup. Elle tenait le bouquet de fleurs et plongea son visage au-dessus pour en humer le parfum, tentant surtout de dissimuler tout signe dans ses yeux du délicieux vertige qui venait de la prendre.

— Et alors ? demanda Pépé amusé. Tes collègues seront indulgents ; tu es de la police, non ?

— Oui, bien sûr, dit Jesus, mais je pensais plutôt au bois dur des cocotiers !

La boutade fit rire tout le monde et détendit l'atmosphère. La pensée que le garçon planifiait son retour en fin de soirée inspira de la tristesse à Soledad, qui était pleine de désir. Sachant parfaitement qu'il n'était pas question qu'elle s'abandonne à lui dès le premier jour, c'est pourtant bien ce qu'elle aurait fait, là, tout de suite, si elle avait pu ! L'attraction qui la portait vers lui était si irrémédiable que... elle se fit violence pour chasser sa pensée. Elle devait se rappeler qu'elle était en présence de son père, de sa mère et de son enfant. Elle devait surmonter les pulsions qui l'assaillaient et donnaient à son sang chaud le rythme d'un bongo dans ses veines.

Xiomara était restée debout, marchant de long en large avec Laurencio qui s'endormait dans ses bras. Le garçon luttait contre une force trop grande et les derniers mots tout juste articulés de sa journée furent pour Jesus :

— Où est passé ton pistolet ?

Il n'eut pas le temps d'entendre la réponse et sombra au pays des rêves. Xiomara alla le déposer sur le grand lit de sa chambre et vint s'asseoir, apportant une assiette remplie de galettes de farine de maïs saupoudrées de sucre de canne dont elle seule avait le secret.

— Goûte-moi ça, mon garçon, dit-elle. Après, je nous ferai un bon café.

Ses galettes de maïs faisaient toujours office de prélude lorsqu'elle voulait faire parler quelqu'un. Et elle posait toujours beaucoup plus de questions que Soledad n'aurait jamais osé le faire.

La lune était haut perchée dans un ciel sombre infiniment profond où scintillaient des milliers d'étoiles. Venant du large, une brise légère comme un voile de tulle arrivait aux visages des couples romantiques qui, pieds nus sur la plage, se délectaient de la caresse des flots mourants qui chassaient le sable fin sous leurs pas, un zéphyr sybarite apportant avec lui un parfum des Caraïbes, celui de l'océan qu'on entendait gronder et dont on pressentait la force et l'immensité sans pouvoir le distinguer à plus de vingt brasses, tant il était plongé dans l'obscurité. C'est de cette obscurité qu'une forme émergea soudain, intriguant un couple de vacanciers qui passait sur la plage. Les jeunes gens s'arrêtèrent pour scruter la nuit, tentant de mettre une image concrète sur cette forme mouvante qui semblait s'approcher de la rive. La brise apporta tout à coup la voix hargneuse d'un homme :

— Qu'il aille au diable, ce salaud !

La forme se précisa, s'approchant davantage, et il fut alors possible de percevoir une petite embarcation de pêcheur, toutes voiles carguées, au milieu de laquelle l'homme se tenait debout, tourné vers le large. Torse nu, les jambes de son pantalon roulées sur ses tibias, l'individu lançait des invectives dans le vent, qui les lui ramenait en plein visage.

— Une autre fois je t'aurai, salopard !

Le garçon sur la plage semblait entendre assez correctement l'espagnol car il prit sa petite amie par le bras et lui intima un repli stratégique immédiat.

— On file d'ici ! lança-t-il. C'est peut-être un malade !

Les amoureux quittèrent la plage sans attendre, courant difficilement sur le sable qui se dérobait sous leurs pieds. La petite embarcation continua de dériver en direction de la bande sablonneuse, sur laquelle elle vint s'échouer. L'homme qui gesticulait debout en regardant encore vers le large se retrouva sur le dos au fond de sa chaloupe, tant l'arrêt fut brusque. Le pêcheur en colère se releva, maugréant, fit volte-face en s'agrippant au mât du bateau : c'était Pedro Montilla. Il resta figé de stupeur face au monument de lumière qui s'élevait devant ses yeux, comme un paquebot gigantesque prêt à lui foncer dessus. C'était un hôtel illuminant la nuit et d'où montait une musique qu'il percevait très bien maintenant qu'il avait tourné le dos à l'objet de sa fureur.

Pedro Montilla avait passé une grande partie de sa journée de pêche à se battre. Il en était encore survolté, excité et fébrile. Il s'était mesuré à un thon de trois mètres, un poisson monstrueux, aussi long que sa barque, qu'il avait harponné et qui l'avait traîné vers le large malgré toute l'habileté et l'expérience qu'il avait déployées pour ramener sa proie. Une journée épuisante, incomparable, inoubliable. Et ce qui détruisait le plus le moral de Montilla, c'était que ce salaud de poisson avait emporté avec lui, au fond des eaux, non pas son meilleur harpon, qu'il venait de confectionner, mais sa crédibilité de grand pêcheur. Cette incroyable bête aurait pu être l'apologie tangible et vivante de tous ses mensonges passés ! Qui croirait son histoire ? Personne, il le savait bien. Et pourtant, les marques de la bataille aux accents héroïques qu'il avait livrée tout l'après-midi étaient là sur ses mains tailladées par le filin glissant, sur son front qui saignait encore d'avoir heurté le timon. Personne n'accorderait foi à toutes ces preuves. Pedro Montilla poussa un soupir qui accompagna une ultime pensée pour l'adversaire magnifique de ces dernières heures. Après tout, ce formidable guerrier était digne de son admiration et de la liberté qu'il avait conservée puisqu'il avait réussi à tenir tête à Pedro Montilla. Il se réconcilia donc avec le poisson et se décida à regarder autour de lui. Il vit qu'il se trouvait loin, très loin de son point de mouillage habituel pour la nuit. Il pensa qu'il méritait plus que jamais une bière fraîche et désaltérante, après toute cette eau salée qu'il avait avalée. Il amarrerait sa barque à l'abri, non loin, reviendrait y dormir quelques heures et rentrerait à la maison à l'aube, avant même que le premier *turista* ne pose le pied sur le sable. Demain serait une journée consacrée au repos. Ce programme fut, aussitôt décidé, aussitôt appliqué. Montilla marcha vers la lumière et la musique, qui s'élevaient au-delà de la ligne des cocotiers courbés.

Dans la vaste salle à manger désertée, une seule table était encore occupée ; les serveurs et serveuses avaient ralenti la cadence. Ils se ménageaient, le temps d'une cigarette ou celui d'échanger quelques commentaires, qu'on pouvait deviner orientés vers l'un ou l'autre des occupants de cette table, où les bouteilles de vin et de bière avaient afflué toute la soirée et par laquelle l'esclandre avait failli éclater. Sebastian, Marco et les trois touristes étaient encore attablés et il était manifeste qu'ils avaient consommé au-delà du raisonnable. Le repas avait été copieux et bien arrosé et Tony et Mike sirotaient leur dernier digestif. En raison du sujet de conversation qui l'avait animée, la soirée avait été tendue du début à la fin. Au beau milieu du repas, Marco avait amorcé un scandale en se levant bruyamment et en vidant délibérément son verre de bière au centre de la table. Il avait accompagné son geste d'une injure vers ceux qui l'avaient invité et était passé à un cheveu de se faire vider des lieux par deux hommes venus lui demander de se calmer. Le garçon n'était pas ivre, il avait seulement réagi à ce qu'il considérait comme une avanie trop grande pour rester assis sur sa chaise. Une atteinte de trop à sa dignité. Au regard des faits, il n'avait pas complètement tort et c'est ce que David Sloman avait expliqué aux deux videurs. Il s'était excusé, en son nom et en celui de ses amis, et avait prié Marco de leur faire l'honneur de rester. Marco avait apprécié des excuses ainsi présentées et avait repris sa place. L'incident fut clos et le repas s'était poursuivi dans une relative bonne humeur, compte tenu de la fébrilité qui avait habité Marco à partir de cet instant.

Malgré l'embarrassante barrière de la langue, Mike, David et Tony avaient tenu à aborder un sujet de conversation délicat avec les deux compagnons. Il s'agissait d'une décision que les trois hommes avaient arrêtée pendant le vol qui les amenait dans l'île. Quoi qu'il en fût, Mendez et Cespedez constatèrent que leurs pigeons avaient mûri la question et notèrent chez eux une détermination qui demanderait aux deux jeunes roués qu'ils étaient de finasser plus subtilement que jamais. Recourant à un idiome hybride mariant la langue de Shakespeare et celle de Cervantes, les trois hommes avaient tenté d'expliquer que la poule aux œufs d'or allait cesser de pondre. Les deux garçons étaient littéralement remerciés de leurs bons et loyaux services. Les efforts de diplomatie de David Sloman avaient été clairement perçus, mais Mike Capplan ne s'était pas entravé de tant d'égards. Il avait adopté une attitude méprisable et désinvolte qui avait fait monter la colère chez Marco, et celui-ci avait explosé au choix d'un mot qui, de toute évidence, ne lui avait pas paru judicieux. Tony Bellini avait exprimé ennui et manque d'intérêt, faisant remarquer que cette conversation était superflue étant donné qu'ils n'étaient tenus à aucune explication et auraient pu tout simplement appliquer cette décision, qui leur appartenait, point final. C'est la délicatesse et la psychologie de l'auteur de livres pour enfants David Sloman qui avaient amené à la formule choisie pour signifier à Mendez et à Cespedez la fin de leur mandat. Mike et Tony, hommes d'affaires plus expéditifs, n'avaient pas voulu contrarier leur compagnon et ils s'étaient pliés à ce repas d'adieu, espérant régler la question une fois pour toutes. On avait donc laborieusement exposé à Sebastian et à Marco que les services rendus n'étaient pas à la hauteur des attentes. Le rabattage de jeunes filles des deux années précédentes n'avait rien apporté qui n'eût pu se passer de leur intervention.

Les trois chasseurs blancs ne voyaient plus de raison de continuer à payer des guides qui ne leur proposaient que des balades ordinaires sur les sentiers battus, alors qu'ils étaient à la recherche d'un véritable trophée de chasse, celui qui ne se rencontre qu'une seule fois et qui procure des sensations pour la vie. En conséquence, Sebastian et Marco étaient au chômage.

Le sang ne fit qu'un tour dans le corps de Mendez quand il pressentit que les trois hommes allaient quitter la table. Ils les laisseraient là, lui et son copain, sans plus de formalités, après un repas et quelques bières ? Décidément,

Marco avait raison : ces *cochinos* n'avaient rien de sympathique. Et tout cet argent qui s'envolait sous son nez ! Non, ça ne pouvait pas se passer comme ça. Il fallait qu'il leur arrache quelque chose de substantiel avant qu'ils ne s'envolent. Dans quelques secondes, il allait être trop tard.

— *Minuto !* fit-il. J'ai ce que vous cherchez !

Ce fut d'un élan commun que tous autour de la table, y compris Marco, levèrent les yeux au plafond en soupirant d'exaspération devant l'entêtement de Sebastian. Celui-ci le vit clairement, mais ça ne pouvait suffire à le dissuader de l'idée tordue qui venait de s'allumer en lui. Il allait bluffer, leur monter un bateau, les arnaquer ! C'est tout ce qu'ils méritaient.

— La perle rare que vous voulez trouver, je l'ai. Une beauté comme vous n'en avez jamais vu, même en rêve. Le trésor des îles que tout le monde cherche, je sais où le trouver !

Mike et Tony se regardèrent et échangèrent un sourire d'impuissance. Ils traduisirent pour David, dont l'espagnol était médiocre, les paroles de Mendez. Les trois hommes se retrouvèrent plongés dans l'expectative. Et si ce petit salaud disait vrai ? Ils étaient là depuis presque une semaine, et rien ne leur était encore arrivé de ce pourquoi ils étaient réunis sur cette île du Sud. Chez eux, respectivement immergés dans leurs occupations, Mike, David et Tony ne partageaient rien d'autre qu'une table, deux fois par semaine, au *Dolce Vita*, la boîte de Bellini. Aucun d'eux n'ignorait que leur unique point commun était cette perversité insatiable trop gravement condamnée chez eux, ce qui les avait amenés à organiser leur « safari annuel », comme ils disaient. D'ici peu, le temps viendrait où il leur faudrait retourner à leur respectabilité d'honorables citoyens. Il leur fallait absolument leur dose de souvenirs dépravés.

Marco regarda furtivement son copain, cherchant à comprendre où il voulait en venir. Il ne put rien lire sur le visage stoïque de Mendez, qui ressemblait à un joueur de poker n'ayant aucun jeu et voulant leurrer toute la table, ses cartes tournées et retenant son souffle.

Les trois hommes échangèrent quelques mots, que Sebastian ne saisit pas, et se retournèrent vers lui en bloc. Le jeune homme sut immédiatement que sa ligne avait été bien lancée ; il les tenait. Il joua alors le tout pour le tout :

— Merci beaucoup pour cette belle soirée, dit-il, on ne vous en veut pas et on vous souhaite beaucoup de plaisir d'ici votre retour.

Il se leva, aussitôt imité par Marco, qui ne cherchait même plus à comprendre.

— Hé, Pépito ! lança Mike, où tu vas, là ? Assieds-toi, assieds-toi.

Mendez joua l'étonnement, feignit un regard d'incompréhension vers les trois hommes et reprit sa place, toujours suivi de Marco.

— Ta perle rare, où est-ce qu'on peut la voir ? demanda Tony.

— Oubliez ça, fit Sebastian avec un geste vague. J'ai trop parlé.

— Quoi ? fit Mike. Tu veux dire que c'est une invention ? Y a pas de trésor ?

— Bien sûr que si ! dit Mendez. Et quel trésor ! Mais...

— Mais quoi ? intervint David. Parle ! fit-il, avec une pointe d'agacement.

— Hé !... C'est cher, un trésor ! dit Mendez en écartant les bras. Beaucoup plus cher que ce que vous avez l'habitude de payer.

Tony Bellini le fixa droit dans les yeux, grattant du doigt sa petite cicatrice au coin de l'œil.

— T'essaierais pas de nous escroquer des fois, mon bonhomme ?

— *Bueno*, dit Sebastian. Restons-en là, c'est peut-être mieux.

— Attends, bon sang ! lança David Sloman, soudain fébrile. Combien ? Combien ça nous coûterait ?

— Difficile à dire, fit Mendez, l'air ennuyé. C'est que ça n'a rien à voir avec les filles que vous avez eues jusqu'à maintenant. Elle est la beauté, la fraîcheur, le désir incarné ! Elles ne sont pas nombreuses comme celle-là. Je suis né dans ce pays et je n'en connais pas d'autres ! Vous pouvez me croire. Elle a... le corps le plus excitant, la peau la plus douce, la bouche la plus affolante dont on puisse rêver. Une déesse !

Marco commençait à saisir le plan de Sebastian. Il était en train de jouer sur leur point faible plus qu'il ne l'avait jamais fait. Ces hommes étaient des pervers et il leur mettrait l'eau à la bouche, jusqu'à ce qu'ils craquent. Cela semblait fonctionner à merveille, à en juger la sueur qui perlait sur le front de Sloman. Après, se demanda Marco, comment Sebastian allait-il tenir sa promesse ? Cespedez savait pertinemment que cette déesse dont parlait son ami n'existait que dans les fantasmes des trois *cochinos*. Comment se sortirait-il de cette magouille ?

— Combien ? répéta Mike. T'as pas entendu ce qu'on t'a demandé ?

— Deux cents dollars chacun, lança sèchement le garçon en fixant Mike dans les yeux. Cent cinquante tout de suite et le reste quand je vous conduirai à elle.

Il attendit quelques secondes et fit glisser sa chaise derrière lui en se levant.

— Je vous avais bien dit que c'était trop cher pour vous.

— Pourquoi cent cinquante dollars tout de suite ? demanda Tony. On n'a jamais procédé comme ça.

— Si je ne lui montre pas une preuve irréfutable de votre bonne foi et de votre sérieux, elle ne m'écoutera même pas.

David Sloman réagit le premier et sortit son portefeuille. Les deux autres en firent autant. Avant de repartir, il leur fallait ce bijou que leur avait décrit Mendez.

« *Coño, no!* Qu'est-ce que vous faites? dit Mendez. Non! Pas ici. Si on nous voyait, on ne pourrait plus jamais mettre les pieds dans un hôtel! On va sortir et trouver un coin plus tranquille. »

S'efforçant de dissimuler toute émotion, Marco n'en était pas moins fortement impressionné. Sebastian avait enfin réussi à leur faire lâcher une jolie somme. Cent cinquante dollars! Ce seraient les derniers, c'est sûr, car il leur faudrait se fondre dans la nature jusqu'au départ des trois hommes après une arnaque comme celle-là; mais tout de même: cent cinquante dollars en une seule soirée! Il s'inclinait devant l'acharnement et l'habileté de son ami.

La Barbacoa était un grill ouvert au bord de la piscine et il en montait aux heures des repas des fumets appétissants de viandes et de fruits de mer dorant sur la braise. Le soir, on y allait apprécier la tiédeur de l'air, chargé des fragrances d'une floraison tropicale qui évoquait dans l'esprit et dans la chair des images et des sensations qu'on aurait voulues indélébiles. Des paons majestueux promenaient leur orgueil entre les tables, sous les yeux ravis des vacanciers. Ils poussaient de temps à autre leur cri strident et prolongé, offraient à l'occasion le spectacle de leur vanité, déployant derrière eux l'éventail d'un plumage chatoyant sous la lumière. Des baigneurs tardifs dans la piscine, des couples attablés, unis par les mains et par les yeux, des fêtards aux rires bruyants, des solitaires pensifs et rêveurs devant une boisson locale, et la musique de l'orchestre qui montait dans la nuit, accompagnant la voix d'une chanteuse qui se trémoussait sur des rythmes tantôt sautillants tantôt langoureux...

Pedro Montilla était assis seul, un verre de bière devant lui. Chemise ouverte sur sa poitrine, il écoutait jouer le groupe de musiciens et regardait cette fille, rondelette et gracieuse, qui chantait dans sa langue son île et ses racines à un public qui réservait ses exclamations d'admiration aux seuls moments où la jupette colorée tournoyait sur les cuisses cuivrées, dévoilant la petite culotte blanche. La jeune femme en rajoutait alors, accompagnant ses « cha cha cha » du déhanchement qui lui valait des applaudissements.

C'est dans cette ambiance que Sebastian et Marco avaient décidé de terminer leur journée. Ils choisirent la table voisine de celle de Montilla. Pedro reconnut aussitôt Mendez, l'ayant côtoyé deux ans auparavant, à la fête de Soledad. Il ne l'avait pas revu depuis, mais il ne pouvait pas l'avoir oublié. Ce garçon avait suscité une telle jalousie chez le pauvre Pedro que ses traits étaient à tout jamais gravés dans la mémoire du pêcheur. Mendez, lui, ne porta aucune attention à ce voisin de table et, l'eût-il regardé longuement, il n'aurait su le reconnaître tant il semblait excité et heureux. Un serveur s'approcha et ils commandèrent des bières importées :

— *Dos cervezas importadas, por favor, hermano,* dit Mendez.

— Quelle marque ?

— N'importe laquelle.

Sebastian sortit discrètement une liasse d'argent américain de sa poche et en retira un billet de vingt dollars. D'un furtif regard en biais, Pedro avait aperçu ce tas d'argent dans les mains du jeune homme. Il se pencha pensivement sur son verre. C'est une véritable fortune qu'il venait d'entrevoir. Il se dit que certains jeunes gens du pays savaient tirer profit de leur époque. Lui, Pedro, ignorait tout du genre de choses qui auraient pu lui procurer autant d'argent. Il ne savait que pêcher. Il le faisait bien, avait souvent de la chance et ramenait de belles prises, mais tous les poissons de la mer, fussent-ils tous de la taille de celui qui lui avait échappé aujourd'hui, n'auraient jamais pu lui placer un tel capital entre les mains. Il hocha la tête et avala une gorgée de bière. Le garçon revint, déposa sur la table deux bouteilles, que Mendez régla avec son billet, reçut un généreux pourboire et se retira reconnaissant.

— Alors, dit Marco, on va faire quoi maintenant ?

— On va boire cette bière à la santé des gars les plus malins du pays ! fit Sebastian avec forfanterie.

— Tu sais bien ce que je veux dire, poursuivit Marco, voulant une réponse sérieuse.

— Que veux-tu qu'on fasse ? On va disparaître de la circulation pendant quinze jours, jusqu'à ce qu'ils rentrent chez eux. Quoi d'autre ? *Salud y pesetas !*

— Et s'ils portent plainte ? On nous connaît à l'hôtel, on nous a vus avec eux. Ils pourraient avoir notre adresse ! Je te dis pas les problèmes !

— Réfléchis un moment, *hermano :* ils vont porter plainte pourquoi ? Pour s'être fait pigeonner en voulant se payer des petites filles de chez nous ? Non ! Ils ne feront pas ça, crois-moi. C'est illégal le commerce de mineures, même pour des touristes riches. Ils vont avaler la pastille : ils n'ont pas le choix.

Les deux complices burent en silence un instant. Pedro Montilla n'avait rien manqué de leur conciliabule malgré la musique et la chanteuse. Il n'en crut pas ses oreilles. Quel aplomb, quelle audace il fallait pour se livrer à ce genre d'activités ! Ou étaient ce de la bêtise et de l'inconscience ? Il ne sut trancher et continua de tendre l'oreille.

— Tu te rends compte du tas d'argent qu'ils étaient prêts à laisser tomber pour cette fille ! dit Marco. Six cents dollars ! Ils sont fous !

— Non, répondit Sebastian avec un soupir, ils sont riches.

Il but.

— *Seis cientos dolares americanos, hermano,* répéta-t-il, de quoi être tranquilles pendant un an, peut-être plus !

— Quelle idée aussi d'inventer une fille si... irréelle. On n'a aucune chance de la trouver ! Tu aurais dû leur parler de la chanteuse, là. On aurait peut-être réussi à l'avoir pour pas cher après son numéro. Tu parles : une déesse ! Et quoi encore ?

Ils trinquèrent amusés et vidèrent leurs verres. C'est alors que le regard de Mendez se tourna pour la première fois vers l'homme de la table d'à côté. Pedro sentit ce regard se poser sur lui et s'intéressa à la chanteuse. Sebastian Mendez s'interrogea. D'où connaissait-il ce visage osseux et buriné ? Il se pencha sur sa chaise pour mieux regarder Pedro Montilla, qui fut contraint de se retourner vers lui.

— *Disculpame, señor*, dit Sebastian, on ne s'est pas déjà vus ?

Montilla fut muselé par une stupeur indicible. Il n'avait pas prévu cette situation. À aucun moment il n'avait songé que Mendez pourrait le reconnaître. Il fit mine de fouiller sa mémoire. Pedro Montilla fit alors la plus regrettable erreur de toute son existence de pauvre pêcheur :

— *Si. Si, si...* dit-il, il y a deux ans. C'était l'anniversaire de la petite.

Les yeux de Mendez s'illuminèrent alors de mille feux, au point que Pedro se demanda ce qui n'allait pas chez le garçon. Était-ce l'amour qu'il portait encore à Soledad ? Il donnait l'impression d'avoir été frappé par la rafale d'un ouragan.

— Soledad ! laissa tomber Sebastian.

Puis il se ressaisit, souhaita bonne nuit à Montilla et attrapa solidement Marco par le bras, pour quitter l'endroit avec un empressement qui étonna le pauvre Pedro. Celui-ci suivit des yeux les deux garçons, qui s'arrêtèrent sur l'allée menant à la porte de l'hôtel. De sa place, Montilla put les apercevoir, dans l'ombre trouée par la lumière du grand hall, entre deux massifs d'hibiscus. Mendez s'excitait comme un dément, marchant à droite, à gauche, prenant Marco par les épaules, levant les bras au ciel. Il ressemblait à un pantin tant l'expression de la joie qui l'avait si subitement envahi le désarticulait, ou encore à un homme devenu fou après avoir déterré un trésor. Les deux compagnons disparurent à l'intérieur du *Sol de la Isla*, laissant Pedro Montilla en proie à un malaise qui lui serrait la gorge et l'oppressait. Qu'avait-il donc ? Cette sensation désagréable s'était emparée de lui à l'instant où Mendez lui avait adressé la parole. Il but ce qui restait de bière au fond de son verre. Il respirait mal et songea à retourner à sa barque pour se coucher. La fatigue de la rude journée que cet énorme poisson lui avait procurée se faisait sentir. Il était environ onze heures. « Ça suffit pour aujourd'hui », pensa-t-il, et il quitta les lieux sans se retourner.

Sur la petite allée pavée qui traversait le parc de l'hôtel et conduisait vers la plage et sa barque, Pedro dut faire halte deux fois. Le malaise ne le quittait pas et il s'en inquiéta. Il mit sa main sur sa poitrine, attentif à son rythme cardiaque, puis se trouva ridicule : quarante-six... ou quarante-sept ans, c'était encore jeune ! Il poursuivit sa marche et eut le réflexe de saisir la visière de sa casquette de capitaine ; ses doigts palpèrent le vide et il se souvint qu'il l'avait laissée au fond de sa barque, après sa chute sur le gouvernail qui l'avait blessé au front. Il eut alors une pensée pour les visiteurs étrangers qui lui avaient offert cette casquette, près d'une douzaine d'années auparavant. De braves gens, ces touristes ! Pas comme ceux dont avaient parlé Mendez et Cespedez. Ces hommes qui payaient si cher pour des jeunes filles ! Quelle honte ! À cet instant, la foudre sembla s'abattre sur Pedro Montilla : ses jambes fléchirent sous son poids et un éclat incandescent dans sa tête, d'une fraction de seconde, l'amena à mesurer avec acuité les tenants et les aboutissants de tout ce qui venait de se passer. Il fit le lien entre ces touristes, cet argent, la convoitise des deux jeunes vauriens, et il comprit la vraie nature de l'illumination qu'il avait notée dans le regard de Mendez à l'énoncé du nom de Soledad. Le départ précipité des deux garçons prit tout son sens et Montilla en perçut les conséquences épouvantables : ils avaient trouvé la déesse qu'ils cherchaient. Et tout était de sa faute, à lui ! Il devait faire vite et se rendre auprès de Soledad pour l'avertir de ce que tramaient ce bandit de Sebastian Mendez et son acolyte. Plus question de dormir dans la chaloupe jusqu'à l'aube, il lui fallait partir sans attendre. Il en avait pour deux heures, un peu plus peut-être. En manœuvrant comme il savait pouvoir le faire et avec cette mer docile, il serait à son point de mouillage avant deux heures du matin. Il ne lui resterait plus alors qu'à gravir la côte rocheuse qu'il appelait *la pequeña cordillera* et qu'à traverser le boisé au bout duquel il apercevrait le *barrio.* Le reste du chemin était en pente et ne lui demanderait pas plus de dix minutes, en courant s'il le fallait. Pedro arriva à sa barque, survolté et prêt à toutes les prouesses du monde pour racheter l'erreur qu'il savait avoir commise. Il estimait que d'être assis à la *Barbacoa* au même moment que ces deux voyous était peut-être le fait du hasard, mais que son manque de présence d'esprit n'incombait qu'à lui seul : il ne se pardonnait pas d'avoir répondu à la question de Sebastian Mendez. Montilla sauta dans son embarcation, enfonça sa casquette de capitaine, alluma le fanal accroché à la proue pour les sorties de nuit et s'écarta de la côte à la rame sans perdre une seconde. Plus loin, il mettrait la voile et saurait utiliser le moindre souffle d'air pour filer sur les flots. La barque du pêcheur Montilla s'éloigna dans la nuit, transportant sur son nez sa pâle lueur jaune et instable. Un vent d'est se leva alors et Pedro y vit un signe. Il remercia le ciel.

Chapitre 4

IL AVAIT FALLU plus d'une heure de navigation ardue à Pedro Montilla pour effectuer moins de la moitié de son trajet. Le vent d'est avait soufflé à son départ, gonflant doucement la voile, lui conférant une allure encourageante. Il eût fallu que celle-ci reste inchangée pour que l'embarcation atteigne son point de mouillage, à la *pequeña cordillera*, dans les temps prévus. La nature contrariante avait fait tourner cet allié au bout de quinze minutes, pour en faire un adversaire redoutable qui avait frappé de l'ouest, transportant avec lui la forte odeur chaude des alambics de la fabrique de rhum de Cárdenas. Pedro avait su immédiatement que ce n'était pas bon; l'expérience lui avait appris qu'un vent d'ouest chargé des vapeurs de la distillerie signifiait la venue tôt ou tard *del viento de loco,* le vent des fous, ainsi appelé en raison du désordre dans lequel il soufflait: de tous les côtés à la fois. Tournoyant et virant autour de ce qu'il rencontrait en une seconde. Bousculant comme les pattes d'un chat font d'une pauvre souris. Montilla ne s'était pas trompé. Depuis de longues minutes déjà, il était cette souris et la fatigue commençait à se faire sentir dans ses membres et ses reins. Il fut forcé de s'éloigner un peu plus de la côte rocheuse, de crainte d'être projeté sur les massifs qui pointaient hors de l'eau à tribord. Malgré toute l'expérience qu'il possédait, le pêcheur éprouvait beaucoup de difficulté à conserver un cap convenable et se sentait entraîné vers le large plus qu'il ne l'aurait souhaité. Montilla s'empressa de carguer la voile en folie, devenue inutilisable, et bloqua le timon. Il installa les rames, les yeux brûlants de l'eau salée qui fouettait son visage, la chemise nouée à la taille et collée sur son corps osseux. Il regretta un instant la bière qu'il avait avalée : elle l'avait trop détendu pour ce genre d'exercice. Il rama tant qu'il put pour pointer de sa proue le cap de la *pequeña cordillera*. Il tendit tous les muscles et les nerfs de son corps et tira sur les manches en bois lissés par les années. Pedro était exténué, mais une certitude lui insufflait la force nécessaire : le vent des fous était presque à coup sûr annonciateur de *la tormenta*, une violente tempête tropicale. Elle pouvait lui tomber dessus dans quelques minutes, ou n'être là que demain, il était impossible de le prévoir. Mieux valait ne pas céder à l'épuisement qui l'envahissait. Le pêcheur s'écorcha, une fois encore, les mains jusqu'au sang : les plaies que le filin lui avait faites dans l'après-midi se rouvrirent et l'eau salée le brûlait. Il souffrait du mal et de son remède. Dans sa poitrine, des coups de sang battaient à tout rompre et Pedro pensa intensément à Soledad. Il aimait encore la jeune fille de toute son âme, mais, depuis le jour où il était allé lui parler, gravissant le sentier sous une pluie battante, il s'était juré de reléguer la ferveur et la dévotion qu'elle lui inspirait au plus profond de son cœur. Ce soir-là, il s'était senti près d'elle et cette illusion d'intimité l'avait rendu heureux. Soledad avait pris le temps qu'il avait fallu pour apaiser la douleur qu'elle-même avait innocemment glissée en lui. Elle l'avait regardé dans les yeux en parlant et il avait profité tant qu'il avait pu de la douceur et de l'affection qu'elle avait mises dans son regard bleu. Tous deux s'étaient entendus tacitement sur des rapports amicaux et jamais Pedro ne dérogeait publiquement à cette entente. Ce n'était pas l'amour auquel il rêvait, mais tout ce qui venait d'elle était bon à recevoir pour l'homme qu'il était. Toutefois, sa passion était encore vive et il ne laisserait jamais quiconque faire du mal à Soledad. Jamais personne ne la posséderait de cette façon tant que lui serait là pour empêcher une telle chose. Montilla lutta de plus belle contre le vent qui s'acharnait à l'éloigner de la côte.

□

La confusion et l'anarchie qui caractérisaient le mouvement et les rafales du vent des fous se prolongeaient chez les êtres et procuraient un sentiment d'insécurité sournois et vicieux dont les répercussions dans le comportement ressemblaient à une aliénation, à un déséquilibre du système nerveux. Un vent, même puissant, était de beaucoup préféré de tous, pourvu qu'il soufflât avec régularité d'un point cardinal vers un autre. On y trouvait une logique rassurante. *El viento de locos*, lui, ne répondait à aucune cohérence. Cette agitation qu'il occasionnait était à l'origine de son nom. Vers les quatre heures du matin, le *barrio*, comme toute cette partie de l'île depuis des heures, était fortement secoué.

Olguita Montilla fut réveillée par un objet venu frapper le mur extérieur de la chambre où elle s'était endormie habillée. La vieille femme avait lutté contre la fatigue dans l'attente de son fils, parti à l'aube, comme d'habitude, la journée précédente. Il arrivait à son garçon, à l'occasion, de ne pas rentrer et de passer la nuit dans sa chaloupe, mais jamais par un temps pareil. Il savait prévoir les caprices de la température et se laissait rarement surprendre. Aussi la vieille était-elle fortement inquiète depuis le début de cette nuit, et même les douleurs de l'arthrite n'avaient pu manœuvrer sa pensée et l'arracher à ses appréhensions. À quatre heures du matin donc, elle posa son large châle en laine sombre sur ses épaules et sortit de sa maison pour en faire le tour. Elle grimpa sur une butte qui lui servait de promontoire. De là, elle pouvait apercevoir le chemin qui sortait du boisé pour descendre vers le village. Elle ne vit dans cette demi-obscurité que des ombres secouées violemment par les bourrasques et faillit être projetée sur le sol. Elle revint rapidement vers la maison et s'y enferma.

Olguita n'était pas seule à être éveillée. Soledad non plus ne dormait pas ; elle regardait dehors, entre les persiennes de la fenêtre d'en avant, puis par celle de derrière, qui n'était qu'une ouverture béante sur le paysage par où s'engouffrait le vent. Elle allait et venait entre ces fenêtres et le lit où dormait Laurencio. Elle était investie d'une fébrilité qui l'avait empêchée de fermer l'œil toute la nuit. Quelques minutes plus tôt, elle avait aperçu Olguita Montilla sortir de chez elle, sa lanterne à la main, et faire le tour de sa maison. Soledad avait tiré la conclusion qui s'imposait : tout le monde au *barrio* était informé de l'absence de Pedro Montilla. On avait passé une partie de la soirée à rassurer Olguita, alléguant que la grande expérience de Pedro le mettait à l'abri de tout incident météorologique. Pourtant, Soledad avait été rattrapée par l'anxiété elle aussi.

Elle prit place au bord du lit, remonta le drap sur les épaules de son fils et tenta de se détendre. Elle repensa tendrement à la soirée délicieuse qu'elle avait eue aux côtés de Jesus. Le rêve avait été écourté par le changement soudain du temps mais, pour une première fois, trois heures d'une compagnie aussi enivrante lui semblaient acceptables. Demain n'était pas loin et Jesus avait juré d'être là, aussitôt son service terminé. Ce garçon avait transformé sa vie pour toujours. Même si l'histoire d'amour qui la subjuguait devait se terminer à cet instant, elle savait qu'elle n'oublierait plus jamais Jesus Griego.

Une violente rafale s'engouffra alors par l'ouverture béante, derrière la maison. Le flanc de la colline avait toujours dévié la trajectoire du vent, le renvoyant sur la paroi de la petite demeure. Soledad avait souvent pensé à charger Pépé de fermer cette fenêtre. De bons volets en bois auraient fait l'affaire. Mais elle avait toujours négligé d'en parler. Un petit vase en grès contenant quelques marguerites en plastique qui égayaient une petite commode fut emporté par le souffle et se brisa. Laurencio s'agita dans son sommeil. Soledad lui caressa les cheveux en lui susurrant quelques mots réconfortants. Elle aussi avait été effrayée et son cœur se débattait dans sa poitrine. Elle alla ramasser les dégâts. L'orage éclata. Se mêlant au vent des fous, la pluie se mit à tomber et des éclairs illuminèrent la nuit par intermittence. C'est ce que Soledad redoutait depuis des heures. Elle était terrorisée par les orages depuis toujours. Elle alla vers la fenêtre d'en avant, souleva les persiennes et regarda le ciel zébré d'éclairs aveuglants. Elle crut apercevoir des phares, qui venaient de s'éteindre sur le chemin, à l'entrée du village. Soledad referma les persiennes et alla se coucher près de Laurencio. Elle prit son enfant dans ses bras et chercha le réconfort en se blottissant contre lui, sous les draps. C'est ainsi que fit Soledad ce soir-là, pour retrouver la paix de l'âme : elle tint son enfant dans ses bras. Elle voulut oublier les trombes de pluie qui trempaient le sol de sa maison, les éclairs qui illuminaient la petite habitation, *el viento de locos* qui soufflait sa folie sur les êtres, elle voulut attendre que tout passe. Elle prit son enfant dans ses bras et ferma les yeux.

Dans le flash d'un éclair, Xiomara vit le cadran de son réveille-matin : il était cinq heures trente. Il y avait bien un quart d'heure que l'orage l'avait réveillée et elle tentait depuis de tirer Pépé de ses ronflements sourds. Un séisme n'aurait pas dérangé le sommeil du *jefe* tant il s'était couché *borracho*, soûl comme un Polonais. Après le départ des deux tourtereaux la veille, il s'était accroché à sa bouteille de rhum, passant outre les remontrances de sa vieille, célébrant, disait-il, le bonheur de sa fille. À force d'insistance, Xiomara réussit enfin à lui faire ouvrir les yeux.

— *Que te passa, Xiomara ?* demanda Vicario, la voix râpeuse et ensommeillée.

— *Una tormenta*, dit seulement la vieille.

Pépé se leva d'un bond. Assis au bord du lit, ébloui par les illuminations saccadées, il enfila son pantalon et ses sandales.

— Tu aurais dû me réveiller avant, dit-il sans se retourner.

— Mieux vaut entendre ça qu'être sourde ! Dépêche-toi de t'habiller au lieu de dire n'importe quoi : la petite doit être morte de peur.

Pépé Vicario termina de s'habiller en silence. Il devait sortir dans la tempête, monter jusque chez Soledad pour la rassurer ou la ramener ici, selon l'état où il la trouverait. Comme chaque fois qu'il avait à faire cette excursion sous la colère du ciel, Pépé déplora que la petite maison de sa fille se trouvât si haut perchée. Il enfila sa chemise et son imperméable, saisit le fanal allumé sur la table et sortit de chez lui pour affronter la véhémence des éléments cinglant son visage. Les éclairs arrachaient de l'ombre le chemin de Vicario, qui fixait de son regard plissé la maisonnette là-haut. Il avait emporté des couvertures, qu'il tenait sous son bras et qu'il tentait de protéger de la pluie avec un pan de son imperméable.

Lorsqu'il arriva enfin au terme de sa course, à quelques mètres de l'entrée, il vit que la porte de la maison n'était pas fermée ; une rafale l'ouvrit totalement. Pépé fut frappé d'inquiétude et, malgré son souffle court, il précipita son pas jusqu'au seuil. Quand il l'atteignit, le vieil homme reçut la plus violente décharge d'horreur de toute son existence. Il eut devant les yeux, sous la lumière flageolante de sa lampe à pétrole, le spectacle le plus désolant et affligeant qu'un père pût regarder. Soledad gisait sur le sol, ses vêtements en lambeaux sur son corps souillé et meurtri. Du sang s'échappait d'une plaie béante sur son ventre et formait une flaque sombre à ses côtés. Elle était sur le dos, jambes écartées, cuisses ensanglantées. Ses yeux bleus avaient une fixité qui ne laissa aucun doute dans l'esprit heurté du vieillard : Soledad était morte. Auprès d'elle, recroquevillé, un énorme couteau de pêcheur maculé de sang à la main, un homme était effondré et pleurait comme un enfant, dans l'état lamentable de celui qui vient de livrer une bataille épuisante. Pépé Vicario reconnut aussitôt Pedro Montilla. Tout était sens dessus dessous ; on eût dit que la tempête était passée à l'intérieur de la maison. Le vieux chancelant se tira de sa torpeur pour enjamber le pêcheur et se rendre près de sa fille. La mort dans l'âme et les yeux pleins de larmes, il ferma de sa main tremblante ceux de Soledad. Agenouillé dans le sang, Pépé posa son front sur la poitrine tranquille de la jeune fille et fondit en larmes. Brusquement, il se redressa et regarda tout autour de lui avec frénésie. L'enfant ! Il venait de penser au petit ! Où était-il ? Mon Dieu ! pourvu qu'il ne découvrît pas son corps inerte quelque part ! Il se mit à chercher, essuyant les larmes du revers de sa manche, appelant, de-ci, de-là, dans l'espoir d'entendre un gémissement, une plainte, quelque chose qui lui aurait annoncé que l'enfant n'avait pas subi le sort tragique de sa mère. Il ne trouva rien dans la maison et en sortit, appelant sous la pluie. Il fit désespérément le tour de la cabane, criant dans le vent le nom de Laurencio. Il fouilla les buissons qui poussaient de chaque côté de la demeure et découvrit, au milieu des branches, le petit garçon atterré, transi sous la pluie, replié sur lui-même, le regard hagard et l'expression figée par l'abomination. Une terreur épouvantable s'était manifestement emparée de son petit être. L'enfant n'eut aucune réaction quand son grand-père l'enveloppa dans une des couvertures qu'il avait emportées. Le vieil homme souleva difficilement le garçonnet et, vacillant sur ses jambes, détruit par la douleur, entreprit de redescendre vers Xiomara qui attendait en bas. Derrière lui, les sanglots déchirants de Pedro Montilla parvenaient jusqu'à ses oreilles malgré les rugissements du vent. La porte de la petite maison claqua, battant sur ses gonds, comme un geste pathétique, une vaine tentative de chasser l'image du malheur qui venait de trouver refuge derrière les yeux de Pépé Vicario.

Lorsque Xiomara délaissa le lait chaud qu'elle avait préparé et se tourna vers son mari qui venait de pousser la porte du pied, elle souriait, croyant voir apparaître tous les membres de sa famille. Il ne lui fallut que le temps d'un éclair pour comprendre qu'un drame était survenu. Elle accourut vers Pépé, le soulagea du poids du petit qui se faisait trop lourd pour le vieillard. Elle interrogea Vicario d'un regard plein d'effroi. Le *jefe* referma la porte sur la tempête qui rageait derrière lui. Il chercha appui et décida d'aller s'asseoir. Il prit sa tête à deux mains. Il fallait bien parler. Xiomara était là, suspendue à sa bouche. La voix étranglée, il annonça la terrible nouvelle :

— La petite est morte !

— Que s'est-il passé, mon Dieu ?... dit Xiomara, d'une voix douloureuse.

Elle s'assied à son tour, Laurencio serré sur sa poitrine.

— Je ne sais pas... je ne sais pas... fit Pépé en pleurant. C'est un cauchemar... un cauchemar, Xiomara.

Et le vieux entreprit de dire ce qu'il avait vu là-haut. Il parla d'une voix brisée par le chagrin. Xiomara l'écouta, le goût abject de l'horreur dans la bouche. Des torrents de larmes roulèrent sur leurs joues ridées. Le petit Laurencio avait les yeux fixés sur le plancher. Muet, il restait figé entre les bras de sa grand-mère.

Après narration de sa funeste découverte, Pépé Vicario, tremblant et vidé de ses forces, se leva en s'appuyant sur les coins de la petite table. Il tenta de récupérer esprit et souffle et annonça à Xiomara qu'il fallait avertir les Segura et les Herrera. Les deux hommes devaient venir à l'aide de Pépé afin de décider ce qu'il fallait faire de Pedro Montilla, resté couché près du corps de Soledad. Qui fallait-il prévenir ? Les Herrera avaient le téléphone : la police devait être appelée sans tarder.

Juan Segura et Antonio Herrera ne firent ni une ni deux quand ils entendirent les mots bouleversants tomber des lèvres du *jefe*. Herrera prévint la police. Il se prépara en quelques secondes, comme l'avait fait Segura juste avant lui, et le trio se lança dans la *tormenta* pour grimper chez Soledad. Pépé suivit de loin. Juan et Antonio furent sur les lieux bien avant lui. Herrera se pencha doucement sur Pedro et le saisit par le poignet avec douceur et précaution. Il lui demanda à voix basse de lâcher le couteau sur le sol. Montilla paraissait anéanti ; il exécuta la demande de son ami Juan, qu'il reconnut aussitôt qu'il tourna ses yeux égarés sur lui, puis il éclata de nouveau en larmes. Juan vint à l'aide d'Antonio pour relever le pêcheur, dont les jambes ne lui obéissaient plus. Le pauvre homme était dans un état pitoyable qui secoua ses camarades. Ils restèrent muets, frappés d'une incompréhension opaque en voyant les vêtements déchirés, les jambes et les genoux couverts de blessures, les mains tailladées pleines de sang séché du pauvre Montilla. Lorsque Pépé arriva, il alla ramasser une des couvertures restées par terre pour en couvrir le corps mince et souillé de Soledad. Puis il tendit la dernière à Segura, qui la posa sur les épaules de Pedro. Celui-ci se laissa conduire docilement, le regard vide dans ses orbites creuses.

Au même moment, dans la maison des Vicario, s'étaient retrouvées Angela et Placida. Elles entouraient de leurs bras et de leur compassion la vieille femme éplorée, qui refusait de desserrer son étreinte sur le corps toujours immobile du petit Laurencio.

— Tu vas lui faire mal, Xiomara, dit Angela avec douceur. Donne-moi le petit.

La vieille s'accrochait à l'enfant. On eût dit qu'elle craignait de sombrer dans un gouffre sans fond au moindre relâchement.

— Xiomara, je t'en prie... intervint Placida, la gorge serrée. Le petit est mal en point. Ressaisis-toi. *Xiomara, por favor...*

Alors, la vieille femme sembla entendre leurs voix pour la première fois et émergea du chaos qui s'était installé dans son être tout entier. Elle tendit Laurencio à l'une et se laissa aller en sanglots dans les bras de l'autre.

— Pourquoi ?... Pourquoi une chose pareille ?... Pourquoi lui avoir fait ça ? Pourquoi tant d'injustice, Jésus-Christ ?

Entre-temps, Angela avait bien observé Laurencio et mesurait depuis un instant la gravité du choc qui lui rivait le regard vers l'intérieur.

— *Niño... Laurencio, mi amor...* fit-elle doucement, regarde-moi : c'est moi, Angela. Tu es avec ta grand-mère, mon chéri...

Pour toute réponse, l'enfant posa alors ses petites mains sur ses oreilles pour les boucher et tenta de pousser un hurlement ; il ouvrit la bouche et fit un effort remarquable pour expulser l'air de ses poumons, mais aucun son ne retentit.

Trois jours plus tard, le petit village semblait avoir été vidé de son âme. Le silence n'était brisé que par le chant des cigales et, là-haut, accrochée sur la colline, la petite maison de Soledad donnait l'impression d'être enfermée dans un mutisme éternel. Elle avait été ceinte de scellés officiels par les agents de police et attendait l'équipe des enquêteurs. Le soleil était de retour depuis quarante-huit heures et le chemin de terre séchait de toute la pluie que le ciel avait déversée. En d'autres temps, on eût entendu les appels joyeux du petit Laurencio lancés vers la maison de ses grands-parents, mais, ce jour-là, tout resta plongé dans un calme lourd et étouffé. Comme un navire désert qu'on aurait ancré sur des ondes lisses, attendant une brise d'air frais, le *barrio* attendait que la vie le rattrape.

Pedro Montilla fut soupçonné par tous. L'aveu public qu'il avait fait au vu et au su du village entier concernant ses sentiments torturés à l'égard de Soledad l'incriminait dans l'esprit de chacun. Si on estimait beaucoup le pêcheur Montilla, on ne pouvait rester neutre devant son geste désespéré ; on taxa l'action du pauvre homme de la même hideur morale que celle qu'on avait réservée aux assauts assassins de Augustino Márquez sur la pauvre Magdalena, quelques mois auparavant.

Pedro avait fini par calmer son désespoir suffisamment pour donner sa version des faits. Son récit avait laissé dans tous les entendements un écho pathétique. L'invraisemblance avait ponctué les explications du pêcheur du début à la fin et tous ceux qui les entendirent restèrent sans voix. Comment croire à cette lutte épique contre un poisson plus grand que sa barque ? Comment prêter foi à la dérive qui avait échoué sa chaloupe devant un hôtel où il avait soi-disant surpris une conversation entre deux garçons, sachant que l'un d'eux était un rival qui avait obtenu ce qui lui avait été refusé ? Comment ne pas douter de cette odyssée nocturne sur la mer déchaînée, de l'amarrage surhumain de la barque dans les vagues de deux mètres à *la caleta,* de l'escalade laborieuse et des chutes répétées entre les rochers coupants pour atteindre le sentier tout en haut ? Comment enfin créditer une telle course à pied de trois kilomètres sous la violence de la tempête jusqu'à la maison de Soledad, où Pedro prétendait être arrivé trop tard ? On fut convaincu que l'imagination fertile du grand conteur qu'il était venait à sa rescousse. Pedro Montilla fut emmené par les policiers. Rien ne jouait en sa faveur et il ne pouvait apporter aucune preuve de tout ce qu'il avançait afin de justifier sa présence sur le lieu du meurtre. Le couteau retrouvé dans sa main était de sa fabrication. Il l'avait, prétendait-il, offert à Soledad en gage d'amitié le soir où il était monté la trouver.

— Je ne l'ai pas plongé dans son corps, mon Dieu non ! avait-il dit en larmes, je l'en ai retiré.

Loin de convaincre, son immense désespoir avait au contraire étayé la thèse du crime passionnel et le pêcheur avait été emmené.

Olguita Montilla s'était depuis trois jours réfugiée dans le silence et ne sortait plus de chez elle. Elle refusait même de se nourrir. Angela et Placida venaient passer de grands moments à ses côtés, tentant de la décider à avaler quelque chose. De leur côté, Pépé et Xiomara ne quittaient pas Laurencio d'une semelle. Si ce n'était pas l'un qui l'avait dans les bras ou sur les genoux, c'était l'autre. L'enfant avait montré un retour au mouvement, mais semblait avoir perdu toute énergie. Il ne bougeait qu'avec lenteur et son visage, jadis éclairé de l'innocence de son âge, restait figé dans l'expression de la douleur. Depuis trois jours, ses grands-parents adoptifs n'étaient pas parvenus à croiser son regard. Le petit fuyait tout ce qui pouvait le distraire de ce qu'il semblait regarder en permanence. Depuis trois nuits, il dormait dans le grand lit entre Pépé et Xiomara et son sommeil se troublait de cauchemars. Les deux vieillards s'empressaient alors de le réconforter en le prenant dans leurs bras, lui chuchotant les mots de leurs cœurs afin de le rendormir.

Les heures qui avaient suivi la découverte de Soledad morte avaient apporté une grande agitation dans le petit bourg. Quatre véhicules de la police et une ambulance étaient arrivés une heure environ après le coup de téléphone de Herrera. La puissance de la tempête avait forcé à la prudence sur les routes et ce n'est que vers les six heures quarante-cinq du matin que le policier aux tempes grisonnantes avait frappé à la porte des Vicario. Il semblait bouleversé par le malheur survenu et s'était constamment soucié de la famille Vicario pendant que ses collègues se livraient aux devoirs de leur charge. C'est sous la pluie encore battante qu'ils étaient montés jusqu'à la petite maison à pied, approcher davantage les véhicules sur le sentier ruisselant et boueux étant impossible. Dans l'aube triste comme un lendemain de fin du monde, deux hommes étaient redescendus lentement, portant la civière où était allongé le corps de Soledad. Tout le village s'était regroupé devant la maison des Vicario et avait observé la désolante descente jusqu'à l'ambulance. Le petit Laurencio, dans les bras de Xiomara, avait lui aussi observé la scène en silence. Puis l'ambulance était repartie sans bruit, laissant les policiers faire leur travail dans la petite maison.

L'officier aux tempes grises avait accepté, à la demande de Pépé, de prévenir son jeune confrère de la terrible nouvelle. Jesus Griego eût repris son service trois heures plus tard, mais l'homme trouva plus correct d'aller le voir chez lui, aussitôt sorti du *barrio*.

— Pauvre garçon, avait-il soupiré.

Ce ne fut que trois jours plus tard que le chant des cigales céda la place au vrombissement de la moto. Cette première manifestation de Jesus Griego replongea les Vicario dans le vif de leur chagrin. Le garçon resta debout un instant près de sa moto, les yeux levés vers la petite maison de parpaings, là-haut. Puis il grimpa énergiquement le sentier, passa outre les scellés, poussa la porte et disparut à l'intérieur. Xiomara et Pépé l'observèrent depuis leur fenêtre. Après plusieurs minutes, il ressortit et amorça la descente.

Pépé alla l'accueillir à bras ouverts : une longue étreinte puissante et muette. Puis Jesus embrassa Xiomara et passa une main chargée de douceur et de compassion sur la tête de l'enfant assis à la table, immobile et silencieux. Il ne reconnut pas ce petit, qu'il avait vu si heureux, espiègle et enjoué. Il prit place tout à côté de Laurencio et mit sa main sur celle de l'enfant, qui ne réagit pas. Ils restèrent ainsi.

— Pourquoi es-tu en civil ? demanda Pépé en s'asseyant.

— On m'a mis en congé... Trois semaines. Ils disent que j'en ai besoin.

Xiomara resta silencieuse. Le visage de Jesus lui avait paru transformé dès qu'elle l'avait aperçu. Le garçon était toujours aussi beau, mais la blessure durcissait ses traits. Le regard de velours sombre qui avait chaviré Soledad étincelait d'une colère pénétrante. Xiomara le voyait bien. Ces trois êtres, réunis autour de la petite table, n'avaient pas besoin de mots pour se sentir en communion. Vicario sortit le rhum. Les deux hommes burent en silence un instant, puis Jesus livra le message qu'il avait tenu à apporter personnellement. Les médecins légistes en avaient terminé de leurs analyses et le corps de Soledad serait rendu à la famille pour la cérémonie des funérailles. Il faudrait s'occuper de cela, et Jesus se mit à leur disposition pour ce faire. Bien que n'ayant rencontré Soledad que quelques heures avant sa mort, il se sentait aussi concerné que si elle avait été sienne pour le meilleur et pour le pire. D'ailleurs, affirma-t-il, ils s'étaient appartenus dès le premier regard qu'ils avaient échangé. Aussi tenait-il à tout faire pour exprimer l'amour qu'il portait à Soledad et la profonde affection qu'il entretenait pour Xiomara et Pépé. Et puis il y avait le petit Laurencio, qui lui causait peine et souci. Qu'allait-il devenir ? Combien de temps allait-il rester dans l'état où il le voyait ?

L'enfant n'avait pas prononcé un seul mot depuis trois jours. Pépé avança qu'il faudrait consulter un docteur si la chose perdurait. Xiomara, elle, croyait que ce dont Laurencio avait besoin pour le moment, c'était tout l'amour qu'ils pouvaient lui donner. On spécula un instant sur le cauchemar que le petit avait vécu, là-haut. Qu'avait-il vu au juste ? Il y avait dans cette petite tête toute la vérité sur la mort de Soledad. Comment le garçonnet s'était-il retrouvé dehors sous la pluie ? Qui avait-il vu faire du mal à sa mère, dont les cris et les appels au secours avaient été couverts par le tumulte de la tempête ?

Ce fut à cet instant, trois jours après le meurtre atroce de celle qu'il aimait passionnément, que Jesus Griego exprima pour la première fois le doute sérieux qu'il entretenait au sujet de la culpabilité de Montilla. Il confia qu'il avait assisté à l'interrogatoire du pêcheur dans les bureaux de la police et qu'il en était ressorti enclin à croire l'histoire qu'il avait entendue en dépit de l'incrédulité de tous ses confrères. Il ignorait pourquoi, mais quelque chose lui disait que le pauvre pêcheur ne mentait pas. Dans l'esprit du jeune policier, Sebastian Mendez, que le récit de Montilla accusait, avait beaucoup plus le profil de l'individu capable d'un tel acte. Soledad lui avait confié, la veille du drame, au cours de leur longue promenade sous les étoiles, qu'elle avait connu le personnage et de quelle manière elle avait mis un terme à leur relation. Ses collègues de la police enquêteraient et procéderaient à certaines vérifications, mais Jesus savait bien qu'une conversation surprise à la volée ne constituait pas une preuve et qu'un alibi était parfois difficile, sinon impossible, à vérifier. Voilà pourquoi il allait, confia-t-il aux deux vieillards, en faire une affaire personnelle, quitte à avoir recours à des méthodes moins orthodoxes que les habituelles manières de la police. Il n'aurait de repos que lorsqu'il saurait tout de cette nuit fatidique, dût-il y passer le reste de ses jours. Soledad serait vengée, il le jura devant Xiomara et Pépé, qui ne purent douter une seule seconde de sa détermination.

Deux importants périodiques de l'île, les journaux *Granma* et *El Rebelde*, avaient couvert l'affaire en exploitant son caractère mélodramatique. L'information voyagea rapidement à travers tout le pays. Les arguments de défense de Pedro Montilla n'étant pas retenus officiellement, les articles n'avaient parlé que du pêcheur passionnément amoureux, de sa victime jeune et belle et du petit orphelin. Aucune allusion partisane, aucun jugement personnel de la part des journalistes. Simplement, comme toujours dans l'île, une information de base, destinée à être reçue par le lecteur, dans la forme choisie. Ils firent si bien dans l'effort de stylisation que l'accusé Pedro Montilla apparaissait presque comme un héros romanesque s'étant précipité dans sa passion jusqu'à la folie. On mit un grand soin à la finale de cette histoire, en concluant de manière démagogique et moraliste, par une mise en garde puérile contre les élans aveugles de l'exaltation, quels qu'ils fussent. À chacun revenait de décoder ces derniers mots comme il l'entendait.

Pedro Montilla était retenu en cellule, dans un pénitencier de l'État, depuis quatre semaines lorsqu'on vint lui annoncer que demain, dimanche, jour des visites, il aurait celle de sa mère. Olguita avait fini par accepter les conseils de Placida, Angela et Xiomara et par sortir de sa léthargie suicidaire. Poussée par ses amies, la vieille femme avait aussi résolu de rendre visite à son fils. Xiomara et Pépé avaient fait circuler dans le *barrio* le doute qu'avait exprimé Jesus Griego, si bien que plus personne n'était sûr de la responsabilité du fils d'Olguita dans cette histoire sordide. La vieille restait suffisamment confondue et troublée pour être incapable d'atteindre une intime assurance, dans un sens ou dans l'autre. Pedro était son fils, elle l'avait mis au monde, élevé en mère protectrice, mais est-ce que cela lui permettait d'affirmer qu'elle le connaissait parfaitement ? Avant le drame, elle l'aurait juré ; aujourd'hui, elle ne savait plus. Le manque de précision sur l'âge exact de Pedro était dû à l'impossibilité pour Olguita de se souvenir de l'année de sa grossesse. Pedro n'avait été enregistré à l'état civil qu'à un âge qu'on avait arbitrairement fixé à six ans ; mais peut-être en avait-il cinq ou sept ? Tout comme Soledad, Olguita avait été prise par un homme à une époque de sa vie dont elle avait tout oublié. La misère dans laquelle elle avait été plongée par la suite, durant des années avec son enfant, n'aida en rien à clarifier ses souvenirs. Elle pensait désormais que l'absence d'un père et l'enfance misérable avaient peut-être été des facteurs déterminants dans l'équilibre mental de son fils et qu'elle n'avait rien vu ni compris. C'est dans cet état de confusion que la pauvre femme se présenta dans la grande salle du parloir, devant un homme qui ne lui était pas devenu tout à fait un inconnu mais dont elle réalisait qu'elle ne savait plus grand-chose depuis longtemps.

Pedro ne cessa de répéter qu'elle ne devait pas s'inquiéter, qu'il n'allait pas rester en prison parce qu'il n'avait rien fait. Olguita ne pouvait, en guise de réponse, que se vider de soupirs chargés de tout l'espoir du monde :

— *Ojala !* répétait-elle. Que Dieu le veuille !

Pedro avait beau dire et redire son innocence à qui voulait l'entendre, il ignorait que son cas serait remis entre les mains d'un magistrat qui ne s'alimentait pas aux mêmes sources que le peuple et qui ne s'embarrasserait pas de l'image peaufinée et adoucie que les journaux lui avaient ménagée. Le pêcheur Montilla fut anéanti par la sévérité du verdict qui tomba comme un couperet sur sa nuque après deux jours seulement de procès. Lorsqu'il sortirait, il serait un vieil homme, probablement perclus d'arthrite comme Olguita, incapable de tirer le moindre poisson de la mer. Il ne lui resterait qu'à attendre la fin de ses jours. Vingt ans de pénitencier pour viol et meurtre. C'est ce que la justice avait scellé sur le bureau du juge, d'un grand coup de maillet en bois.

Qu'advenait-il de ces analyses poussées dont on connaissait l'existence et qui pouvaient venir au secours d'un innocent ? On répondit à Montilla que ce travail de laboratoire n'était effectué qu'à la demande expresse de la magistrature et au besoin ; dans le cas qui était le sien, le juge n'avait pas ressenti cette nécessité. Pedro Montilla devait accepter son sort avec dignité et repentir. Le fils d'Olguita se replia sur lui-même pendant des semaines : il mangea peu, dormit mal, maigrit à vue d'œil. Au fond de lui, l'homme qui avait mis une telle fougue et démontré tant d'ardeur dans un combat contre une créature de trois mètres, pendant des heures sur l'océan, ne pouvait s'endormir ni se résigner tout à fait. Montilla s'éveilla un matin, le dos meurtri par la dureté de sa couchette, et, dans l'obscurité de sa cellule, il décida qu'il ne pouvait plus rester sans rien faire. Il était innocent et il résolut de le démontrer. Comment? Il l'ignorait. Dans l'immédiat, il lui fallait absolument obtenir la permission de parler au *jefe* de son *barrio*. Il demanda qu'on lui permît de recevoir la visite de Pépé Vicario. Ce qui fut accordé puisque, *jefe* ou pas, le *señor* Vicario avait, comme tout le monde, droit aux visites du dimanche.

C'était la première fois que Pépé rendait visite à un détenu, n'ayant jamais eu d'ami emprisonné. Les retrouvailles entre le pêcheur, *capitan del Partido*, et son vieux compagnon de beuveries furent empreintes de peine et de joie. Pedro jura son innocence une fois de plus mais, cette fois, sur la tête de la vieille Olguita. Pour Pépé, selon qui un homme ne jurait sur la tête de sa mère qu'il aimait profondément que pour exprimer son absolue sincérité, ce fut presque une preuve de l'honnêteté de Montilla. Vicario informa alors Pedro des doutes qui couraient au village au sujet de sa culpabilité. Il rassura le pêcheur en parlant des démarches personnelles entreprises par Jesus Griego, qui croyait à son innocence, pour faire la lumière sur la mort de Soledad.

— Il est policier, dit Vicario, il sait ce qu'il fait. T'en fais pas : il te sortira de là très vite.

Après cette première visite au parloir de la prison, Pépé Vicario décida qu'il ne pouvait pas abandonner le pauvre pêcheur à son injuste sort et il se rendit régulièrement auprès de lui. Il le rassérénait comme il pouvait, l'informant, au fil des détails qu'il détenait, de l'évolution des choses.

Trois ans plus tard, Pépé Vicario et Olguita Montilla visitaient encore le détenu du pénitencier. Ils y allaient le plus souvent ensemble. Olguita profitait ainsi de l'automobile de Pépé, qui n'avait jamais autant utilisé sa Crown Victoria 55. L'institution était située à une cinquantaine de kilomètres à l'est du *barrio*. À une vitesse moyenne de cinquante kilomètres heure, il fallait deux heures de route, aller-retour. Sauf obligation professionnelle impérative pour le *jefe*, le couple effectuait ses visites tous les quinze jours. Pedro Montilla, qui avait dépéri sous le régime carcéral, attendait fébrilement cette heure-là ; ces visites lui permettaient de nourrir son espoir puisque, dehors, on pensait encore à lui. Il aurait suffi qu'on cessât de le régénérer pour que le pauvre pêcheur se laisse mourir lentement. Il était à bout de force et avait commencé à désespérer pouvoir un jour sortir de cet enfer. Entre les murs de sa cellule, dans l'enceinte de cette construction historique, ancien fort majestueux et sordide, la vaste étendue de l'océan où il avait passé presque toute sa vie lui faisait terriblement défaut. Il rêvait souvent de son poisson magnifique, de la lutte noble et pure qu'ils avaient livrée l'un et l'autre sur les flots et de ses nuits s'exhalaient alors des fragrances de liberté grandiose et parfaite qui ralentissaient un peu la ruine de son courage.

Le petit Laurencio avait atteint l'âge de sept ans. Son état s'était heureusement amélioré et il avait retrouvé l'usage de la parole. Il demeura néanmoins un enfant taciturne, beaucoup moins expansif que ce que sa vraie nature, celle qui avait été la sienne jusqu'au drame, lui eût permis. Il était sujet à des cauchemars qui l'éveillaient, mouillé de sueur, dans son lit de bambous. Les Vicario avaient installé sa couchette dans leur chambre, que Xiomara avait divisée par un rideau tendu sur une tige de canne d'un mur à l'autre. Lorsque l'enfant se réveillait agité, la vieille se levait pour le rassurer et le rendormir. Puis les crises d'angoisse de Laurencio se mirent à le visiter durant le jour. Au beau milieu de ce qui était plus une occupation méditative qu'un jeu d'enfant, il éclatait en larmes, revivant malgré lui le souvenir de sa jeune existence. Il sanglotait, appelait : « Maman », posait sans cesse les mêmes questions terrorisées.

— Pourquoi tu cries, maman ? Qu'est-ce qu'ils te font ? Réponds-moi : qu'est-ce qu'ils te font ?

Aux premières manifestations diurnes de ces affres, les Vicario avaient été si bouleversés et occupés à calmer leur petit-fils que la teneur des propos qu'il hurlait leur échappa totalement. Puis, un jour, Xiomara attarda sa pensée sur le pluriel employé chaque fois par Laurencio : « Qu'est-ce qu'ils te font ? » criait-il. Il ne fallut pas longtemps à Xiomara et Pépé pour que Pedro Montilla soit tout à fait disculpé dans leur esprit. L'atroce nuit dissimulait toujours sa vérité derrière le sort du pêcheur injustement enfermé depuis des années. Ils s'en convainquirent au point de tenter de faire parler Laurencio, tout en cherchant à l'apaiser par leurs caresses et leur amour.

Au mois d'août de l'année 1985, l'enfant eut une nouvelle attaque de ses obsessions pendant une visite de Jesus Griego chez les Vicario. Cela allait s'avérer capital pour le sort de Pedro Montilla. Cette fois, les mots que l'enfant prononça furent sans équivoque pour ceux qui l'entouraient de leur récon-fort. Son délire s'étoffa d'un élément nouveau, un souvenir précis, jamais évoqué auparavant :

— Aide-nous, Pedro ! Aide-nous. Ils ont fait du mal à maman ! Pedro, s'il te plaît, aide-la ! cria-t-il.

Et cette supplique, l'enfant la réitéra régulièrement au cours des crises subséquentes.

Lorsque Pépé informa Montilla de la chose, le pauvre homme affirma qu'il ne se rappelait aucunement avoir entendu cet appel dans la nuit. L'épuisement et le vacarme de la tempête avaient dû étouffer la petite voix terrifiée. Peut-être même la prière de Laurencio n'avait-elle été qu'un murmure dans le secret de sa cachette. Toutefois, il fut évident pour Jesus, les Vicario et les autorités policières — que l'entêtement du jeune Griego avait réussi à convaincre — que l'imploration de l'enfant cette nuit-là ne pouvait s'adresser qu'à celui qu'il vit arriver comme un sauveur. Un enfant n'appelle pas à l'aide le responsable de son malheur après s'en être caché dans les buissons. Pedro Montilla disait vrai :

il était arrivé trop tard. Il n'avait cessé de le répéter. Les supérieurs de Jesus Griego estimèrent que l'acharnement peut être un atout dans la recherche de la vérité et de la justice. Ils le promurent enquêteur, lui donnèrent toutes les facilités dans l'exercice de son investigation et promirent de mettre en œuvre les procédures devant conduire à la relaxation de Montilla. Il y faudrait plusieurs semaines, mais on démontrerait, lui affirma-t-on, l'erreur de la justice.

Dès les premières semaines qui avaient suivi le drame, les initiatives, alors informelles et solitaires, de Jesus l'avaient conduit tout droit chez Gisela Catala. Le jeune policier s'était souvenu des prémonitions de la vieille Noire, que personne n'avait crue. L'image de démons à têtes multiples si souvent évoquée par la sorcière recoupait si bien l'idée d'un crime collectif que Jesus décida de se rendre à Matanzas. La sorcière avait été généreuse de son temps et de ses mots, trop heureuse qu'un policier accorde foi à son pouvoir médiumnique. Jesus n'avait rien appris qui fut vraiment nouveau mais les visions de la *santera* lui apparurent nettement moins ésotériques et hermétiques. Ces touristes dont Montilla avait toujours parlé et qu'on avait crus être le fruit de son invention avaient brusquement concrétisé aux yeux du jeune homme le monstre à trois têtes annoncé par la voix rauque de vieille animiste noire. Il avait aussitôt voulu vérifier si ces gorgones correspondaient à trois entités réelles dans les fréquentations du dénommé Sebastian Mendez.

La direction et le personnel de l'hôtel *Sol de la Isla* avaient gentiment répondu à toutes ses questions et Jesus avait appris l'existence de trois touristes canadiens qui avaient adopté, selon toute vraisemblance, le jeune Mendez et un compagnon du nom de Marco Cespedez. C'est à la suite de ces découvertes troublantes qu'un doute sérieux s'était emparé de Jesus et qu'il avait résolu d'en faire part aux Vicario. Depuis maintenant plus de trois ans, Jesus Griego avait été entravé par toutes sortes de complications juridiques et il n'avait jamais obtenu l'aval de ses supérieurs hiérarchiques pour pousser plus avant son enquête. Le tourisme étant un facteur capital pour l'essor économique de l'île, on avait signifié au jeune policier de se calmer. Un scandale diplomatique n'était souhaité par personne. Ainsi, tandis que l'on avait pris soin de ménager la susceptibilité de ceux du paradis, le pauvre Montilla avait continué de croupir dans l'enfer carcéral.

Investi d'un mandat officiel pour poursuivre la piste qu'il avait pressentie et malgré les promesses faites, Jesus ne fut pas davantage autorisé à quelque geste qui eût impliqué des étrangers, d'une manière ou d'une autre, dans le meurtre de Soledad Estebán-García. Il lui fut interdit d'entamer toute recherche sur l'identité des touristes. Il devrait se satisfaire de la remise en liberté du pêcheur Pedro Montilla. On lui fit comprendre, en termes non équivoques, qu'une dérogation à ces ordres serait considérée comme une rébellion contre le Parti et l'État et l'exposerait à de sévères représailles. On ajouta que ces directives émanaient de très haute autorité. Jesus Griego, jeune homme intelligent ayant depuis toujours soutenu avec fierté et conviction l'étendard de sa patrie, savait bien que celle-ci ne plaisantait pas avec l'indiscipline. Malgré tout, la douleur qui était devenue son lot quotidien lui indiqua, plus que la certitude du châtiment qu'il encourait, la voie à suivre. Il retourna donc à la clandestinité de ses démarches personnelles. Cette fois, il s'arma de toute la prudence du monde et n'en souffla mot à personne, pas même aux Vicario, ses plus intimes confidents.

Chapitre 5

DES CIELS D'AZUR succédèrent à d'autres, roses et gris, à des orangés flamboyants et à des sombres colériques. Des zéphyrs onctueux suivirent des souffles destructeurs, puis des brises parfumées; les années coulèrent et s'épanchèrent sur les tropiques moites. Tout fut mis en place pour diluer souvenirs et douleurs. Le temps qui estompe tout sur son passage n'eut cependant aucune prise sur les cœurs de Xiomara et de Pépé Vicario, pas plus que sur ceux de Jesus Griego et de Pedro Montilla, quatre personnes enchaînées au même passé, qu'ils ravivaient sans parler. Leurs simples rencontres régulières suffisaient à entretenir la flamme de leur chagrin. L'unique petite chance de lui échapper eût été de cesser de se voir; or, ils ressentaient un besoin vital de ces rencontres, comme si une séparation de leur petit groupe eût signifié la perte d'un trésor intime.

Pedro Montilla s'était remis à la pêche, mais il avait été gravement atteint dans son goût de vivre. Au début, avant que Laurencio ne commence à l'accompagner, il lançait son filet ou sa ligne sans grande conviction, avec automatisme et détachement. Le plus souvent, il rêvait, assis au fond de sa barque, les yeux fixés sur l'eau. Il crut même un jour apercevoir son poisson de trois mètres portant encore comme un trophée la flèche brisée de son harpon enfoncée sous la nageoire dorsale. Montilla n'en dit mot à personne. Il n'avait plus d'histoire à raconter. Il rentrait plus tôt à la maison et ses prises étaient à peine suffisantes pour justifier une journée de travail. Sa passion de la mer et de la pêche était devenue une simple occupation, comme il faut en avoir une, sans plus. Pedro avait renoncé au titre de *capitan del Partido*, expliquant qu'un homme qui avait été trois années en prison pour n'avoir pas réussi à sauver une jeune femme de la mort ne pouvait plus voir les choses de la même manière et vouloir encore corriger la trajectoire idéologique d'un régime qui l'avait si injustement traité.

Pépé et Xiomara continuaient à prodiguer leur amour à Laurencio, qui le leur rendait comme un petit-fils aimant et reconnaissant. Pépé, à soixante-treize ans, présidait toujours aux assemblées régionales des membres, mais lui aussi avait perdu de sa fougue révolutionnaire ; le peu qu'il conservait de la verve qui l'avait jadis caractérisé pouvait toutefois faire encore surface, pour peu qu'on le mît sur la voie : l'Amérique et son capitalisme outrancier suscitaient encore des envolées verbales de l'orateur qui valaient le déplacement. Xiomara, elle, voyait du lever au coucher à ce que son petit univers ne soit en rien perturbé. Elle faisait les repas, le lavage et le repassage. Elle se levait à l'aube pour traire la vache pendant que Pépé, tout aussi matinal, allait au poulailler chercher des œufs frais. Le vieillard avait travaillé d'arrache-pied pour ajouter une petite annexe à la maison. Jesus, Segura et Herrera avaient mis la main à la pâte et Laurencio avait ainsi ses quartiers privés depuis l'âge de huit ans. Xiomara avait encadré une superbe photographie de Soledad, prise un dimanche en haut de *la caleta* par Antonio Herrera à l'occasion d'une promenade à pied entre amis. La jeune femme y apparaissait resplendissante de beauté et souriant aux jours heureux d'alors. C'était l'unique photo de Soledad qui existât. La vieille femme avait jugé qu'elle revenait à Laurencio et l'avait placée bien en vue sur le seul petit meuble de la chambre du garçon. Pas une journée ne se terminait sans que Xiomara n'eût passé un chiffon sur le cadre pour l'épousseter. Pépé et Laurencio avaient depuis longtemps compris que ce chiffon n'était qu'un accessoire destiné à masquer l'envie qu'elle avait de regarder chaque jour le visage rayonnant de sa fille d'adoption.

Jesus Griego avait atteint l'âge de trente-quatre ans en se dévouant à son métier de policier. Il était resté célibataire et montait régulièrement au petit cimetière pour rendre visite à celle qu'il aimait encore et qui dormait pour l'éternité, non loin de Magdalena Marquez et de Julieta Reyes. Il avait bien cru un moment pouvoir s'intéresser à une jeune femme qui lui avait démontré un réel attachement sentimental, mais quelques mois avaient suffi pour le convaincre qu'il appartiendrait à tout jamais à Soledad. Incapable d'ignorer la voie que son cœur lui indiquait, il mit un terme à cette relation. Après la libération de Pedro Montilla, Jesus Griego avait poursuivi ses recherches, traquant littéralement Sebastian Mendez, sans que jamais celui-ci ne se doutât de quelque chose. Il avait suivi l'homme, observé ses moindres gestes, noté le nom de toutes ses relations. La filature discrète avait duré des mois. Jesus avait appris beaucoup sur le jeune homme et ses habitudes, ses manières, sa fourberie, son insouciance. Il l'avait vu vivre plus de deux ans sans aucun souci matériel. Mendez avait dépensé des centaines, des milliers de *pesos*, sans travailler, tirant l'argent de sa poche comme si elle avait été une bourse inépuisable. Tout ce temps consacré à l'étude systématique du personnage avait conduit Jesus à la certitude inébranlable d'une responsabilité de premier ordre de Sébastian Mendez dans l'assassinat de Soledad. Il avait tenté à quelques reprises de sensibiliser ses supérieurs, par le rapport détaillé des résultats obtenus ; chaque fois, on l'avait rabroué, alléguant que le dossier était clos et qu'il lui fallait finir par le comprendre ou son insistance lui attirerait des ennuis. Jesus avait fini par accepter de ne devoir compter que sur lui-même s'il voulait tenir la promesse faite aux Vicario de ne se reposer qu'après l'accomplissement de sa vengeance. Ce qu'il ignorait encore, en cette année 1993, onze ans après la mort de Soledad, c'est que se présenterait un jour devant lui le plus redoutable et acharné de tous les alliés qu'il aurait pu souhaiter.

Laurencio Alcázar-Estebán était devenu un adolescent de quinze ans. Physiquement, il s'était développé en force et en beauté ; intellectuellement, il s'était avéré un des sujets les plus brillants que le collège qu'il fréquentait eût jamais comptés parmi ses élèves. Il récoltait honneurs et récompenses et s'était déjà assuré, longtemps avant la fin de ses études, un avenir dans l'administration *del Banco Nacional.* Le directeur de l'importante institution avait retenu ses services futurs sur la seule foi de son dossier scolaire préuniversitaire. Laurencio était un garçon svelte et large d'épaules. Son regard était devenu plus clair et rappelait la surface verdoyante de l'océan par temps couvert. Soledad avait eu le ciel dans les yeux, lui avait la mer. Son corps musclé s'était lentement sculpté au fil des jours. Depuis quelques années, l'orphelin accompagnait dès qu'il le pouvait Pedro Montilla dans sa barque, lançant vigoureusement le filet à plus de vingt mètres. Grâce à Laurencio, Pedro avait fini par retrouver un peu de sa passion pour son art. À la demande du fils, les deux amis qu'ils devinrent ne parlaient jamais de la mère. Les seules parties de pêche avaient suffi à consolider une grande complicité tacite. En fait, les deux seuls et véritables amis de Laurencio étaient Montilla et Griego, entre lesquels il partageait ses temps libres. En compagnie de Jesus, la règle était la même : on n'évoquait jamais Soledad. C'était la volonté notoire de Laurencio Alcázar-Estebán et tous la respectaient strictement. Tout se passait comme si le jeune homme avait voulu déposer son triste passé en un lieu auquel lui seul avait accès si l'envie lui en prenait mais qu'en d'autre temps il avait désiré une existence normale sur laquelle il eût plein contrôle. Son enfance dominée, maîtrisée par un cauchemar, il semblait la vouloir loin derrière lui et faisait tout pour que ses jours s'écoulent dans l'harmonie sur l'onde du temps qui glissait dans son île tropicale : le seul paradis sur Terre qu'il reconnaissait comme tel. À quinze ans, il avait déjà voyagé d'un bout à l'autre du pays. Il avait vu les archipels, les îles et les campagnes. Il avait visité le cap San Antonio et Pinar Del Rio, Marianao, Cienfuegos, Santa Clara et toutes les villes importantes de l'île, jusqu'à la Sierra Maestra, Guantanamo et finalement Santiago, où il avait cherché en vain à retrouver une amie d'enfance, la petite Yasmin Marquez, fille de Magdalena et Augustino. Il avait retrouvé la maison de la tante habitée depuis longtemps par une famille qui lui avait fourni de vagues renseignements inutilisables.

Ces voyages, Laurencio les avait faits à bord de la Crown Victoria, la Ford 1955 de Pépé, en seule compagnie de Jesus Griego. Vicario avait le dos voûté par le dur labeur aux champs, mais se tenait encore debout avec vigueur. Cependant, il s'estimait trop âgé pour conduire la Ford sur de longs trajets. Il destinait la voiture à Laurencio dès qu'il serait en âge. C'est ainsi que Jesus et Laurencio avaient, des années durant, fait coïncider leurs vacances et congés et étaient partis ensemble à la découverte de leur pays. Certaines de ces excursions les avaient gardés absents pendant plus de quinze jours. Les voyages avaient cessé faute de régions à visiter mais surtout à la suite de la volonté de Laurencio de se consacrer sérieusement aux études. Il attendait son appel imminent sous le drapeau de la patrie, pour le service militaire, et savait qu'il en sortirait trois ans plus tard pour son entrée à l'université de La Havane.

Cette année-là, à l'approche de son seizième anniversaire, Laurencio eut une surprise qui allait perturber le chemin tranquille qu'il s'était tracé. Par une matinée toute jeune, aromatisée du parfum des manguiers qui encerclaient le *barrio*, une silhouette apparut sur la crête du chemin de terre brûlée. C'est Pépé qui aperçut le premier la jeune fille portant un sac de voyage en bandoulière et marchant tout droit vers leur maison. Elle était encore loin, mais il pouvait distinguer en plissant les yeux des cheveux longs tombant sur de belles épaules nues. La jeune fille s'approchait, le regard levé sur ce qui semblait de plus en plus être sa destination : la demeure des Vicario.

— *Una muchacha,* lança-t-il, sans quitter la fenêtre.

Xiomara délaissa son occupation et le rejoignit. La jeune femme était moulée dans une paire de blue-jeans et dans un bustier de coton blanc.

— Elle est très jolie, fit remarquer Xiomara.

Vicario quitta la fenêtre, grommelant entre ses dents que ce genre de pantalon ne devrait pas être permis aux jeunes filles et qu'en plus ils introduisaient dans l'île une propagande séditieuse du capitalisme américain et de sa société de consommation.

— C'est aussi vrai que pour ton auto, lui répondit Xiomara sans quitter la jeune fille des yeux.

Pépé ignora la remarque et alla ouvrir la porte à la voyageuse.

Elle était très belle, grande et mince, un beau regard brun pailleté d'or, des lèvres pulpeuses sur un sourire d'une blancheur éclatante. Elle déposa son sac à ses pieds sur le seuil de la porte et rejeta ses cheveux vers l'arrière, d'un geste ample et plein de grâce. Xiomara se plaça près de son mari et la dévisagea, lui trouvant un air familier.

— *Hola, jefe Vicario. Hola, Xiomara*, dit la jeune fille, l'œil brillant de joie.

— *Madre de Dios* ! s'exclama alors Xiomara, qui reconnut ce regard.

Pépé observait l'adolescente avec l'air le plus égaré qui soit.

— Ces yeux ! dit Xiomara. Tu ne reconnais pas ces yeux ? C'est tout le portrait de Magdalena ! Yasmin, ma chérie ! Entre, entre. Quelle belle surprise ! Pépé, va réveiller le petit !

Elle prit Yasmin dans ses bras et l'embrassa si fort que la jeune fille grimaça sous l'étreinte.

— *Dios mio*, comme tu as grandi ! Et tu es belle comme le printemps ! Quel âge ça te fait ? Qu'est-ce que tu fais ici ? D'où arrives-tu ? Comment es-tu venue ?

La vieille femme décochait ses questions sans attendre les réponses.

— Je suis venue pour vous voir, Xiomara. Toi et ton mari et... et tout le monde au *barrio*. J'arrive tout droit de Santiago, dit Yasmin, en disciplinant ses cheveux du revers de la main.

Pépé revint de la chambre de Laurencio suivi du garçon, qui resta bouche bée, surpris d'apercevoir la fille de Magdalena.

— Bonjour, Laurencio, dit elle en le fixant de ses grands yeux clairs.

— Ho... bonjour... Yasmin ? Yasmin Marquez ? fit-il, d'un ton presque incrédule.

— Oui, c'est moi. Du moins j'en étais sûre en arrivant ! J'ai tellement changé ?

Laurencio glissa son regard sur le corps de la jeune fille, de la tête jusqu'aux pieds.

— Je suis... renversé, dit-il en s'approchant pour l'embrasser. Jamais je ne t'aurais reconnue !

— Moi non plus, avoua-t-elle. Tu es tellement... tellement... grand et... Non, je ne t'aurais pas reconnu, fit-elle, troublée par le regard ébahi posé sur elle.

— Moi non plus, intervint Pépé, je ne t'aurais pas reconnue. Qu'est-ce que c'est que ces vêtements que tu portes ? C'est comme ça qu'on s'habille à Santiago ?

— Bon, fit Xiomara pour couper court, asseyons-nous. Tu dois être fatiguée, non ?

— L'autobus m'a laissée à deux kilomètres au moins d'ici. Je peux avoir un peu d'eau ?

Laurencio alla actionner la pompe du large évier en ciment et lui servit un grand verre d'eau fraîche. Ils s'assirent tous les quatre autour de la table et Yasmin parla de son voyage, de ce qui l'avait décidée à l'entreprendre et de beaucoup d'autres choses. Laurencio l'écouta en buvant chacun de ses mots, accroché à ses grands yeux couleur de gousse de cacao, à ses lèvres vermeilles. Il détailla son cou gracile et ses épaules carrées, les lobes de ses oreilles parés de petites perles de nacre délicates ; il adorait ce geste qu'elle refaisait sans cesse pour repousser ses cheveux longs aux reflets cuivrés. Yasmin sentit le regard de Laurencio posé sur elle et dut faire des efforts pour ne pas perdre le fil de sa pensée. C'est qu'elle aussi tentait d'examiner le garçon tout en paraissant naturelle et en n'oubliant pas Pépé et Xiomara. Elle s'adressait à eux tour à tour et éprouvait une grande difficulté à être équitable dans la répartition du temps qu'elle allouait à l'un et à l'autre. Elle devait se faire violence pour détourner ses yeux du visage de Laurencio. Elle avait gardé le souvenir d'un enfant gracieux, aux traits fins et au regard vert et brillant, mais tout cela avait pris une telle force, un tel caractère, une telle intensité ! L'ensemble lui était si agréable à regarder qu'elle se sentait transportée. Elle ne s'était pas attendue à ce qu'il fût devenu aussi beau garçon et se félicitait d'avoir fait le voyage jusque-là.

Yasmin Márquez avait décidé de revenir vivre dans les environs. Santiago n'était pas pour elle et elle avait attendu le moment opportun pour en partir. La sœur de sa mère venait de mourir d'une maladie incurable et Yasmin n'avait jamais réussi à avoir ne fût-ce qu'un semblant d'affection pour son oncle, un homme brutal qui avait placé très tôt son petit frère attardé dans une institution et qui les avait traités, elle et Miguel, son aîné, comme des indésirables durant toute leur enfance. Sa tante, femme vertueuse et généreuse, avait fini par le quitter en les emmenant avec elle et tous trois s'étaient réfugiés à Palma Soriano, une petite ville de la Sierra Maestra, non loin de Santiago mais suffisamment éloignée pour qu'on perde leur trace. C'est la raison pour laquelle, expliqua Yasmin, Laurencio n'avait pu la retrouver à son passage dans la ville. La jeune fille avait été informée de cette visite à l'occasion d'une rencontre tout à fait fortuite dans un centre commercial de Santiago de l'occupante de leur ancienne maison. Elle avait été heureuse d'avoir des nouvelles, même succinctes, du *barrio* et de Laurencio. À la mort de sa tante, il y avait tout juste deux mois, elle avait annoncé à Miguel, maintenant militaire, qu'elle allait retourner vivre près des tombes de leur mère et de leur frère aîné. Miguel avait approuvé sa décision et viendrait la rejoindre après le service armé.

Yasmin était une petite fille de six ans lorsqu'elle fut envoyée chez sa tante avec ses frères ; cela lui en faisait dix-sept maintenant, calcula Xiomara.

— Dix-huit dans cinq mois, précisa la jeune fille. Et toi, Laurencio, dit-elle, quinze ans, c'est ça ?

— Seize le mois prochain.

Yasmin hocha la tête avec un sourire. Elle lui trouvait une telle maturité pour son âge.

— Tu as l'air si... sérieux qu'on te donnerait plus, dit elle. Et tu es si grand ! De qui tiens-tu cette taille ?

Laurencio haussa les épaules.

— Je ne sais pas... Mon grand-père, Fidel Esteban, était un homme assez grand, il paraît.

— Où vas-tu habiter ? demanda Pépé. Tu sais que votre maison est toujours vide.

Le visage de la jeune fille s'assombrit soudain. L'évocation de la maison familiale la replongeait dans le souvenir douloureux des drames de sa vie : les décès tragiques de son frère et de sa mère. Elle resta silencieuse plusieurs secondes, les yeux posés sur la table devant elle. Xiomara lui prit la main.

— Ce serait bien si tu étais tout près. Par les temps de crise qui courent, c'est pas facile de se loger. Tu le sais, c'est pareil à Santiago. Et puis, votre maison, on l'a entretenue sans arrêt. On y a fait le ménage régulièrement. Ce serait très bien pour toi. Enfin, si tu préfères chercher ailleurs...

— Non, non, il faudra bien que j'oublie tout ça un jour. C'est peut-être la meilleure façon de faire, dit Yasmin, avec un sourire triste vers Laurencio.

Elle avait appris la mort de Soledad, comme tout le monde, par les journaux et la télévision et ressentait une forte affinité qui la liait au garçon du fait de ces deux lames de couteau enfoncées dans les corps de leurs mères.

— Laurencio pourra conduire sa voiture à compter du mois prochain, expliqua Pépé. Ce n'est plus un problème pour sortir du *barrio*, aller en ville...

— Tu as une automobile? fit Yasmin, retrouvant son visage épanoui.

— *Como no*! lança fièrement Pépé. Et pas n'importe quelle voiture! De la qualité... C'est... comment dire, c'est...

— Américain, laissa tomber Xiomara sur un ton d'ironie légère. Comme tes pantalons.

Pépé Vicario resta court. Tous eurent un sourire qu'ils tentèrent de dissimuler. Pépé se leva et alla tirer de l'eau à la pompe.

— Ça, dit-il, je l'ai toujours dit: pour les voitures, ils sont forts!

Il avala d'une traite son verre d'eau.

— J'aimerais monter là-haut voir la tombe de ma mère, dit Yasmin. Je serai de retour dans une heure.

— Je t'accompagne si tu veux, fit Laurencio en se levant.

— D'accord, dit-elle, visiblement heureuse de cette proposition.

Yasmin se leva à son tour. Bien qu'elle fût d'une bonne taille pour une jeune fille de dix-sept ans, elle arrivait à l'épaule du garçon.

— Tu es vraiment grand! répéta-t-elle avec enthousiasme. J'espère que tu ne fais pas de trop grands pas en marchant!

Elle glissa ses mains sur ses hanches et ses jambes pour ajuster ses jeans à son corps filiforme et magnifiquement galbé. Laurencio fut troublé, le temps d'une seconde, par son geste.

— Tu n'auras qu'à courir pour me rattraper, Yasmin Marquez, comme dans le temps ! lança-t-il en sortant promptement.

Xiomara et Pépé les regardèrent sortir comme les enfants qu'ils étaient, puis ils échangèrent un regard pensif comme les parents qu'ils étaient. Pépé décrocha le premier :

— Comment elle fait pour se déplacer aussi vite dans des pantalons comme ça ?

— Tais-toi, mon vieux : elle est moderne, dit Xiomara, pleine d'indulgence.

Puis elle sortit sur le palier pour regarder les deux jeunes gens s'éloigner sur le chemin.

— On vous attend pour manger ! cria-t-elle.

Laurencio et Yasmin se retournèrent pour acquiescer d'un signe de la main. La vieille femme songea que cette petite deviendrait peut-être le rayon de soleil qui manquait dans les yeux verts de son Laurencio.

En redescendant du cimetière, Yasmin et Laurencio avaient fait le chemin dans un silence presque complet. La jeune fille venait de voir la pierre tombale de Magdalena pour la première fois depuis onze ans. Elle l'avait trouvée entretenue, désherbée et fleurie. Laurencio lui avait expliqué qu'il s'était attribué cette tâche. Il s'y rendait deux fois par mois et voyait à ce que les sépultures des deux femmes conservent tous les signes de la mémoire qui leur était due. Soledad et Magdalena étaient parties la même année, à quelques mois d'intervalle, emportées par une violence similaire, et reposaient désormais l'une près de l'autre. Pépé et Xiomara avaient atteint un âge qui leur interdisait des visites trop fréquentes, mais ils faisaient toutefois le trajet de temps à autre en sa compagnie. La joie puérile qui avait vu sortir les deux jeunes gens de la maison une heure plus tôt avait cédé la place à une morosité, un désenchantement qui se lisaient sans peine sur leurs visages.

La chose était nouvelle pour Yasmin, mais elle était le lot habituel de Laurencio. Si le garçon tentait, par tous les moyens, de normaliser son quotidien, il n'en avait pas pour autant oublié le cauchemar de son enfance. Il avait appris à vivre avec ce douloureux souvenir, sans plus. Ainsi, son refus catégorique d'évoquer sa mère ressemblait-il davantage à une volonté de préserver une thébaïde qu'au désir d'accéder à l'oubli. En outre, bien qu'il eût essayé à quelques reprises de tourner pour de bon cette page du livre de sa vie, le vent mauvais chaque fois avait soufflé sur l'ouvrage pour la lui remettre devant les yeux. Et il y avait cette image. Elle n'avait pas appartenu aux crises traumatiques qui avaient suivi le drame ; elle était survenue beaucoup plus tard, vers l'âge de douze ans. Elle surgissait sans prévenir, dans ses moments de solitude, et Laurencio n'en avait jamais parlé. À quoi bon ? Jamais il n'avait put arrêter cette image assez longtemps pour fixer un visage explicite sur cette apparition : un homme agité, cheveux sombres, mouillés et plaqués sur la tête, la peau ruisselante de pluie, et un regard fou apparaissant dans la fugacité des éclairs. Il savait que s'il parvenait un jour à identifier celui qui faisait le guet dans la tempête tandis que ses complices violaient et assassinaient sa mère, il aurait la réponse au mystère qui submergeait encore la mort de Soledad. En attendant, il gardait ce secret enfoui au fond de lui.

Lorsqu'ils furent sortis de table, Xiomara proposa une visite chez les voisins afin de leur présenter la belle grande fille qu'était devenue Yasmin Marquez. Angela Herrera pleura de joie en serrant Yasmin dans ses bras. Placida Segura fut prise d'une grande exubérance, qui s'estompa chez

Olguita Montilla, que les années avaient rendue presque aveugle, que l'arthrite avait rivée définitivement dans un fauteuil roulant et dont la mémoire s'était étiolée. La vieille femme ne reconnut pas la jeune fille. Elle la confondit avec sa mère Magdalena et se mit à pleurer.

— Je te demande pardon, lui dit-elle dans un sanglot. Je t'ai crue morte pendant des années!

Yasmin s'agenouilla devant elle et lui expliqua, tout doucement, qu'elle était la fille et non la mère.

— *Esta bien, esta bien*, fit Olguita, dont l'esprit était déjà ailleurs.

Puis le petit groupe d'amies salua affectueusement la doyenne du *barrio* et se dirigea vers la maison des Marquez. Yasmin poussa la porte et entra la première. Sous les regards attentifs des trois femmes, elle tenta de dissimuler l'émotion qui l'étreignait. Son cœur s'était mis à battre très fort sous l'impression d'être subitement plongée dans un souvenir palpable; ce n'était pas qu'une image fluide dans sa tête, comme celles qui avaient visité son enfance exilée, mais un décor entier et tangible: des meubles et des objets inchangés et à leur place. Les larmes lui montèrent aux yeux. Elle passa la main sur un mur, puis sur un vaisselier patiné par le temps. Elle marcha lentement dans la maison, fit le tour des pièces, comme à la recherche du temps évanoui qui avait jalonné ses toutes premières années d'existence. Puis elle s'assit sur une chaise de la cuisine, s'immobilisa, les mains croisées sur la table, et se mit à pleurer. Devant les trois femmes silencieuses et respectueuses du chagrin qu'elles voyaient rouler sur ses joues, Yasmin se libéra d'un poids qui l'écrasait depuis des années: l'enfant n'avait jamais pleuré les morts tragiques de sa mère et de son frère, l'adolescente non plus.

Xiomara s'avança et passa sa main sur les cheveux aux mèches flamboyantes.

— Pleure, pleure, ma chérie. Que s'en aille ta peine.

Yasmin se laissa aller encore quelques instants, puis elle releva la tête et remercia les trois femmes du fond du cœur. Elle retrouvait sa maison comme elle l'avait toujours connue et considérait la délicatesse des amis de sa mère comme un précieux don du ciel. Elle se tourna vers Xiomara.

— Tu avais raison, Xiomara : je crois que je vais être heureuse ici, dit-elle en s'essuyant les yeux du revers de la main. *Bueno*, ajouta-t-elle, se ravivant. Je vous offre quelque chose ? Il doit bien y avoir du café quelque part ?

— Bonne idée ! s'exclama Placida en s'asseyant. Les hommes sont au travail, à nous la parole.

— Puisqu'on en parle, dit Angela, s'installant aussi, ils sont comment à Santiago, hein, Yasmin ?

— Qui ça ? fit Yasmin en riant. Les hommes ?

— Hé ! jeune fille ! je ne parle pas des crocodiles des marécages de Zapata ! lança-t-elle avec un geste de la main.

Elles éclatèrent toutes les quatre d'un rire qui fit presque oublier le malheur qu'avait jadis abrité la maison des Marquez.

Les vacances d'été se déroulèrent dans une sorte de béatitude qui depuis longtemps n'avait pas touché le petit village. La jeunesse et l'exubérance de Yasmin et Laurencio, qui allaient et venaient, saluant au passage et disparaissant de nouveau, semblaient avoir contaminé le *barrio* au grand complet. Yasmin avait fait la connaissance de Jesus Griego, que Laurencio lui avait présenté comme son meilleur ami et l'homme qui aimait encore Soledad tel qu'au premier jour. La jeune fille avait été bouleversée par ce sentiment aussi durable que profond. Elle avait participé, en compagnie de Laurencio et de Pedro, à quelques parties de pêche qui l'avaient enthousiasmée tout en faisant le grand bonheur de Montilla. Laurencio avait atteint depuis le mois de juillet l'âge de conduire la Ford de Pépé et les deux jeunes gens en avaient amplement profité. Ils avaient volontiers sacrifié leurs quelques *pesos* à l'achat de litres d'essence et étaient partis en randonnée aux quatre coins de la région. Le rapprochement des deux adolescents avait été inévitable. Ils étaient beaux, pleins de fougue et de santé à cette époque de la vie où la chair exacerbée est avide de découvertes et de désirs. L'un et l'autre s'étaient abandonnés, la première fois, sur la banquette arrière de la Crown Victoria de Pépé, à l'heure des lucioles, baignée de la clarté bleutée d'un crépuscule étoilé ; la seconde, dans la maison même de Yasmin, dans la chaleur de leurs peaux moites, à l'heure où le soleil est au zénith ; la troisième enfin, ce jour-là, dans les eaux salées et transparentes de *la caleta*, à l'heure où allait surgir le premier nuage sombre sur leurs vacances de rêve.

L'idée était venue de Yasmin. Elle avait demandé à son compagnon d'arrêter la voiture sur le chemin, en haut de la crique, pour regarder l'eau s'engouffrer entre la paroi qui cachait *la cama de la juventud* et les rochers. La jeune fille n'avait pas eu de mal à tenter Laurencio et à le décider à descendre jusqu'en bas. De fil en aiguille, ils s'étaient dénudés et s'étaient retrouvés, Adam et Ève, dans l'eau cristalline de *la caleta*. La mer lisse et caressante accueillait leurs ébats et, de jeux innocents en jeux innocents, ils firent ce pourquoi ils étaient là ; plus exactement ce pourquoi Yasmin avait demandé d'arrêter précisément là. Elle escalada la paroi avec la facilité d'un chat. Laurencio la suivit de près et ils se retrouvèrent sur le rocher des amoureux, face à l'immensité miroitante de l'océan. Ce qu'ils y firent, nul besoin d'être savant augure pour le comprendre ; et ce fut la troisième fois.

Chaque fois, Laurencio acceptait le don généreux et passionné de Yasmin avec une délectation accompagnée de toute l'inexpérience de ses seize ans. Il se livrait à elle, comme elle à lui, et savait déjà que cette fille aurait une grande place dans la suite de sa vie, pour peu que le destin le permît. Le jeune homme était en proie à un malaise croissant depuis le retour de Yasmin Marquez dans son existence. Il ne pouvait nier l'amour, la volupté et l'ivresse qu'elle faisait naître en lui, mais il avait le sentiment, dans le même temps, qu'il devait résister, du moins pour le moment, à la perspective déjà envisagée de s'unir à Yasmin devant Dieu et les hommes. Ce n'étaient pas les quelques années de service militaire et d'études qui l'attendaient encore ; cela, ils pouvaient facilement s'en accommoder. Non. C'était autre chose : un compte à régler avec sa vie, une page à tourner, celle qui lui présentait sans cesse la même image d'une nuit de tempête tropicale pleine de fureur sous les éclairs. Soledad criait encore dans sa tête et dans son cœur et il devait l'apaiser avant de céder à l'amour d'une autre femme. Comment y parviendrait-il ? Cette question restait sans réponse.

Ce jour-là, sur la couche de roc qui accueillit leur secret, Yasmin était heureuse. Ce garçon, qui avait accompagné ses jeux d'enfant, dont elle avait emporté le rire et les mimiques dans son cœur en quittant le village, dont elle avait si souvent tenté de retrouver les traits dans son souvenir, elle le tenait dans ses bras et elle s'offrait tout entière à lui. Leurs deux corps nus et fiévreux s'allièrent et fusionnèrent dans une grandiose alchimie charnelle qui transporta la jeune fille. Bien au-delà du geste physique, son être entier frémit, bouillonna sur le feu du désir délectable. Elle sentit le cœur de Laurencio battre la chamade contre ses seins durs de volupté. Le garçon plongea sa fougue et sa vigueur jusqu'au creux de ses reins et elle jouit de la moindre vibration de son corps ferme. Puis ils agonisèrent l'un dans l'autre, submergés, noyés dans un débordement de délices où leurs deux corps couverts de sueur se raidirent dans un ultime sursaut, avant la reddition absolue de leurs âmes. Allongés sur le dos, côte à côte, se tenant par la main, les yeux fixés sur de petits nuages blancs accrochés dans l'azur, ils sentirent la délicieuse vacuité à laquelle ils se laissaient aller, chaque fois, après l'amour. Le corps anéanti, la chair repue, l'esprit serein.

— Je comprends maintenant, dit doucement Yasmin, ce que ma mère a ressenti sur ce rocher.

— Quoi ? Tes parents venaient ici, à *la cama de la juventud* ? fit Laurencio, surpris et amusé.

— Mes parents ? Non ! Augustino Marquez montait à l'assaut des bouteilles, pas des rochers. Ma mère y est venue avec un autre homme. C'est le grand bonheur de Magdalena que je voulais comprendre en venant ici. Pour y arriver, je devais être accompagnée comme elle par un homme que j'aime follement.

Elle tourna la tête sur le côté, regardant Laurencio immobile, les yeux toujours rivés sur les nuages qui voguaient au-dessus d'eux. Il ne répondit rien.

— Je me demande si ces quelques semaines de grand bonheur qu'elle a connues valaient le sommeil éternel où l'a plongée le couteau de mon père.

Laurencio tourna alors la tête à son tour et vit une petite larme s'échapper du coin de l'œil de Yasmin. Il la prit dans ses bras, la serra contre lui. Son corps était chaud et doux. Avec tendresse, il couvrit son visage de baisers.

— Je crois que je t'aime aussi, Yasmin, murmura-t-il à son oreille.

Et ils restèrent ainsi, de longues minutes, silencieux, étendus, détendus, sur le rocher de l'amour, la brise doucereuse glissant sur leur nudité, bercés par les clapotis des eaux de *la caleta* qui leur parvenaient d'en bas.

— Comment as-tu appris que ta mère a eu un amant ?

— Par une lettre que Magdalena avait envoyée à sa sœur. Elle disait avoir besoin de confier son bonheur à la seule personne qui pouvait le comprendre. Elles étaient très unies même si la vie les avait séparées. Avant de mourir, ma tante m'a remis cette lettre qu'elle avait gardée pour que je sache un jour pourquoi ma mère est morte.

La jeune fille fit une pause.

— Tu crois que je pourrais retrouver l'homme qui a su la rendre aussi heureuse qu'elle l'écrivait ?

— Pourquoi veux-tu le retrouver ?

— Je ne sais pas... pour le connaître... Je suis curieuse. Mais tu as raison, c'est peut-être inutile.

— Non, je ne dis pas ça. Tu as le droit après tout. Tu sais comment il s'appelle ?

— Oui. Sebastian Mendez.

Laurencio s'écarta de Yasmin et se redressa d'un bond.

— Qu'est-ce que tu as, Laurencio ?

— Cette lettre de ta mère, tu l'as avec toi ?

— Oui... je la garde dans mes affaires depuis que ma tante me l'a remise. Pourquoi ?

— S'il te plaît, Yasmin, je te demande de n'en parler à personne, surtout pas à Jesus.

— Heu... bien, d'accord. Mais qu'est-ce qu'il y a ? Tu peux me le dire ?

— Cet homme, Sebastian Mendez, il a aussi été l'amant de ma mère dans le temps. Je ne sais pas si c'est avant ou après avoir connu la tienne. Entre Soledad et lui, ça n'a pas très bien fini. C'est ce que ma grand-mère m'a raconté.

— Qu'est-ce que tu veux dire exactement ?

— Je ne sais rien de plus. Jesus connaît toute l'histoire et il ne peut supporter qu'on parle de Mendez devant lui. Il a trop souffert de la mort de ma mère. Tu me promets de garder pour toi l'existence de cette lettre ?

— Bien sûr ! Mais tu es certain que c'est le même homme ?

— Absolument. D'après Jesus Griego, il ne peut y avoir deux individus comme Sebastian Mendez. Je suis... désolé pour toi et pour ta mère mais, selon ce qu'on raconte, ce type est un vrai salaud.

Yasmin resta songeuse un instant, puis se leva pour rejoindre Laurencio au bord de la plateforme rocheuse. Elle regarda en bas les vagues qui s'enfonçaient mollement dans *la caleta*.

— On plonge ?

— Tu parles !

Puis Laurencio vit le corps nu et long de Yasmin s'envoler comme une flèche, décrire un arc de cercle dans l'espace et s'enfoncer quatre mètres plus bas dans l'eau bleue et limpide. Il s'élança derrière elle.

□

Laurencio Alcázar-Estebán fut appelé au service national dans les premiers jours du mois de septembre de l'année 1994. Il partit la fleur au fusil et le sourire aux lèvres, fort de la conviction qu'il n'appartiendrait pas à un quelconque corps expéditionnaire en partance pour l'Angola comme cela eût été le cas quelques années auparavant. Il aurait de nombreuses permissions, pourrait fréquemment être auprès des siens tout au long de ces deux ans de vie martiale.

Il ne s'était pas trompé : il eut plusieurs occasions de revoir sa famille, ses amis et Yasmin, qu'il retrouva chaque fois avec un pincement au cœur tant elle lui parut plus belle d'une rencontre à l'autre. Le service militaire se déroula sans aucune difficulté ; la réputation de bon sujet de Laurencio l'avait suivi jusque dans l'uniforme de l'armée et il se fit des camarades de tous grades. L'un d'entre eux, un sous-officier de carrière qui avait combattu en Afrique du Sud, le prit en sympathie. Le sergent Luis Bolivar, qui connaissait les hommes et savait parfaitement évaluer leur vaillance et leur capacité agressive, avait trouvé en Laurencio un exemple qu'il n'hésitait pas à citer pour enthousiasmer les autres éléments de l'escadron au cours des manœuvres et des exercices. L'excellence au maniement d'armes et aux simulations de combat avait couvert Laurencio d'une sorte de respectabilité aux yeux de tous. Luis Bolivar avait expliqué que le succès du jeune homme était dû à sa grande capacité d'utiliser au maximum l'extraordinaire violence qui se cachait en lui.

Ce séjour dans l'armée révéla au fils de Soledad ce dont il était capable en situation extrême. Il fut le premier surpris par la chose. Il s'était toujours ignoré un tel degré de volonté destructrice. Il comprit cependant certaines montées de fureur qui accompagnaient les pensées qu'il consacrait à sa mère disparue.

Le garçon termina son service militaire avec une mention honorable qui vint enrichir son dossier d'état civil. Lorsqu'il revint pour de bon au *barrio*, il avait dix-huit ans. Cette année-là, Olguita Montilla mourut dans son lit à soixante-treize ans, aveugle, la mémoire engloutie par le néant et d'une maigreur squelettique... Sa mort fut accueillie par tous comme une libération pour elle-même et pour son fils, Pedro, malheureux de la voir ainsi mais incapable de s'en occuper. On l'enterra en haut de la colline, près des anciens du village. Pépé avait quant à lui célébré son soixante-seizième anniversaire et souffrait d'un problème aux hanches qui le forçait à ralentir ses activités de beaucoup. Le vieillard rageait sans cesse contre ce handicap.

À vingt ans, Yasmin était enseignante à l'école primaire. Elle était radieuse et vibrait davantage encore d'amour pour son beau Laurencio. Elle n'en parlait jamais, mais elle rêvait du jour où le garçon se déciderait enfin à lui proposer les fiançailles qui précéderaient le mariage. Mais il arrive que le cœur ait des raisons que la raison impose : Laurencio devait avant tout terminer ses études universitaires. C'était une exigence du jeune homme. Il était arrivé à Yasmin de s'interroger sur les véritables sentiments de son amoureux. Après tout, nombre de jeunes gens dans leur situation, courante dans l'île, n'hésitaient pas à se marier. Les études n'étaient-elles, pour lui, qu'un prétexte servant à retarder un moment qu'il ne tenait pas vraiment à voir arriver ? La jeune fille avait énergiquement chassé cette perspective trop cruelle. Il l'aimait. Il ne l'avait plus répété depuis ce jour sur *la cama de la juventud* mais, ce jour-là, il l'avait dit et elle avait gardé cet aveu comme le plus précieux de ses biens. Elle attendait donc que Laurencio se considère prêt à faire d'elle sa femme.

Entre la libération du service armé et l'entrée à l'Université de La Havane, Laurencio et Yasmin profitèrent d'un été magnifique. La crise économique qui sévissait dans l'île depuis de longues années forçait le peuple à une difficile existence de privations et de rationnement. Il y avait une chose toutefois que l'embargo tenace ne réussissait pas à enlever totalement à ces insulaires dignes et patients : la joie de vivre. Les rythmes entraînants de mambo et de salsa, pleins d'indifférence, narguaient le geôlier, montant encore de la terre vers le ciel tropical ; et le vent chaud les poussait vers le large afin de signaler qu'on s'amusait encore au sud du paradis. C'est ainsi que l'été demeurait, comme le voulait la tradition, l'époque du carnaval. Toute ville d'une certaine importance avait le sien, qu'elle organisait en dépit de pauvres moyens. Au moins une fois l'an, les *campesinos* sortaient de leur *barrio* et se rendaient danser, boire et s'amuser toute la nuit, oubliant ainsi la condition d'otages à laquelle ils retourneraient le lendemain.

Yasmin et Laurencio avaient offert aux Herrera ainsi qu'aux Segura de se joindre à eux pour aller à Matanzas. Le carnaval y était particulièrement bien organisé et avait une grande réputation à travers tout le pays.

— Xiomara devant, avec nous, et vous quatre derrière, avait expliqué Yasmin en parlant de la Ford.

Pépé résolut de se faire son carnaval à lui en compagnie de Flora et Manuel Lopez. Tout comme Vicario, les Lopez se disaient trop vieux et trop mal en point pour aller s'exciter dans la foule. Le *jefe* avait trois bouteilles de rhum à sa disposition, « ...ce qui est amplement suffisant pour réussir à apercevoir des lampions au bout d'un certain temps ! » avait-il affirmé, gouailleur, à Laurencio.

Les hommes s'étaient rasés et peignés ; les femmes, pomponnées, maquillées, avaient choisi leur robe la plus légère afin de pouvoir faire fi de la chaleur étouffante du mois de juillet. Et ils s'étaient tous engouffrés dans la Crown Victoria, en direction de Matanzas. Ils avaient roulé toutes vitres baissées tout le long du trajet. C'est dans un crépuscule moite, sous un ciel embrasé, que la voiture entra dans la ville envahie. Laurencio gara l'auto en face de la *plaza*, non loin de l'endroit où Pépé avait ses habitudes. Le *parque de la Libertad*, nom de la *plaza*, était le lieu central du carnaval. C'était là que les égarés se retrouvaient, là que les rendez-vous étaient fixés, là que les garçons et les filles faisaient connaissance. On pouvait disparaître des heures dans la ville en liesse, on finissait toujours par revenir à la *plaza*. Des kiosques colorés étaient érigés, des lampions lumineux étaient accrochés sur des cordes entre les branches des arbres, des haut-parleurs nasillards diffusaient des musiques enlevantes et, lorsque la nuit enveloppait la ville, on attendait le passage des chars allégoriques flamboyants sur lesquels de jeunes beautés pailletées et emplumées saluaient les fêtards à la manière des stars de music-hall.

Laurencio, Yasmin et leurs amis s'enfoncèrent dans la marée humaine et se frayèrent un passage jusqu'au kiosque le plus achalandé, avides d'une bière fraîche. Leur nuit commençait tout juste et ils entendaient bien en profiter jusqu'au bout. Angela et Placida étaient heureuses de ce que Yasmin soit revenue vivre au *barrio*. Elles se laissaient volontiers entraîner par la jeunesse et l'enthousiasme. Bien sûr, elles étaient femmes mariées et savaient retenir leur allégresse quand celle-ci semblait vouloir les mener trop loin, mais elles avouaient que le retour de Yasmin avait donné à leurs vies une note de gaieté et de fraîcheur qui leur faisait défaut. Quant à Juan et Antonio, ils ne se plaignaient pas de la bonne humeur de leurs épouses, loin de là. Les deux hommes n'y trouvaient que profit sous leur toit respectif, et davantage encore dans leur chambre à coucher.

Vers onze heures trente, le défilé arriva et fit lentement le tour du parc. Le long cortège de chars illuminés cheminait à la vitesse du pas des enfants qui suivaient les dragons et les chimères de carton peint en riant, sautant et criant leur joie. Les princesses de carnaval aux sourires infatigables et aux corps de sirènes rivalisaient de patience, de gentillesse et d'endurance, et, du bout de leurs doigts parés d'ongles nacrés, jetaient des baisers à la foule.

Le ciel alourdi de toute l'humidité du jour s'était dans le secret de la nuit chargé de nuages. Un formidable éclair claqua tel un coup de canon, illuminant de sa déchirure l'obscurité profonde. C'est alors que la pluie drue commença à tomber. Le temps de trouver refuge quelque part, le groupe d'amis fut trempé. L'averse était chaude et le vent qui se levait en rafale faisait voler les robes légères, que les femmes tenaient à deux mains. En moins de temps qu'il n'en faut pour le dire, la foule se dispersa et les vendeurs de *cervezas*, de *maïz* et de *papas fritas* disparurent avec leurs devantures, dissimulés derrière des cohues d'hommes, de femmes et d'enfants venus s'abriter sous les auvents de toile.

L'orage dura un bon moment. Les lanternes de papier mâché s'affolaient sur leurs cordes et la *plaza* prit dans cette lumière hystérique d'étranges allures. Les ombres des arbres s'allongeaient sur le sol, au centre du parc, et quand les branches s'agitaient sous les violentes secousses du vent l'endroit semblait occupé par de longs danseurs animistes en transe ou sous l'emprise d'une drogue. Des retardataires arrivaient en courant et se joignaient à ceux qui s'entassaient déjà les uns contre les autres. Des groupes séparés en catastrophe par la promptitude des événements se hurlaient des stratégies de retrouvailles d'un abri à l'autre pendant que le ciel grondait sa fureur et zébrait la nuit.

Laurencio reçut un choc aussi virulent que s'il eût été frappé par la foudre. Son visage se transforma sous l'emprise de la douleur. Un véritable tohu-bohu s'installa en une seconde dans sa tête. Ses amis qui riaient et s'amusaient des réactions des otages de l'orage autour d'eux ne virent rien de son malaise. L'eurent-ils remarqué qu'ils se seraient inquiétés aussitôt en voyant son visage torturé. Le jeune homme venait d'être visité par l'image terrifiante de la sentinelle devant sa maison, où Soledad, sa mère, hurlait de l'horreur qu'on lui infligeait. Il réalisa rapidement que l'image n'était pas dans sa tête mais devant ses yeux. Il regardait, tremblant de tout son corps, là, devant lui, à quelques pas, ce visage maigre et osseux, ces cheveux sombres plaqués par la pluie et ce regard dur avec quelque chose de furieux.

L'homme était dans la trentaine bien entamée, sa chemise blanche largement ouverte sur la poitrine, trempée et collée sur la peau. Laurencio en aurait mis sa tête à couper : c'était lui. C'était cet individu, la nuit de la mort de Soledad, qui montait la garde devant la porte. Le jeune homme sortit de l'abri et avança sous la pluie, d'un pas aussi inconscient et mécanique qu'inéluctable, entièrement assujetti à sa vision.

— Hé ! où tu vas, Laurencio ? lança Yasmin en le voyant s'éloigner.

Sans répondre, il continua d'avancer en direction de l'homme, qui s'était installé sous une toile, de l'autre côté de la place. Plus il approchait, plus Laurencio était convaincu d'avoir enfin retrouvé un des assassins de sa mère. Il s'avança jusqu'à l'individu et s'arrêta devant lui pour le regarder fixement dans les yeux. Il avait vieilli, devait avoir trente-six ou trente-sept ans maintenant, mais la silhouette était la même, le regard aussi fourbe et fuyant. Laurencio n'eut plus aucune hésitation quand la lumière d'un éclair joua une fois encore sur ce visage : cet homme était la sentinelle ! Et bien que ne l'ayant pas revu depuis des années il reconnut soudain Sebastian Mendez ! Les larmes montèrent à ses yeux, se perdant dans l'eau de pluie qui ruisselait sur son visage. Il resta de longues secondes droit et immobile sous l'orage, dévisageant Mendez. Il avait tout d'un naufragé en état de choc sur une plage, regardant la mer engloutir son bateau, sans comprendre. Les fêtards entassés sous leur abri commencèrent à l'interpeller en riant. Que regardait ainsi cet individu ignorant la pluie et le vent ? Mendez se sentit finalement l'objet de ce regard. Il eut un mouvement de tête méprisant en direction de Laurencio et le héla :

— *Hola, viejo !* T'as perdu quelque chose ?

Laurencio n'entendit pas les mots. Il ne vit que le mouvement de la bouche dédaigneuse de Sebastian Mendez. Il fut fouetté d'un seul coup par une impulsion meurtrière et se serait jeté à la gorge de l'homme si la main de Yasmin ne l'avait retenu. Intriguée par l'attitude de Laurencio, elle s'était décidée à affronter l'ondée pour venir le chercher. Elle le prit par le bras.

— Qu'est-ce qui t'arrive, mon chéri ? Viens, tu es tout trempé ! Viens, allons rejoindre les autres.

Laurencio sortit alors de son apathie et la regarda comme si elle venait de tomber du ciel. Il tourna les talons et la suivit docilement, non sans jeter un dernier regard plein de hargne sur Mendez, qui fronça les sourcils. Yasmin et Laurencio retrouvèrent les Herrera et les Segura sous l'auvent. À partir de ce moment, Laurencio perdit toute envie de s'amuser et de faire la fête. Tous s'en aperçurent. Le temps avait tourné dans le ciel et dans le cœur du garçon. On décida de retourner à la voiture et de rentrer au *barrio.*

Chapitre 6

QUATRE ANNÉES passèrent. Laurencio fut de la promotion 1999 de l'Université de La Havane. Il obtint facilement son diplôme et commença aussitôt à travailler pour *el Banco Nacional.*

Yasmin s'était lassée d'attendre et d'espérer. Elle se convainquit du manque d'amour du jeune homme, malgré les manifestations constantes de ses sentiments pour elle. La mort dans l'âme, elle avait mis un terme à la relation qui s'était amorcée le jour même de son arrivée, six ans plus tôt, et se consacrait entièrement à son travail de maîtresse d'école. L'autobus des travailleurs passait désormais soir et matin au village et assurait son transport jusqu'à l'école primaire de Cárdenas. Tous les villageois étaient très attristés par la tournure des choses entre « ces deux-là », comme on disait, et qu'on continuait de considérer faits l'un pour l'autre.

Laurencio souffrit autant que Yasmin de cette séparation. Il prit donc, un dimanche matin, la décision qu'il avait longtemps hésité à mettre à exécution. S'il devait perdre cette fille qu'il aimait profondément, ce serait en déposant toutes ses cartes sur table. Il allait lui confier le plus grand de ses secrets, la tirer du brouillard opaque qui l'enveloppait et l'avait reléguée au culte de la mélancolie. Laurencio décida d'affranchir Yasmin, conscient qu'il risquait de la perdre à tout jamais.

Ce matin-là, jour de repos pour tous, il se leva à la même heure que de coutume. Il but un café en compagnie de Pépé et de Xiomara, qui ne demandèrent pas la raison de ce lever matinal pour un dimanche, fit une toilette rapide et sortit. Il savait qu'il trouverait Yasmin chez elle et s'y rendit d'un pas décidé. Lorsqu'elle ouvrit sa porte, la jeune femme était ensommeillée, vêtue d'une courte chemise de nuit en coton léger. Elle fut à peine surprise de voir Laurencio debout devant elle.

— Je peux entrer, Yasmin ?

— Bien sûr. Assieds-toi, je vais faire du café.

— Tu es très belle quand tu te réveilles, dit Laurencio, la voix vibrante d'émotion.

— Il n'en tenait qu'à toi d'en profiter tous les jours, répondit-elle, un peu caustique.

— Je sais et j'en souffre beaucoup, chérie. Tu peux me croire.

Elle le regarda étonnée et termina la préparation du café, qui embauma bientôt la cuisine. Elle déposa deux tasses sur la table, puis servit le liquide noir et fumant avant de s'asseoir.

— Comment vas-tu, Laurencio ? Tu as l'air soucieux.

— Je suis venu ce matin pour te parler. Je ne peux plus supporter de te savoir malheureuse à cause de moi. Je veux te dire toute la vérité.

— Pourquoi maintenant ?

— Parce que... il m'était impossible de le faire tant que j'ignorais si... si j'allais avoir un jour... la... le...

Laurencio se troubla, ne sachant plus trouver les mots. Yasmin le vit comme elle ne l'avait jamais vu. Le garçon avait toujours été maître de ses émotions, montrant de l'assurance en toute circonstance, et avait l'habitude d'exprimer ses idées avec clarté. Il était là, devant elle, ne sachant par où commencer et perdant ses moyens. Ce n'était pas le Laurencio qu'elle connaissait. Elle approcha sa chaise et posa sa main sur celle du jeune homme, qui tressaillit.

— Qu'est ce qui t'arrive, Laurencio ? Tu sais bien que je t'aime. Ne me dis pas que tu as cru que je n'avais plus de sentiments pour toi ? J'ai voulu me libérer de cet espoir qui me faisait mal plus qu'il m'aidait à vivre. Cesser de t'attendre est une chose ; mais cesser de t'aimer en est une autre. Pour tout te dire, je n'ai même pas essayé. Je sais bien que je ne pourrai jamais. Alors, quoi que tu aies à me confier, n'hésite pas. Je t'aime depuis le premier jour ; pas celui où je suis arrivée au *barrio* avec mon sac sur l'épaule, mais celui où tu as embrassé mon genou parce que je m'étais fait mal en tombant. Tu te rappelles ? Non. Je sais que non. On n'était que des enfants. C'est ce jour-là pourtant que tu es entré dans mon cœur pour toujours.

Laurencio tourna vers elle un regard plein de larmes. Il inspira profondément et but une gorgée de café chaud.

— J'espère... sincèrement que cet amour dont tu me parles saura entendre ce que j'ai à dire, Yasmin. Vraiment, je le souhaite. Voilà. Si je ne me suis pas encore engagé comme j'aurais rêvé de le faire, et je te jure que c'est la vérité, c'est que j'ai terriblement peur de ce que l'avenir me réserve.

— Que me dis-tu là, Laurencio ? À vingt et un ans, tu es le plus brillant jeune sous-directeur de ta banque. Tu as promotion sur promotion ! De quoi as-tu peur ?

— Ça n'a rien à voir avec ce travail, dont je n'ai rien à faire d'ailleurs ! Écoute-moi bien, Yasmin. Je vais faire quelque chose de très mal, quelque chose que je dois faire si je veux un jour trouver... la paix. Pour commencer, je vais... je vais... tuer un homme.

Yasmin posa la main sur sa bouche comme pour retenir un cri.

— Oui : tu as bien compris et, si j'ai un peu de chance, j'en tuerai trois autres.

La jeune fille crut que le garçon avait perdu la tête. Puis elle le vit calme et serein et comprit que ce qu'il venait d'avouer avait été longuement réfléchi. Aucune colère dans sa voix ; ce n'était pas un discours délirant, commandé par l'emprise d'une violente émotion. Les mots étaient sortis de sa bouche avec une résonance de fatalité, d'inexorable destinée.

— Attends. Attends, mon amour. Pourquoi veux-tu faire ça ? Qui sont ces gens ?

— Ces gens, comme tu dis, ce sont les monstres qui ont tué ma mère.

Yasmin était désemparée, comme si l'aveu de Laurencio avait été trop immense pour se ranger dans sa seule conscience. Comment devait-elle réagir ? Qu'allait-elle faire d'une telle offrande, si encombrante ? Que dire à ce garçon qu'elle aimait à la folie et qui venait lui annoncer sur un ton d'irréversibilité une intention qu'elle jugeait suicidaire ? Elle l'avait bien compris : la décision de Laurencio était immuable.

— J'ai toujours pensé que tu ignorais tout des assassins de ta mère.

— C'était vrai jusqu'à ce jour, au carnaval de Matanzas, tu te souviens ? L'orage, la pluie...

Yasmin fit signe que oui.

— Cet homme que je regardais sous les éclairs...

— Oui. Comment oublier un visage si hostile ?

— Cette nuit-là, à Matanzas, grâce à la pluie, à l'orage, je l'ai reconnu : c'est lui qui faisait le guet pendant que d'autres tuaient ma mère... Je m'étais caché dans les buissons...

Laurencio parla d'une voix saisie par l'émotion et la douleur. Yasmin lui prit la main.

— En entendant des voix d'hommes, dehors, en plein cœur de la nuit, Soledad m'avait soulevé dans ses bras pour me faire sortir par la fenêtre derrière. « Cours ! Cours chercher *abuelo*, mon chéri ! » J'ai fait le tour de la maison. La tempête était si forte que je pouvais à peine marcher. Il faisait noir, j'étais effrayé par les éclairs et le tonnerre. Alors, j'ai vu des hommes s'engouffrer dans la maison. Je me suis blotti dans le fourré et j'ai entendu ma mère qui criait. Je n'osais plus bouger. Il y avait cet homme, celui de Matanzas, devant la porte et, si j'étais sorti de ma cachette, il m'aurait vu. Il était tout près. Je distinguais son visage chaque fois qu'un éclair éclatait. Il me semblait fou furieux avec des yeux cruels et était agité. Pendant des années, cette image m'a hanté sans que je puisse le voir assez longtemps pour le reconnaître. Jusqu'à cette nuit du carnaval. Soledad l'avait rejeté et il avait décidé de le lui faire payer.

Laurencio cessa de parler et baissa la tête en serrant les mâchoires de rage. Yasmin se blottit contre lui en silence.

— Qui est-il? demanda Yasmin.

Laurencio ne répondit pas tout de suite. Elle répéta sa question. Alors, il se tourna vers elle.

— ... Sebastian Mendez.

— L'amant de ma mère?

— Qui a été celui de la mienne aussi. Je te l'ai dit: c'est le même homme, Yasmin.

Visiblement sous le choc, Yasmin se leva lentement, alla chercher la petite casserole contenant le café encore chaud et remplit de nouveau les tasses.

— La lettre de Magdalena à sa sœur le décrit comme un être si... si doux, affectueux, amoureux...

— Le seul amour dont Mendez est capable, c'est celui qu'il a pour lui-même. Demande à Jesus, il te dira qui est Sebastian Mendez: personne ne le connaît mieux que lui.

— Jesus est au courant? Je veux dire... il sait que Mendez est mêlé à la mort de Soledad?

— S'il le sait?

Laurencio eut un sourire aigre.

— Jesus Griego en a été le premier persuadé. L'amour incomparable qu'il a eu et qu'il a toujours pour ma mère l'a mis sur les traces de Mendez. Il a tout fait pour obtenir le droit de faire payer son crime à ce salaud. On ne le lui a jamais permis. On a fermé le dossier, comme ils disent. Il paraît que cette histoire pouvait attirer de gros problèmes... à l'État.

— Qu'est-ce que ça veut dire ?

— Les hommes que Mendez a amenés jusqu'ici cette nuit-là étaient des touristes. Ils étaient trois. Des Canadiens qui avaient payé Mendez pour qu'il leur trouve la plus jolie femme qu'il connaissait. Ce fumier leur a vendu ma mère ! Elle s'est débattue et ils l'ont assassinée après l'avoir violée.

— Seigneur ! Mon Dieu ! Pauvre Soledad ! Pauvre chéri. Que vas-tu faire ? Ces touristes sont intouchables, non ?

— Plus maintenant. Plus maintenant, Yasmin. Toutes ces années, j'ai travaillé à me faire une réputation de sujet brillant. À l'école, à l'armée, au travail, j'ai fait tout cela pour une seule chose : me procurer un dossier d'état civil irréprochable et obtenir un poste important. Au début, c'était par goût de réussir. Et puis un jour, j'avais treize ans, Jesus m'a parlé des résultats extraordinaires de l'enquête qu'il avait menée durant des années et qui lui avait appris l'existence de ces trois touristes. Ce jour-là, j'ai compris que le chemin que j'avais choisi allait me conduire jusqu'à ces hommes.

— Je ne comprends pas, Laurencio. Comment ton travail à la banque pourrait-il...

— C'est pour ça que je suis venu ce matin, bien décidé à tout te dire. Jusqu'au début de cette semaine, j'ignorais si j'atteindrais mon but un jour. Ça y est, Yasmin, j'y suis : on m'a donné la promotion que j'attendais. Je suis le nouveau directeur des affaires bancaires à l'étranger. Je vais être appelé à voyager en tant que responsable des échanges commerciaux avec le Nord.

— Et le principal partenaire commercial du pays... c'est le Canada, fit Yasmin, presque enthousiaste.

— Chérie, j'y suis arrivé. Je vais retrouver ces hommes. Ils reviendront dans l'île et ils paieront ce qu'ils ont fait à ma mère. Avant de mourir, ils auront appris qui je suis et comprendront qu'ils n'auraient jamais dû toucher à un seul cheveu de Soledad Estebán-García.

— Mais... mais, depuis toutes ces années, ils sont peut-être... morts !

— Alors Dieu aura été bon pour eux car, s'ils ne le sont pas, ils connaîtront un enfer pire que celui qu'ils ont infligé à ma mère.

— Tu me fais peur, Laurencio...

— Je sais. Parfois... je me fais peur à moi-même. Mais je ne reculerai pas. J'ai trop rêvé de cette vengeance.

— C'est tellement... dangereux. J'ai si peur de te perdre...

— Je ne suis pas idiot, mon amour. Je ferai en sorte de leur faire payer leur crime immonde sans être inquiété. Personne ne saura jamais ce qui est arrivé à ces hommes. J'ai un allié des plus sûrs dans ce projet : Jesus Griego. Je me charge de ramener ces salauds dans l'île. Une fois qu'ils y seront, nous serons deux pour leur faire expier leur acte.

Il but lentement, avec une délectation qui lui était inspirée davantage par la pensée qu'il caressait que par le bon café chaud.

— Trois !... dit Yasmin. On sera trois.

Ils échangèrent un regard long et silencieux, comble de tout l'amour qu'ils se portaient mutuellement. Laurencio se trouvait stupide de ne pas s'être décidé plus tôt ; Yasmin s'estimait idiote d'avoir douté de son cœur. Ils restèrent ainsi, solidement liés par les yeux, l'âme et ce terrible secret. Puis les mains glissèrent l'une vers l'autre et les doigts se croisèrent avec force. Un bras, et l'autre. Ils se levèrent pour mieux s'enlacer, se caresser, se respirer bruyamment. Alors, la chair s'éveilla complètement et ils furent transpercés de frissons et de spasmes : premières brûlures du brasier qu'ils ravivaient. La passion se ressaisit entièrement de leurs êtres et Yasmin et Laurencio sombrèrent une nouvelle fois vers une formidable appétence. La jeune fille s'arracha du garçon, courut vers l'entrée, glissa une barre de sécurité en travers de la porte, rejeta sa chevelure enflammée vers l'arrière et revint rapidement le chercher, en le tirant par la manche de sa chemise.

— Viens vite, lança-t-elle avec urgence. Allons-y pendant que mon lit est encore défait !

Elle l'entraîna vers la chambre à coucher. Laurencio fit claquer la porte derrière eux. Leurs rires, libérés de tout chagrin, traversèrent le bois de la porte et s'envolèrent à travers les pièces de la maison.

Jesus arriva au *barrio* avec Laurencio ce soir-là. Pépé et Xiomara furent très heureux de sa visite, mais se plaignirent toutefois de ce que la chose se raréfiait. Jesus prétexta un surplus de travail, ce qui n'était pas faux. Yasmin arriva un peu plus tard. Il était fréquent qu'elle dînât en compagnie des Vicario et de Laurencio. Au moment de passer à table, elle fut prise d'un embarras, dû, expliqua-t-elle, à la fatigue d'une journée particulièrement chargée. Yasmin s'excusa donc auprès de tous et retourna chez elle.

— Je dois te parler, glissa-t-elle à Laurencio en passant la porte. Rejoins-moi dès que tu peux.

Il fut intrigué et, dès que la chose lui fut possible, prétexta l'inquiétude pour s'absenter un moment.

Yasmin avait un grand attachement pour la plupart de ses élèves, mais elle avait pris en affection particulière une petite fille dont elle disait qu'elle possédait le caractère le plus doux, généreux et sociable qu'il lui eût été donné de connaître. Elle avait rencontré la mère de l'enfant une ou deux fois, une femme dans la jeune trentaine, plutôt jolie, mais que le sort avait condamnée : elle était atteinte de la même maladie incurable qui, six ans auparavant, avait emporté la tante de Yasmin. Au dire des médecins, la femme n'en avait plus que pour six mois, peut-être un an à vivre. Or, jamais Yasmin n'avait fait le lien qui venait de se présenter à sa connaissance par un coup du hasard et qu'elle interpréta comme un signe du ciel : cette femme et sa petite fille étaient l'épouse et l'enfant de Sebastian Mendez. En apprenant la chose, la maîtresse d'école avait aussitôt remis en question son engagement envers celui qu'elle aimait. Elle ne réussissait plus à s'accorder en conscience avec le projet qu'ils avaient fomenté. Comment enlever son père à une enfant aussi adorable que la petite Rosa Mendez, sachant, qui plus est, que sa mère allait mourir aussi ? Pouvait-elle concevoir de précipiter sciemment une fillette de six ans dans cette existence de tourments et de chagrins inconsolables dont elle savait la cruauté ? C'était ce dont elle avait voulu parler à Laurencio ce soir. Lorsqu'il entendit l'exposé de Yasmin, il fut secoué.

— Je t'en supplie, Laurencio, tu sais, tout comme moi, ce que c'est que d'être arraché aux bras de ceux qu'on aime quand on a cet âge ! On ne peut pas faire ça à cette petite.

Le cœur en charpie, Laurencio prit Yasmin dans ses bras et la serra contre lui. Elle interpréta le geste comme une compréhension pleine d'humanité.

— C'est trop tard, Yasmin. C'est trop tard.

— Qu'est-ce que... tu veux dire ?

— C'est fait... Sebastian Mendez a payé pour son crime. Il est mort cet après-midi.

— Quoi... tu veux dire que...

— Jesus et moi... on a... exécuté Mendez aujourd'hui. C'est trop tard, mon amour.

Elle s'extirpa de son étreinte comme s'il lui avait annoncé qu'il avait la peste. Elle s'effondra sur une chaise.

— *Dios mio !* qu'est-ce qu'on a fait ? Qu'est-ce qu'on a fait ?

□

Une chemise blanche et une cravate, un pantalon de flanelle crème, des mocassins de cuir marron. Sur l'avant-bras, un veston soigneusement plié et, dans la main, caché sous le vêtement, un couteau à large lame, solidement empoigné. C'est ainsi que se présenta Laurencio Alcázar-Estebán devant le numéro 1127 de la *calle Calvo*, à Cárdenas. Le portail en arche à hauteur de menton fermait une petite cour qui donnait accès à une maisonnette au toit de tuiles rouges. Pour sa part, Jesus Griego avait revêtu une veste d'un bleu foncé dont l'étoffe froissée miroitait au soleil. Il avait atteint la quarantaine et sa chevelure avait grisonné aux tempes. Il cachait son regard derrière des lunettes fumées à la monture métallique. Sa main droite était bien enfoncée dans la poche de sa veste. Ils avaient répété ce moment plusieurs fois. Il était capital pour Laurencio que le rythme prévu fût respecté au quart de seconde. Debout devant cette porte, il repassait tout, une fois de plus, dans sa tête.

— Je suis Laurencio Alcázar-Estebán, fils de Soledad. Vous vous souvenez d'elle ?

— Oui, répondrait l'autre.

— Elle aussi. Elle t'envoie ça.

Et il planterait sa lame de couteau dans l'estomac de l'individu. Ce sur quoi Jesus lui collerait son arme sur la tempe, ajoutant :

— Tu es condamné à la peine capitale.

Et il ferait feu. Alors les deux hommes s'éloigneraient sans précipitation dans la petite rue pour aller se perdre dans la foule anonyme de la rue principale, non loin.

On était au cœur de l'après-midi, un jour de semaine, la chaleur de la journée tombait encore perpendiculairement. Des coups de marteau à la répercussion vibrante et claire montèrent d'un vaste atelier de ferblantier largement ouvert sur le trottoir de l'autre côté de la rue. L'homme en tablier de cuir frappait tête baissée une pièce posée sur un étal et semblait absorbé par son art. Un enfant passa à bicyclette et, sans ralentir, cria vers le marteleur :

— *Hola ! señor Ramirez !*

— *Hola! Pedrito, niño!* fit l'homme machinalement.

Puis il reprit ses coups de marteau saccadés. Laurencio et Jesus s'ajustèrent par un regard et le jeune homme saisit le heurtoir de la porte pour frapper trois coups énergiques. Il y eut quelques secondes d'attente, pendant lesquelles les deux compagnons furent tendus. Soudain, une petite fille, de tout juste six ans, arriva en courant, une poupée décapitée sous le bras. Elle ouvrit en souriant. Elle était mignonne, portait une petite robe défraîchie d'un tissu fleuri et les cheveux maintenus en une couette par un ruban fin et usé sur le dessus de la tête.

— *Buenas tardes, señores*, fit-elle avec un petit sourire édenté et charmant.

Laurencio parut dépourvu un court instant.

— Bonjour, petite. C'est ici qu'habite Sebastian Mendez?

— Oui, c'est mon papa. Vous voulez lui parler? Je reviens.

La fillette les planta là et partit au pas de course en appelant:

Papa! Papa! Y a quelqu'un! Des gens en avant!

— Elle disparut sur le côté de la maison.

Lorsque, au bout d'une minute, Mendez arriva, il marcha vers le portail, curieux mais tranquille. Il ne trouva personne sur le trottoir. Les deux hommes s'étaient volatilisés.

— Ils ne t'ont pas dit ce qu'ils voulaient? interrogea-t-il.

— Te parler, je crois, fit la fillette en haussant les épaules.

Elle retourna à ses jeux et son père referma la porte sur l'indifférence et les coups de marteau du ferblantier.

Accoudés au comptoir d'une *bodega*, Laurencio et Jesus commandèrent deux bières. Laurencio semblait nerveux et agité; Jesus, pondéré mais attentif au va-et-vient tout autour d'eux.

— J'ignorais qu'il avait un enfant, chuchota Laurencio, le dépit dans la voix.

— Moi aussi. Peut-être en a-t-il deux ou trois? Qu'est-ce que ça change, Laurencio?

— Mais enfin, Jesus... tu as vu cette petite fille?

— Je l'ai vue: elle est tout à fait adorable! Tu l'étais toi aussi, quand je t'ai connu. Et qu'a-t-il fait de toi, le salaud qui sert de père à cette fillette? Tu as oublié?

Jésus n'avait pas tort. Laurencio avait été surpris par l'arrivée de l'enfant, mais sa haine pour Mendez se raviva aux paroles de son ami. Y parviendrait-il? Pourrait-il infliger à cette innocente petite un tel traitement? Cela eût été tellement plus simple si cette ordure n'avait pas eu d'enfant! Il ne s'était à aucun moment attendu à se retrouver devant un tel cas de conscience. La chose ne lui avait même pas effleuré l'esprit.

— Écoute, Laurencio: il faut que ce soit bien clair. Peut-être n'avons-nous pas assez parlé de ça? Je croyais que c'était inutile, mais il faut admettre que non. Ni toi ni moi ne sommes des assassins; nous agissons au nom de la justice. Il vit tranquille dans cette petite maison avec sa fille et probablement une femme. Il doit avoir la conscience en paix; et nous qui sommes les perdants dans cette histoire, torturés depuis des années par la peine et le mal qu'il nous a faits, nous devrions avoir des problèmes de conscience? Non! Je dis non, Laurencio. La vie qu'il mène nous revenait de droit! À toi, moi et Soledad. J'aurais pu, moi aussi, avoir une petite maison avec ma Soledad, et toi qui aurais joué dans la cour! Comprends-tu ça? Qu'est-ce qu'on a eu à la place? Pour ma part, *muchacho*, j'ai depuis une éternité le cœur entre les mâchoires d'un crocodile qui se débat pour me l'arracher. J'ai la mort dans l'âme pour le reste de mes jours! La mort au quotidien, Laurencio! Et je sais que c'est pareil pour toi.

— Tu as raison, fit faiblement Laurencio. Oui, tu as raison.

Il but une gorgée de bière.

— Il se pourrait qu'en retrouvant les autres là-bas, au Canada, tu apprennes que l'un ou l'autre a des enfants, ou une vieille mère, ou une femme ! Ou encore qu'un d'entre eux est cloué dans un fauteuil roulant par une thrombose ou je ne sais quoi. Que diras-tu ? « Oh ! le pauvre homme, comme c'est cruel » ?

— Non : sûrement pas ! Sûrement pas, Jésus.

Laurencio vida son verre d'une traite et sortit de la *bodega* sans plus attendre. Jesus lui emboîta le pas. Ils revinrent jusqu'au 1127 de la *calle Calvo* et frappèrent de nouveau au portail. Ce fut Mendez lui-même, cette fois, qui vint ouvrir aux deux hommes. Il les regarda droit dans les yeux. Laurencio serra le manche de son poignard sous son veston. Jesus plaça ses doigts sur son arme dans sa poche : l'index sur la gâchette et le pouce sur le chien.

— Oui ? Qu'est-ce qu'il y a, messieurs ?

— Sebastian Mendez, nous avons un message pour vous.

— Un message ? J'écoute.

— Je m'appelle Laurencio Alcázar-Estebán, dit-il en articulant, avec un regard dur.

— Attendez, fit Mendez, je ne vous ai pas déjà rencontré, vous ? Oui ! Il y a trois ou quatre ans ! C'était au carnaval de Matanzas, non ?

— C'est vrai, mais on se connaît depuis beaucoup plus longtemps. Je suis le fils de Soledad Estebán-García.

Mendez fronça les sourcils, comme pour fouiller sa mémoire et la ramener seize ans en arrière, puis son visage s'éclaira : il se souvint. À cette même seconde, le couteau de Laurencio fit un bruit sourd et étouffé en s'enfonçant dans son abdomen.

— Soledad ? souffla-t-il.

— Oui, Soledad ! Soledad ! Soledad ! Elle t'envoie ça ! dit-il en relevant l'arme vers la poitrine.

Alors, Jesus colla le canon de son revolver sur la tempe de l'homme déjà chancelant.

— Va crever en enfer, Mendez ! dit-il, et il lui tira une balle dans la tête.

Mendez fut projeté sur le sol par le coup à bout portant et une large flaque de sang rouge foncé apparut dans la terre brûlante. Jesus et Laurencio eurent un regard du côté du ferblantier, qui frappait toujours, penché sur son travail. Les deux hommes s'éloignèrent d'un pas rapide et la sueur qui coula dans leurs dos et sur leurs visages ne trahit rien d'autre que la grande chaleur qu'il faisait ce jour-là. Ils tournèrent le coin de la rue et le cri horrifié d'une femme déchira le calme de l'après-midi.

□

Il fallut bien à Yasmin retourner à sa classe et faire face aux enfants qu'elle chérissait. Elle eut besoin d'une importante ration de courage et de concentration pour se mettre en mouvement. Elle s'était levée comme d'habitude et avait refait les mêmes gestes quotidiens, mais tout lui parut différent. Elle avait le sentiment d'être investie d'une lourdeur qui la faisait de plomb. Ses pieds traînaient sur le carrelage et le moindre objet lui paraissait insoutenable. Pour faire face à cette journée, il lui faudrait puiser dans ses plus grandes ressources, elle aurait besoin de toute la force dont elle était capable. Comment s'y prendre pour parvenir à affronter des enfants de l'âge de Rosa Mendez, sinon en faisant fi de sa conscience et en s'efforçant d'ignorer ce qui s'était passé ? Serait-elle capable d'une telle indifférence, d'un geste aussi indigne ? Tout son être se refusait à un comportement dépourvu à ce point de moralité et elle se chargeait d'autant de responsabilité que Laurencio et Jesus, s'accusant de ce meurtre avec virulence tout aussi clairement que si elle eût tenu elle-même le couteau ou le revolver. Elle avait donné son accord à Laurencio. Elle avait écouté l'énoncé de son aveu et avait ratifié son funeste projet avec conviction, mais la colère et le profond chagrin de l'homme qu'elle aimait ne lui apparaissaient plus comme une justification. Comment avait-elle pu se laisser prendre par une idée lui semblant aujourd'hui si noire et foncièrement condamnable? Bien sûr, il y avait l'amour pour Laurencio, la compassion pour sa peine et sa douleur, dont Mendez était la cause; et puis, l'idée que la liaison de Sebastian avec Magdalena n'avait jamais eu le fondement romantique qu'elle avait voulu y voir; il y avait encore la certitude que Mendez n'avait jamais nourri pour sa mère l'amour que celle-ci décrivait innocemment dans la lettre à sa sœur. Tous ces facteurs incitatifs, Yasmin les avait passés en revue; elle les avait ressuscités dans sa tête et son cœur sans pour autant parvenir à faire baisser le doigt accusateur qui la désignait.

Entre le petit tableau noir et la vingtaine d'élèves arborant tous des visages angéliques et attentifs à ses moindres gestes, elle n'avait qu'une envie: pleurer. Elle combattait les spasmes qui secouaient sa poitrine afin de ne pas s'effondrer sur place. Elle s'agitait et se déplaçait sans cesse, passant entre les rangées de pupitres en tentant d'éviter les regards innocents qui la suivaient comme une ombre. La vue de la petite chaise vide dans le coin de la classe la déchirait littéralement et elle n'osait plus, comme elle le faisait auparavant, glisser ses doigts sur le bois du petit bureau au passage, redoutant l'ambiguïté du geste, qui lui serait apparu caresse sur le crime plus que sur le mal qu'il avait engendré.

Yasmin ne reconnaissait pas celle qu'il lui semblait être devenue. Elle chargea finalement un enfant de la surveillance de la classe et sortit faire quelques pas dans la cour. Au retour, elle rencontra, sous le préau borné de colonnes colorées dont la peinture s'écaillait, une camarade de travail qui sortait des toilettes des dames. Celle-ci remarqua les yeux gonflés par les pleurs de Yasmin et s'approcha.

— Qu'est-ce qui t'arrive? demanda-t-elle doucement.

Il lui fut bien sûr impossible de livrer les causes du drame qui la rongeait, alors elle parla de l'immense peine que lui procurait le malheur de la petite Rosa.

— Écoute, dit la femme, ce que je vais te dire va peut-être te sembler dépourvu de compassion, mais je t'assure que ce n'est pas le cas. Tu dois savoir que ce qui arrive à Rosa Mendez est beaucoup plus une grâce qu'une affliction. Son père était un homme méchant qui brutalisait la petite et sa mère. Il y a un peu plus d'un an, tu n'étais pas encore là, il lui a brisé la mâchoire sur un coin de table en la frappant à plusieurs reprises. Les dents qui manquent à la petite ne repousseront jamais à cause de ça.

Yasmin fut estomaquée d'entendre la femme, qui parla d'un certain Monsieur Ramirez, ferblantier, dont l'atelier faisait face à la maison des Mendez. L'homme, qui aimait les enfants, était intervenu un jour, voyant le père administrer à la fillette un coup de pied « qu'on n'eût pas asséné à un chien enragé », selon son témoignage. Elle ajouta que, depuis ce jour, Monsieur Ramirez, qu'elle connaissait pour avoir fait la classe à ses enfants, aurait regardé Mendez se faire tuer sous ses yeux sans bouger le petit doigt. Gabriela Mendez aussi avait eu sa part de brutalités ; il y avait à peine quelques mois, sachant qu'elle était atteinte d'une grave maladie qui l'emporterait bientôt, Mendez n'avait pas hésité à la frapper, au point qu'elle en était restée marquée plusieurs jours, n'osant plus sortir. C'est Monsieur Ramirez, encore une fois, qui avait aperçu la jeune femme, alors qu'elle venait répondre au facteur, à l'entrée de la cour.

Yasmin sentit basculer quelque chose en elle ; comme une charge qui glissait de ses épaules, la faisant enfin plus légère. Elle embrassa sa camarade, la remercia de l'avoir consolée. Puis elle retourna en classe, où on entendait voler les mouches au-dessus des petites têtes penchées sur les cahiers. Elle fut émue devant ces enfants qui s'efforçaient d'aligner les lettres de l'alphabet, s'appliquant sur les pleins et les déliés.

Ainsi, s'il y avait manifestement eu application d'une justice, le geste de Laurencio et Jesus, approuvé par elle, recelait alors, en substance, les caractéristiques d'une condamnation qui libérait le monde d'un être nuisible au cœur mauvais. Les bras des bourreaux avaient bel et bien été guidés avec équité et impartialité. En outre, elle voyait que la décision d'enlever sa mère à la petite Rosa, au moment même où elle était libérée de sa brute de père, ne pouvait s'expliquer que par la volonté divine; or, est-ce que le bon Dieu s'embarrasse de remords? Au regard de Yasmin, la véritable injustice était là. Ce qui ne l'empêchait pas, Lui, là-haut, de mettre à exécution ses impénétrables desseins. Oui, Yasmin s'en convainquit pour la seconde fois: le destin de Mendez était de mourir pour la vie qu'il avait menée et le mal qu'il avait semé. Elle pensa qu'il était plus que probable que les étrangers condamnés par contumace méritaient plus encore que Mendez le châtiment qu'on leur réservait. Elle se rasséréna à cette pensée et finit sa journée, capable à nouveau de puiser dans les yeux des enfants l'amour de son travail.

□

Laurencio n'aurait pu dire qui fut, en haut lieu, le responsable de cette décision. Ce qui était indiscutable, c'est qu'il se retrouvait assis dans le bureau du directeur provincial *del Banco Nacional*. L'homme, qui agitait les bras en parlant, passait et repassait un gros cigare entre les doigts d'une main et de l'autre.

— Vous devez comprendre, Alcázar, que nous avons une totale confiance en vos capacités pour vous confier cette tâche. Cette démarche incombe totalement au poste que vous occupez, mais nous aurions pu déléguer à l'étranger deux ou trois autres de vos collègues qui maîtrisent aussi bien l'anglais que vous. Cependant, vous êtes notre meilleur élément, alors pourquoi aller chercher plus loin? Qu'en pensez-vous: vous sentez-vous prêt pour cette mission? Car cela en est une.

— Je pense, monsieur, dit respectueusement Laurencio, que vous n'aurez pas à le regretter. J'ai travaillé d'arrache-pied durant des années pour susciter la confiance que vous me faites aujourd'hui et je ferai tout pour ne pas vous décevoir... monsieur.

— C'est le genre de réponse que j'attendais de vous, Alcázar. Vous êtes parfait, ajouta-t-il en le pointant de son cigare. Oh ! vous en voulez un ? Ce sont les meilleurs au monde !

— Merci. Non, monsieur, je ne fume pas.

— Encore une qualité ! fit le directeur en souriant. Vous êtes parfait, vraiment !

L'homme était enfoncé dans un fauteuil de cuir clouté qui semblait sortir tout droit du mobilier du casino de jeu qu'avaient jadis abrité les murs de l'édifice. Tirant sur son Hoyo de Monterey, le visage levé vers le haut plafond où tournait un ventilateur à quatre pales, il n'aurait jamais pu soupçonner à quel point le qualificatif dont il affublait si généreusement Laurencio était pertinent. Comme il venait de le souligner au directeur, Laurencio avait travaillé des années pour arriver à cet instant. Voilà où résidait la perfection soulevée par l'homme au cigare : dans cette ténacité infaillible et enfin victorieuse. Laurencio Alcázar-Estebán venait de se voir offrir une mission commerciale au Canada. Le séjour devait se prolonger sur une période d'un mois dans la ville de Montréal. Il serait accompagné sans relâche par une secrétaire qui aurait la tâche de voir à ce que l'agenda de travail soit respecté et serait présenté à une foule de gens d'affaires canadiens. Sa mission, comme se plaisait à dire le directeur, consisterait à inciter ces gens à investir dans des projets commerciaux de diverses natures, en collaboration avec l'État. Il devrait participer au cours de ce voyage à quelques rencontres officielles. L'homme, dans son fauteuil de cuir, souffla sa fumée au plafond pour mentionner, les yeux levés, quelques dignitaires, parmi lesquels le consul et l'ambassadeur. Cela inquiétait-il Alcázar ? s'enquit le directeur.

— Absolument pas, monsieur.

— *Bueno.* En d'autres pays, le temps, c'est de l'argent. Pour moi, c'est beaucoup plus : c'est notre engagement fidèle, total et imperturbable dans les progrès du Parti et de la nation.

Il tira sur son cigare comme pour évaluer ce qu'il venait de dire.

— Ce sera tout pour l'instant. Vous avez un mois pour préparer tout ça. Voyez les détails avec la *señorita* Cristina Cruz, qui sera votre compagne de voyage, et présentez-moi le rapport de ces préparatifs la semaine de votre départ.

Laurencio se leva, salua avec déférence l'homme qui rallumait son cigare et marcha vers la porte du bureau.

— Vous serez parfait, Laurencio, j'en suis certain ! fit encore le directeur, avant de plonger dans la paperasse qui s'étalait devant lui.

Sorti du grand bureau, Laurencio fila se réfugier dans les toilettes pour se ressaisir à l'insu des regards. L'entrevue qu'il venait d'avoir l'avait mis dans un état d'exaltation qu'il avait parfaitement maîtrisé mais qu'il lui fallait maintenant extérioriser. Il se regarda dans le miroir, au-dessus du lavabo, et vit qu'il avait les yeux rougis. Le meilleur cigare au monde lui faisait toujours cet effet. Il se passa de l'eau sur le visage, rectifia sa coiffure d'un geste rapide de la main et s'observa fixement dans la glace.

— On y est presque, maman... On y est, murmura-t-il.

Puis il regagna son bureau d'un pas affairé. Dès qu'il fut assis, on frappa à sa porte, restée ouverte. Sur le seuil, une femme d'une trentaine d'années, élégamment vêtue d'un tailleur ajusté à coup sûr sorti d'une grande maison parisienne. Montée sur des escarpins en peau de crocodile finement travaillée, elle prit une pose désinvolte, s'appuyant légèrement sur le chambranle de la porte, et fit en haussant les sourcils un sourire qui exprimait une certaine surprise.

— *Señor Laurencio Alcázar ?* demanda-t-elle d'une voix suave.

— C'est moi.

— Je suis Cristina Cruz, dit la jeune femme en exhibant des dossiers qu'elle avait en main. Nous allons travailler ensemble.

— Ho... heu... entrez ! Entrez, asseyez-vous, bredouilla Laurencio.

La femme avança d'une démarche noble et troublante à la fois. Elle était très belle et Laurencio se sentit légèrement décontenancé. Il s'était attendu à autre chose.

— Je vous croyais plus vieux, fit la jeune femme avec un sourire.

— Ah ?... Désolé.

— Je ne m'en plains pas, s'empressa-t-elle d'ajouter. Au contraire !... Je veux dire... vous fumez le cigare ? demanda-t-elle, amusée.

— Seulement quand on m'y oblige sous la menace d'une arme, dit Laurencio, se rasseyant.

— Alors, je crois que nous allons faire du très bon travail.

Elle s'enfonça dans le fauteuil et croisa les jambes. Laurencio fixa un instant son genou pâle et lustré puis s'affaira à placer quelques objets sur le bureau. La jeune femme eut conscience de son trouble et parla en farfouillant dans les papiers déposés sur ses cuisses.

— Vous êtes très jeune. C'est assez rare pour le poste que vous occupez et les charges qu'on vous confie. Que ferez-vous dans dix ans, à ce rythme-là ?

— Je prendrai ma retraite et j'irai à la pêche avec Pedro Montilla.

— Avec qui ?

— Un ami de toujours, dit-il avec un geste vague. Bien. Comment se fait-il que je ne vous aie jamais aperçue avant à la banque ?

— Je suis arrivée de La Havane il y a trois jours. J'appartiens au bureau central depuis six ans. On m'a transférée ici, à Matanzas, pour un an. Mon travail consiste à vous épauler dans les missions que votre direction vous confiera durant cette année. Autrement dit, vous êtes mon nouveau patron.

Laurencio la regarda dans les yeux si intensément que, très confiante et sûre d'elle jusque-là, elle fut troublée à son tour.

— Cristina. Je peux vous appeler Cristina ?

— Bien sûr !

— En tant que votre « nouveau patron », dit Laurencio, ma première demande est que vous ne me considériez pas comme un patron, mais comme un collègue. Je préfère cela. À moins que vous y voyiez un inconvénient...

— Pas le moins du monde, *señor* Alcázar ! dit-elle, ravie.

— Seulement Laurencio.

La jeune femme acquiesça d'un hochement de tête et soupira d'aise.

— Premièrement, ne perdez jamais de vue, dit Laurencio, très lucide et franc, que vous avez très certainement une beaucoup plus vaste expérience que moi dans le travail que nous nous apprêtons à faire ensemble. Je n'en ai aucune : c'est ma première mission à l'étranger. Je ne suis jamais sorti du pays. Ne soyez donc pas surprise si je vous semble un peu nerveux de temps en temps. Je compte sur vous, Cristina, pour m'apprendre les usages et les règles de l'étiquette. Je suis un champion pour vendre ma salade, mais il faut me préparer la table dans les formes : les petits plats dans les grands, et tout le reste. Vous voyez ce que je veux dire ?

— À merveille ! fit Cristina, dans un petit rire retenu. Ne vous inquiétez pas, j'ai déjà fait quatre voyages du même genre. Je parle l'anglais, le français et le russe. Et à moins que nous rencontrions des Chinois ou des Japonais, auquel cas nous serions deux à avoir l'air idiot, je m'en sortirai sans problème.

— Parfait ! s'exclama Laurencio, en se levant brusquement. Alors, allons-y !

— Où devons-nous aller ?

— Manger quelque chose. Il est midi.

Cristina déposa sa paperasse sur le bureau et ajusta sa jupe sur ses hanches.

— Je n'avais pas vu que vous étiez si grand! dit-elle en jouant du bout des doigts avec les perles de son collier.

— C'est ce qu'on me dit toujours, fit Laurencio en lui cédant le passage. Allons manger.

Sur le chemin du retour, ce soir-là, Laurencio avait allumé la radio de la Crown Victoria et avait chanté à tue-tête sur des airs de chansons populaires. C'était la première fois de sa vie qu'une telle chose se produisait. Depuis la petite enfance, il n'avait jamais chantonné ni siffloté comme la plupart des gens autour de lui, incapable de ressentir assez de légèreté et de tranquillité d'esprit pour pouvoir le faire. Mais ce soir, sur le chemin du retour vers le *barrio*, il n'avait été que cela: légèreté et tranquillité d'esprit. Il aurait pu s'interroger, se demander comment il pouvait se sentir si bien dans sa peau après avoir tué un homme de sang-froid quelques semaines auparavant. Il ne le fit pas, pour la bonne raison qu'il n'éprouvait aucun remords. L'homme qu'il avait supprimé avait vendu sa mère à ses assassins. Il avait payé de son sang: c'était justice. Et l'état d'âme de Laurencio était dû à la douce perspective qui s'ouvrait devant lui de retrouver les autres et de les traiter un jour prochain avec les mêmes égards qu'il avait réservés à leur bailleur de victimes. Laurencio avait pris la décision de mettre en œuvre sa vie entière pour venger sa mère. Pendant quelques années, il avait pensé que sa décision avait été l'élan naturel d'une colère qui ne parviendrait jamais à son objectif, mais les confidences de Jesus avaient fait leur chemin dans son esprit et il avait commencé à entrevoir la faille dans l'armure de l'ennemi. Celui-ci n'était pas intouchable et invincible. Il suffisait de s'organiser pour débusquer le gibier. La suite était question de stratégie et d'intelligence; et la sienne l'avait conduit à un voyage toutes dépenses payées vers le territoire de ses proies.

En organisant leurs safaris dans l'île, il y avait plus de quinze ans, les trois chasseurs blancs étaient loin d'imaginer que l'enfant d'une jeune métisse de leur tableau de chasse renverserait les rôles et se mettrait à les traquer pour leur demander des comptes. Tony Bellini, David Sloman et Mike Capplan, s'ils vivaient encore, auraient une surprise renversante d'ici peu.

Chapitre 7

YASMIN SORTIT de chez les Herrera en courant. Angela était venue la chercher en hâte, quelques minutes auparavant : quelqu'un l'attendait au téléphone. Un appel de Santa Clara ne pouvait lui arriver que d'une seule personne. Elle s'était précipitée vers la maison d'Angela et avait bel et bien trouvé son frère Miguel au bout du fil. Après quelques instants d'une conversation exaltée, elle avait raccroché, avait embrassé Angela pour la remercier et avait couru en direction de la maison des Vicario. Elle frappa et entra sans attendre la réponse. Xiomara, affairée à passer des vêtements mouillés dans les rouleaux de la machine à laver, la regarda, étonnée par cette entrée intempestive.

— Je me débrouillais bien toute seule, dit-elle en souriant, mais si ça te fait plaisir à ce point, alors d'accord ! plaisanta-t-elle.

— Xiomara ! tu ne devineras jamais !...

La vieille n'essaya même pas.

— Mon frère Miguel va arriver !

— Eh bien ! il en aura mis du temps ! fit Xiomara en actionnant la manivelle de la machine. Je croyais qu'il devait venir s'établir ici après l'armée : c'est bien ce que tu nous avais dit ? Si mes calculs sont bons, il y a bien quatre ans et demi qu'il a fini son service, non ?

— Tu sais bien qu'il s'était accroché avec une fille, là-bas.

— Si je comprends bien, il est décroché.

— Je crois. Il ne m'en a pas parlé, mais je suppose. Dans sa dernière lettre, il m'écrivait que les choses n'allaient plus très bien. Alors, peut-être que...

— Je plaisantais, ma belle. Je suis contente pour toi et j'ai bien hâte de le voir arriver, moi aussi. Tu te rends compte que la dernière fois il avait... quoi?

— Huit ans.

— *Madre mia!* Une éternité! Et j'ai parfois l'impression que c'était hier.

— Je sais ce que tu veux dire, Xiomara. Ça me fait ça, à moi aussi, par moments... Il s'installera avec moi quelque temps. Après, on verra bien comment on pourra s'arranger.

On entendit à cet instant le ronronnement d'un moteur: une auto s'approchait.

— C'est Laurencio!

— Il va être six heures trente, c'est son heure, fit Xiomara pendant que Yasmin se précipitait dehors. Pépé! appela la vieille femme, qu'est-ce que tu fais? Il y a une heure que tu es là-dedans! Le petit arrive!

Pépé Vicario sortit des toilettes en claudiquant sur la douleur que lui infligeait sa hanche, un journal plié à la main, se plaignant des nouvelles peu encourageantes sur la crise que traversait le pays et déclara que les journalistes avaient le don de déprimer le peuple. Xiomara lui fit remarquer que, d'une certaine façon, ils étaient bien punis car leurs articles finissaient tous au même endroit et qu'il en serait ainsi tant que les problèmes de l'État priveraient les braves gens de papier hygiénique. Puis elle délaissa son lavage en poussant la machine à laver dans son coin et entreprit de mettre la table.

Laurencio et Yasmin entrèrent, se tenant par le bras. Xiomara remarqua aussitôt la mine satisfaite de son petit-fils. Laurencio connaissait la perspicacité de sa grand-mère. Il savait qu'elle pouvait déceler le moindre signe sur un visage. Aussi, le jour où il était rentré de Cárdenas, en compagnie de Jesus, avec la mort de Mendez sur la conscience et les jours qui avaient suivi, il avait redoublé de précautions face à l'acuité de la vieille femme. Aujourd'hui, il n'avait rien à cacher. Il voulait annoncer la bonne nouvelle et demanda à tous de s'asseoir.

— Tu peux sortir le rhum, grand-père !

Pépé ne se le fit pas dire deux fois. Il alla chercher la bouteille et trois verres — Xiomara ne buvait jamais — et revint s'asseoir pour se servir le premier avant même de connaître la nature de la célébration. Il avala son verre d'une seule rasade.

Bueno, fit il, qu'est ce qui se passe ?

Il remplit de nouveau son verre. Laurencio fit asseoir Yasmin et Xiomara et regarda tout le monde.

— Aujourd'hui, dit-il en souriant, la banque m'a chargé de ma première mission à l'étranger ! Je pars pour le Canada dans un mois.

Les réactions furent mitigées, froides même. Laurencio pouvait comprendre : Pépé n'avait jamais su se réjouir à l'annonce du départ d'un insulaire pour l'Amérique, *a fortiori* s'agissant de son petit-fils. Yasmin, elle, tenta un sourire de convenance, mais le cœur ne put exprimer plus de joie. Consciente des desseins secrets de Laurencio, elle fut même inquiète. C'est le manque d'enthousiasme de Xiomara qui fit le plus obstruction à la compréhension de Laurencio. Pourquoi sa grand-mère arborait-elle un air si grave ? Se pouvait-il qu'elle fût au fait du véritable sens de cette nouvelle ? Si oui, comment s'y était-elle prise ? Jamais il n'avait laissé entrevoir quoi que ce fût. À moins que Yasmin ait un jour cédé à l'envie de quelque confidence ? Il ressentit un malaise qu'il dissimula en feignant l'exubérance :

— Quelle joie !

Ne constatant toujours aucun sourire sur les visages, il résolut d'être plus direct :

— Qu'est-ce que j'ai dit pour que vous fassiez ces têtes-là ?

— Qui, moi ? firent simultanément les trois autres sans s'être consultés.

Xiomara, Pépé et Yasmin n'avaient pas même réalisé la similitude de leurs réactions à la nouvelle de Laurencio. Xiomara réagit la première.

— C'est vrai : ce n'est pas très délicat, mais tu nous as tous surpris. Quand dois-tu partir ?

— Dans quelques semaines seulement.

— Pour longtemps ? demanda Yasmin, préoccupée.

— À peine un mois, pas plus, fit-il, sur un ton qui se voulait rassurant.

— Il s'en passe des choses en un mois... soupira Yasmin en fronçant les sourcils.

Xiomara et Pépé prirent cette remarque pour l'expression de la crainte d'une jeune femme amoureuse. Laurencio comprit, lui, le contenu du soupir de Yasmin. Il espéra qu'elle se souviendrait de la présence des grands-parents et s'en tiendrait là. Il n'avait aucune envie de voir ses intentions les plus secrètes s'étaler sur cette table de cuisine. Les Vicario ne devaient jamais savoir. Xiomara prit la main de Yasmin.

— Ne t'en fais pas, *niña*, dit-elle, notre Laurencio a compris bien jeune ce qu'était le paradis que sa mère lui soufflait à l'oreille. Soledad aussi l'avait compris. Il reviendra dans un mois s'il te le dit.

Elle tourna la tête vers Laurencio.

— Il n'y a rien là-bas ni personne qui vaille la peine qu'il nous sacrifie. Rien ni personne.

Il sembla au jeune homme que sa grand-mère avait eu une inflexion éloquente dans la voix. Était-ce une impression fantaisiste ou bien y avait-il un avis sous les paroles de Xiomara ?

— J'y vais pour rencontrer des gens d'affaires et essayer de les convaincre d'investir de l'argent dans l'île. Ce sera mon travail là-bas.

— Je suis fière de toi, *niño*. dit sincèrement la vieille femme en lui caressant la joue. Si ta mère pouvait te voir...

— Elle me voit, *abuela*, elle me voit, sois-en sûre. Elle m'accompagne dans quoi que je fasse, où que j'aille.

— C'est très bien, mon garçon, dit Pépé, très bien. Tu parles avec le cœur et la mémoire, comme un bon fils.

Xiomara Vicario se leva en se tapant sur les cuisses et alla chercher la marmite où avait fini de cuire le repas qu'elle avait préparé pendant une partie de l'après-midi.

— Pour le moment, dit-elle, on va manger. On parlera de tout ça après.

La diversion n'était ni très habile ni discrète, mais Laurencio l'accueillit avec soulagement. Il préférait lui aussi passer à autre chose dans l'immédiat.

Devant les assiettes pleines, chacun retrouva un état d'esprit plus serein. Yasmin apprit à Laurencio l'arrivée imminente de son frère Miguel au *barrio*. Ce fut au tour du garçon d'être tarabusté par l'idée que Miguel vivrait dans la maison de son enfance. La chose était normale, mais elle allait raréfier les moments d'intimité entre lui et Yasmin en les compliquant. Il partagea sa joie à l'idée de revoir celui qui aurait pu devenir son meilleur ami d'enfance si le destin avait été autre. D'après Yasmin, son frère était devenu un grand gaillard, vaillant et plein de vitalité qui lui procurait un sentiment de sécurité ; comme si, lui tout près, il ne pouvait rien lui arriver de mal. Cet aveu pinça le cœur de Laurencio. Il lui fut difficile d'entendre que le frère remplissait une fonction qu'il considérait comme devant être la sienne. Encore là, il pensa que la chose était normale puisque lui-même n'avait pu offrir à Yasmin qu'un second rang dans l'ordre de ses priorités. N'avait-il pas placé la vengeance au premier plan de son existence entière ? N'avait-il pas admis cette vengeance comme le seul remède possible à sa douleur ? Il était donc logique que Yasmin ne ressente qu'une sécurité de second rang à ses côtés.

Le repas se termina sur le ton de la conversation familiale et on ne reparla pas ce jour-là du voyage de Laurencio.

□

Les jours qui suivirent, Laurencio se vit contraint de négliger le *barrio*, la famille et Yasmin pour accorder un maximum de temps au travail, en compagnie de Cristina Cruz. La préparation de son séjour hors du pays ne fut pas la seule chose qui occupa ses journées. Il se ménagea des rencontres avec Jesus et ils passèrent des heures à potasser son emploi du temps, que Cristina préparait pour le voyage, tentant d'intégrer dans un horaire déjà serré un autre genre d'occupation pour Laurencio. Il fallait faire profiter le fils de Soledad du moindre moment de liberté du directeur des affaires bancaires à l'étranger. Ce voyage serait peut-être, comment savoir, l'unique occasion qui se présenterait à Laurencio et les deux hommes devaient jouer de précision, d'ingéniosité et de prudence.

Plusieurs années après la mort de Soledad, Jesus Griego avait mis la main sur une copie du dossier officiel de ce crime relégué aux faits divers d'instance politique par les autorités. Le policier avait fait appel à Jórge Gutieréz, un cousin germain également policier qui avait souvent été affecté aux douanes de Varadero et dont la charge l'autorisait à un accès aux archives. Après quelques tentatives qu'il avait dû justifier chaque fois pour ne pas éveiller la suspicion des archivistes, Gutieréz avait trouvé ce qu'il cherchait sur un écran d'ordinateur. Une liste de numéros, tous suivis d'une date, sans doute celle du jugement rendu, et d'un titre plutôt énigmatique. L'histoire de Soledad avait été baptisée : « *En beneficio del interés comerciale* » (Dans l'intérêt du commerce extérieur). Gutiérez avait imprimé le contenu du fichier électronique et passé aisément le contrôle des préposés aux archives en leur exhibant la copie d'un vague cas sans importance, marquée : « *Robo de carro* » (Vol de voiture), et en leur racontant une histoire drôle pour faire diversion. Jesus avait expliqué à Laurencio que son cousin avait risqué gros parce qu'il disait avoir une dette envers Jesus, depuis que celui-ci avait tiré un autre membre de la famille d'une très mauvaise situation, prenant de gros risques pour lui éviter les pires ennuis.

C'est ainsi que Laurencio Alcázar avait eu sous les yeux le résumé de son malheur, vu, interprété et rédigé par un juriste. Sur le coup, devant cette mauvaise prose dépourvue de toute considération compatissante, la colère et la révolte chez le garçon s'étaient décuplées. Par la suite, canalisées par les interventions de Jesus, la prise de décision et la détermination avaient arrosé la lave bouillante et refroidi les sens du jeune homme, les figeant dans une volonté de vengeance solide et réfléchie.

Dans ce document, les deux hommes avaient trouvé des informations capitales sur trois touristes, dont on avait noté tout ce qui peut se lire dans un passeport et sur des cartes d'identité. Les deux amis savaient que ces renseignements pouvaient être altérés par le passage de dix-sept années, mais ils estimaient qu'il y avait là matière à un point de départ valable pour les recherches de Laurencio sur le terrain. En outre, avaient-ils le choix ? C'est tout ce dont ils disposaient et la traque devait commencer.

Jesus et Laurencio passèrent beaucoup de temps à l'élaboration d'une stratégie approximative, qui forcément devait laisser une grande place à l'improvisation. Il leur semblait être des chasseurs de fauves ignorant tout de l'habitat et des coutumes des animaux qu'ils chassaient et posant les jalons de leur chasse sur la carte d'un pays dont ils n'avaient qu'une idée livresque. C'est pourquoi chaque détail de la planification de l'emploi du temps journalier inséré dans l'agenda de Laurencio par Cristina Cruz fut scruté à la loupe. Pour chaque semaine d'exil, Laurencio et son attachée avaient deux jours de liberté, qu'ils pourraient consacrer aux loisirs de leur choix. Huit jours en tout, au cours desquels

Laurencio devrait mettre en place appâts, leurres et collets de toutes sortes pour organiser ce qu'ils avaient convenu d'appeler «le rabattage du gibier» vers l'île. Le garçon utiliserait pour ce faire sa qualité de directeur commercial et le renom *del Banco Nacional.* Les deux complices espéraient seulement que Bellini, Capplan et Sloman ne se soient pas retirés des affaires mais aient plutôt prospéré. Sinon, un plan B était prévu, qui comportait un plus haut degré de risque mais que tous deux avaient endossé en connaissance de cause. Enfin, le jour du départ de Laurencio arriva.

□

Le samedi 5 juin 1999, à cinq heures du matin, toute la famille Vicario était debout depuis déjà une heure. Yasmin s'était levée vers les trois heures pour venir passer les derniers instants en compagnie de Laurencio. C'était le jour du départ et ce mois qui devait s'écouler avant de revoir son bien-aimé lui semblait une éternité. La séparation lui inspirait tristesse et angoisse. Si ce voyage avait, pour Pépé et Xiomara, un caractère professionnel, il prenait une tout autre dimension pour Yasmin. Elle craignait, avec raison, que quelque chose ne tourne mal et, dans les regards qu'elle posait sur le garçon tandis qu'il terminait calmement de se préparer, il y avait toute l'exhortation du monde invitant à la plus grande prudence. Elle souffrait de ne pouvoir aborder ce sujet de vive voix et espérait du fond du cœur que Laurencio saisisse le sens de ses regards.

Le garçon comprit sans peine son état d'esprit, d'autant plus qu'ils avaient abondamment parlé la veille et les jours précédents. Il s'approcha et la prit dans ses bras.

— Ne t'inquiète pas, ma chérie, lui chuchota-t-il à l'oreille, tout se passera bien.

Laurencio était élégamment vêtu d'un costume bleu foncé sur une chemise blanche. Il portait une cravate où le bourgogne dominait et une paire de souliers noirs. Xiomara avait rangé dans ses bagages trois autres complets, une douzaine de chemises et autant de paires de chaussettes, des chaussures en cuir brun, des caleçons et un nécessaire de toilette.

Pépé termina le café qu'il sapait bruyamment depuis quelques minutes et se leva.

— Je vais mettre les valises dans la voiture, dit-il.

Le vieil homme sortit, traînant l'une des trois valises achetées quelque deux semaines auparavant dans une boutique pour touristes d'un grand hôtel de Varadero. Il fut amusé par la facilité avec laquelle il déplaçait ces bagages, malgré une hanche détériorée.

— Des valises à roulettes ! fit-il. Qu'est-ce qu'ils n'inventent pas !

Pour Vicario, dont les pieds n'avaient jamais quitté le plancher des vaches, le voyage en avion de son petit-fils d'adoption prenait des allures d'expédition périlleuse. Jamais il ne serait monté dans un de ces engins, même imbibé de trois bouteilles de rhum !

Quand tout fut prêt, on n'attendit plus que l'arrivée de Jesus, qui s'était proposé pour conduire Laurencio à l'aéroport et ramener ensuite la Ford jusqu'à la maison. Il fut à l'heure. Il rangea sa moto près de la maison et, les adieux faits, lui et Laurencio prirent place dans la voiture. Tous les amis et voisins étaient sortis devant leur porte et lancèrent des « À bientôt » et « Sois prudent » avec des signes de la main.

Xiomara et Pépé s'approchèrent de la portière pour un dernier au revoir, empreint d'un sentiment ambigu.

— Tu as bien pris en note le numéro de téléphone des Herrera ? demanda Yasmin.

— Oui, je l'ai.

— Fais attention à ce que tu manges là-bas, dit Xiomara. Évite la viande. Leurs vaches sont malades !

— Ne t'en fais pas, *abuela*.

— En entrant dans l'engin, va vérifier le niveau d'essence, suggéra Pépé.

— Mais c'est pas moi qui pilote, grand-père ! fit Laurencio, amusé.

— Alors, demande au chauffeur de le faire !

— D'accord, je lui demanderai.

Il sortit la tête par la fenêtre pour embrasser Yasmin.

— Il faut y aller maintenant. Prenez soin de vous. On se revoit dans un mois ! *Hasta luego* !

La Ford démarra et fila en direction de la sortie du village. Laurencio fit signe de la main jusqu'à ce qu'il ne vît plus personne. Xiomara, Pépé et Yasmin rentrèrent dans la maison, côte à côte et silencieux.

□

Sur le chemin de l'aéroport de Varadero, Laurencio et Jesus roulèrent sans un mot pendant un bon moment. Passant à la hauteur de l'hôtel *Punta Blanca* avant de quitter la côte et de s'engager à travers les champs d'herbes hautes, Laurencio demanda à Jesus de s'arrêter au bord du chemin. Le chauffeur immobilisa la *Crown Victoria* et coupa le contact.

— Que se passe-t-il ? demanda Jesus.

— Il y a quelque chose que je veux faire avant d'arriver. Après, ce sera difficile : Cristina Cruz va me sauter dessus et me prendre en charge dès qu'elle va m'apercevoir.

— D'autres à ta place ne s'en plaindraient pas, *muchacho* !

— C'est une vieille de trente-deux ans !

Jesus baissa la vitre et tira une cigarette de son paquet. Il l'alluma et regarda Laurencio, qui sortit quelque chose de la poche intérieure de son veston, plié sur ses genoux. Il développa le petit paquet, de la taille d'un portefeuille.

— Je voudrais que tu gardes ça, Jesus. Si je devais ne pas revenir... c'est à toi qu'elle appartiendrait.

Il remit à Jesus la photographie de Soledad, dans son petit cadre. Jesus fut très ému. Il se retourna vers Laurencio, qui put voir le regard noyé de l'ami qui aurait pu être son père. Ils échangèrent une solide accolade.

— Je te la rendrai à ton retour, *muchacho*. En attendant, j'y ferai très attention.

Il embrassa la photographie avant de la ranger dans la poche de sa *guayabera*.

— *Bueno. Vamonos*, dit-il en tournant la clé dans le démarreur.

Lorsqu'ils arrivèrent à l'aéroport, une foule déjà dense s'éjectait des autobus qui avaient conduit les touristes de leurs hôtels jusque-là. C'était, pour ces gens, la fin des vacances, l'heure du retour chez eux. Laurencio fut impressionné par cette animation fébrile qu'il n'avait vue qu'une seule fois, lorsque, vers ses dix ans, Pépé l'avait amené, un dimanche, voir les avions se poser et s'envoler. Jamais par la suite il n'était revenu, même lorsqu'il eut le loisir de se déplacer seul en voiture.

Jesus arrêta le véhicule derrière une rangée de taxis et ils descendirent pour extirper les valises du coffre.

— *Hola* ! Laurencio ! fit Cristina Cruz.

À l'écart d'un groupe d'individus bronzés et bruyants, la jeune femme était magnifique, comme à son habitude, et Jesus ne put retenir une remarque un peu gaillarde, que Laurencio accueillit avec un sourire. Il fit un signe de la main à Cristina et se tourna vers son compagnon.

— Sois prudent, mon ami, dit Jesus gravement. Surtout, sois prudent.

— Ne t'inquiète pas, Jesus. Je reviendrai avec des bonnes nouvelles. Je te le promets.

Les deux amis échangèrent un regard profond et une solide étreinte, puis ils installèrent les trois valises sur un chariot, que Laurencio poussa en direction de Cristina Cruz, se retournant une dernière fois pour voir la voiture démarrer. Jesus lui jeta un dernier regard soucieux. Les dés étaient jetés et il ne restait plus aux deux amis qu'à se séparer. La Ford Fairlane s'éloigna par où elle était arrivée. Cristina prit Laurencio par le bras et l'entraîna vers les portes de l'aéroport, où s'engouffraient les voyageurs. Laurencio fut pris d'une angoisse qui lui serra la poitrine ; toutes ces années, où le moindre geste avait été fait dans le seul but de le conduire là où il se trouvait ce matin, prenaient soudain leur sens intégral ; il en sentit la raison d'être plus que jamais auparavant en approchant des tourniquets au bras de Cristina Cruz. Cet instant précis, où il sortait son passeport de sa poche en regardant partir ses valises sur le tapis roulant, était l'ultime objectif de toute sa vie. Cristina sentit son malaise.

— C'est la première fois que vous prenez l'avion, Laurencio. Ça fait ça à tout le monde. Ne vous en faites pas, ce sera un beau vol. Tout ira bien.

La jeune femme le reprit par le bras et ils se dirigèrent vers une cabine vitrée, où ils remirent leurs papiers à un jeune douanier qui les salua par un hochement de la tête et un sourire. Puis il examina les passeports et les billets, constata rapidement qu'il s'agissait de représentants officiels de l'État et leur rendit le tout avec un large sourire.

— Madame, monsieur, bon voyage.

Ils poussèrent le tourniquet et marchèrent vers les grandes portes qui donnaient directement sur la piste. Laurencio ressentit alors ce qui envahit tout insulaire qui franchit cette limite pour la première fois : une forte impression de liberté empreinte de crainte. Il se retourna pour regarder derrière lui la porte qui se refermait mollement, puis, sur la piste, le gros appareil flanqué d'un large escalier mobile vers lequel ils avançaient.

— Vous verrez, dit Cristina, vous allez adorer voyager en avion.

Elle serra son bras contre sa poitrine pour le rassurer et ils pressèrent le pas derrière des touristes exubérants qui se remémoraient déjà des épisodes de leur séjour dans l'île.

Cristina regardait en marchant le garçon aux cheveux noirs et luisants, à la peau couleur de cacao et aux dents d'une blancheur éclatante. Dans son costume bleu foncé en tissu léger, derrière ses lunettes fumées, elle le trouvait magnifique. Il était d'une taille au-dessus de la moyenne, avait les épaules larges, les mains fines et soignées, les jambes longues et un visage beau qui la pâmait depuis leur première rencontre. Jamais Cristina Cruz n'avait voyagé avec un patron de vingt et un ans, et encore moins ayant autant de charme et de charisme. Elle s'en sentait agréablement bouleversée. Malgré tous ses efforts, toute sa perspicace analyse, elle ne parvenait cependant pas à percer le mystère qui émanait de cet être sensible particulièrement intelligent qu'elle ressentait si singulièrement. Elle se promit que cette promiscuité d'un mois ne serait pas vaine et qu'elle apprendrait à connaître Laurencio Alcázar durant ce séjour au Canada.

Ils gravirent l'escalier côte à côte et disparurent dans le ventre de l'appareil qui allait emporter le fils de Soledad vers une étape cruciale de sa terrible vengeance.

□

L'avion qui emportait Laurencio Alcázar vers le paradis volait depuis deux heures seulement lorsque, sur le chemin de terre déjà torride en ce samedi matin, une silhouette apparut. C'était celle d'un homme assez grand qui portait un sac de cuir en bandoulière et un chapeau de paille à large bord ombrageant la moitié de son visage. Il avançait à grands pas vers le village et, lorsque Xiomara l'aperçut en jetant un seau d'eau souillée sur le pas de sa porte, elle tressaillit tant elle eut l'impression de voir s'approcher son Laurencio. Elle fut à un cheveu de héler l'étranger, puis se ravisa, sachant que c'était impossible. L'homme avança dans sa direction et elle vit son erreur, mais elle constata en même temps qu'elle avait eu des raisons de la commettre : la ressemblance générale de ce jeune homme souriant avec son petit-fils était flagrante. La stature, la minceur, la forme du visage, tout y était. Lorsqu'il fut assez près et retira son chapeau, elle vit les yeux noirs du garçon et plus aucune méprise possible avec le regard de Laurencio.

— Xiomara Vicario ! lança l'étranger avec un signe de la main.

— *Si, muchacho*, répondit Xiomara, étonnée.

— Ma sœur est-elle à la maison ? demanda-t-il, tout sourire.

— Si tu commençais par me dire qui tu... Ta sœur ? Yasmin ?

— *Si*, Yasmin !

— *Santa madre de Dios* ! Miguel ! fit la vieille femme, la main devant la bouche. Comme tu es grand ! Heu, oui... Yasmin est à la maison, là-bas ! dit-elle en pointant du doigt.

— Je me rappelle très bien où est notre maison, Xiomara.

— C'est vrai : je suis bête. Viens, viens un peu ici que je t'embrasse.

Elle le prit dans ses bras et posa sa tête contre la poitrine du garçon.

— Tu es aussi grand que mon Laurencio ! *Igual* !

— Laurencio... se souvint Miguel. Où est-il ?

— Tu l'as manqué de peu. À l'heure qu'il est, il se trouve entre ciel et terre, en route vers le Canada. expliqua-t-elle.

— Le Canada ! Qu'est-ce qu'il est allé faire là-bas ?

— On t'expliquera. Viens. Entre voir Pépé ; je vais aller chercher Yasmin.

Elle poussa littéralement le garçon à l'intérieur et fila en toute hâte en direction de la maison des Marquez.

Lorsqu'elle revint suivie de Yasmin, Pépé était déjà attablé en compagnie de Miguel, la bouteille de rhum devant eux. Il fallait fêter le retour du garçon et, selon son habitude, Pépé avait avalé le premier verre d'une traite, avant même de servir son invité. C'était « ...une façon de tester la qualité afin de ne pas offrir n'importe quoi », avait-il expliqué un jour.

Yasmin se jeta dans les bras de son frère, qui eut tout juste le temps de se soulever de sa chaise pour la recevoir.

— *Hola, muchacha !* s'exclama le garçon.

—*Hola, hermano !* Que je suis heureuse !

La grande joie de Yasmin se manifesta par une exubérance qui étonna ; comme si le bonheur de revoir Miguel s'était troublé du désespoir que lui inspirait le départ de Laurencio. Le jeune homme ressentit le malaise de sa sœur dans l'intensité de son comportement fébrile.

— Je suis content moi aussi, mais qu'est-ce qui ne va pas, petite sœur ? demanda Miguel. Pourquoi trembles-tu ? Qu'est-ce qui se passe ?

Yasmin le regarda, d'abord étonnée d'être lue comme un livre ouvert, puis elle se laissa aller à son malaise, qu'elle avait systématiquement retenu et s'interdisait depuis des jours en présence de ses deux vieux. Là, dans les bras de son frère retrouvé, elle se libéra de ce carcan qui l'épuisait. Elle pleura. Miguel la tint contre lui et caressa sa tête doucement.

— Qu'est-ce qui t'arrive, petite sœur ? demanda-t-il doucement.

— Laurencio est parti ce matin...

— Ah, je comprends. Mais alors, c'est beaucoup plus sérieux que ce que je lisais dans tes lettres ! Tu es vraiment très amoureuse !

Yasmin fit oui de la tête, puis se retourna vers Xiomara et Pépé.

— Excusez-moi, Xiomara, Pépé... Je ne voulais pas...

— Allons donc, l'interrompit la vieille. Ça ne fait rien, ma chérie. Pour Pépé et moi, c'est pareil. D'un côté, on est contents de voir le petit devenir quelqu'un d'important et, de l'autre, on a un peu peur que ces voyages à l'étranger nous l'enlèvent trop souvent. Mais quoi faire ?

— L'important, intervint Pépé après une rasade de rhum, c'est qu'il ne se laisse pas faire ! Qu'il ne nous ramène que ce qu'il nous faut au pays et qu'il ne se laisse rien vendre dont on n'ait pas besoin, aucune merde capitaliste, conclut-il.

— Je ne m'en fais pas pour ça, répliqua Xiomara. Il sait ce qu'il fait, notre Laurencio.

— Il revient quand ? demanda Miguel.

— Dans un mois, tu te rends compte ?

— Un mois ? C'est vite passé. Et ça sera peut-être plus dur pour lui. Un mois tout seul dans un pays qu'il ne connaît pas...

— Il n'est pas tout seul. Il y a cette... cette Cristina Cruz avec lui.

— Tu es jalouse, ma parole ! Alors, c'est ça...

— Une vieille de trente-deux ans ! fit Xiomara en haussant les épaules. C'est lui qui me l'a dit.

— On l'a rencontrée, Laurencio et moi, dit Yasmin, il y a deux semaines, aux caisses du centre commercial de Varadero. Trente-deux ans peut-être, mais superbe comme une actrice de cinéma ! Et tu sais ce qu'elle achetait ? dit-elle à Xiomara. Des soutiens-gorge et des culottes noires avec plein de dentelle !

— Quel mauvais goût ! fit la vieille. Tu vois bien.

Pépé avala une gorgée avec un hochement de tête. La chose ne pouvait échapper à la perspicacité de Xiomara.

— Calme-toi, mon vieux. Elle n'est même pas rousse !

Vicario garda la tête penchée au-dessus de son verre. Plusieurs années après la fin de sa liaison passagère, il ne pouvait toujours pas évoquer ce souvenir en regardant sa femme dans les yeux. Xiomara le savait et s'en amusait, comme par vengeance. Il se redressa en direction de Miguel et leva son verre.

— *Salud, muchacho.* Au voyage du petit et à ton arrivée au *barrio* !

Miguel fut forcé de délaisser le chagrin et les craintes de sa sœur pour trinquer avec le vieillard.

— Santé, Pépé, et à toi aussi, Xiomara.

Il but une rasade qui le fit grimacer.

— J'ai hâte de voir la maison, dit Miguel, se tournant vers sa sœur. On peut y aller ?

Yasmin regarda Xiomara, à la recherche d'une approbation qui ne tarda pas à venir.

— Allez, allez ! fit la vieille. On aura tout le temps de parler.

Les deux jeunes gens sortirent en se tenant par la main et promettant d'être bientôt de retour. Pépé et Xiomara restèrent seuls, assis de part et d'autre de la table, et se regardèrent sans parler.

— Qu'est-ce que tu penses ? demanda enfin Pépé en roulant le rhum au fond de son verre.

— Je crois que tout ira bien, dit Xiomara, qui n'eut pas besoin de demander à son mari de quoi il parlait. Tout ira bien et il reviendra, mais il va les chercher et les trouver, c'est certain.

— C'est certain, acquiesça Vicario. Il y a si longtemps qu'il s'y préparait. Si longtemps, Xiomara... et toi et moi, on le sait depuis toujours, non ? Mais tout ira bien, tu as raison. Il est très fort, notre Laurencio, très fort. Tu te rends compte de tout ce qu'il a dû surmonter pour arriver à ce voyage ? Il faut une force de caractère rare, vraiment exceptionnelle. Et une grande intelligence, une grande patience.

— Il faut surtout un amour et une souffrance démesurés. Il a eu tellement mal, notre pauvre petit ! soupira la vieille femme. Crois-tu qu'on aurait pu l'en empêcher ?

— Non. Jamais il ne nous en a parlé. Qu'est-ce qu'on aurait pu dire ? Il aurait tout nié. Il n'a jamais voulu qu'on sache, pour nous garder loin de tout soupçon et nous éviter des problèmes. Tout ce qu'on pouvait faire, c'était respecter son choix sans le mettre dans l'embarras. On l'aurait perdu, Xiomara. Il serait parti et l'aurait fait quand même. C'était mieux comme ça.

— Je n'aurais jamais cru pouvoir regarder la vérité en face et voir mon petit Laurencio comme... comme...

— Comme le fils de Soledad, coupa Pépé, comme le fils de notre petite, morte d'une manière sauvage. Et ses assassins resteraient impunément libres et sans remords si ce n'était de l'entêtement de Laurencio. Il faut bien que justice soit faite, et le petit a décidé d'y voir. On ne peut que lui souhaiter bonne chance.

Pépé fit une pause, puis poursuivit :

— L'image de la petite allongée sur le sol de la maison, là-haut, avec cette tache de sang sur le ventre, ne m'a jamais quitté. Jamais. Chaque fois que j'ai repensé à ça et aux trois ans de prison qui ont transformé le pauvre Pedro Montilla en l'homme désabusé qu'il est devenu, je t'avoue que j'ai eu moi-même des envies terribles de fusiller ces monstres et de les voir tomber raides morts à mes pieds.

— Je sais ce que tu veux dire, *viejo*. J'ai moi aussi souhaité des dizaines de fois qu'ils meurent comme des chiens. Dieu me pardonne !

— Alors, souhaitons que le petit réussisse ce qu'il est allé faire et nous serons peut-être exaucés, dit Pépé Vicario faiblement.

— C'est terrible, Pépé, terrible ce que nous disons là, avoua Xiomara, sincèrement horrifiée par cette pensée.

— Je sais mais on ne change pas le cours du destin... Non, personne ne le pourrait. Personne.

Les deux vieillards se replongèrent dans le silence et restèrent longtemps ainsi, pensifs et immobiles.

□

Tout comme sa sœur quelques années auparavant, Miguel avait été investi et totalement soumis à une forte impression en pénétrant dans la maison familiale. Il fit le tour de toutes les pièces d'un pas lent, au rythme de l'émergence de ses souvenirs, chaque partie du décor qui l'entourait s'associant à des images dans sa tête. Assis au bord du lit qui avait été celui de Augustino et Magdalena, il sombra dans une rêverie méditative. Plongé jusqu'à l'âme dans cette évocation de sa petite enfance, il entendit sa mère l'appeler pour manger ; il vit son père tituber, s'appuyant sur les meubles pour marcher, et il l'entendit gronder, hargneux, accusant sa femme de la mort de l'enfant. Puis, il vit sa petite sœur accroupie dans un coin de la chambre, recroquevillée contre le mur, qui se bouchait les oreilles. Il fut effondré de chagrin et il l'appela doucement.

— Yasmin... Yasmin, n'aie pas peur.

Yasmin, affairée à préparer du café dans la cuisine, entendit son frère et reconnut cette voix consolatrice et réconfortante. Elle émergeait d'un lointain passé. C'était celle qu'elle entendait systématiquement lorsque, fillette, elle était terrorisée. La voix de son frère de sept ans qui la rassurait et qui la protégeait. Elle comprit aussitôt l'état de Miguel, alla à la chambre et le vit lunatique, le visage torturé par une réminiscence. Elle s'assit près de lui sur le lit et passa son bras sur les épaules de son frère. Miguel s'extirpa doucement de ses souvenirs et la regarda. Il appuya ses coudes sur ses genoux et prit son visage dans ses mains, cachant ainsi les larmes qui montaient dans ses yeux. Yasmin posa sa tête sur celle de son frère et se serra contre lui.

— Je n'ai plus peur, Miguel ; je n'ai plus jamais peur.

— *Bueno,* c'est bien, petite sœur, fit Miguel en se redressant et en reniflant. Il sent bon, ton café.

Il regarda autour de lui.

— C'est ici que tu dors ?

— Non. J'ai repris ma chambre. Tu pourras reprendre la tienne, ou celle-là, si tu préfères.

— Tu es certaine que je ne te dérange pas en m'installant ici ?

— Tu es chez toi, Miguel. C'est ta maison autant que la mienne.

— Je sais, mais... tu as ton... ton amoureux. Peut-être que vous allez trouver que...

— Je t'en prie, Miguel, arrête. Laurencio est parti pour un mois. Et puis, il est au courant ! Il était très heureux de ta décision de revenir ici, crois-moi. Tu vas l'aimer, tu verras.

Laurencio est devenu un homme merveilleux. Tout le monde l'aime.

Miguel hocha la tête pensivement puis se leva, sortit lentement de la chambre, suivi de Yasmin. Il s'installa à la table de cuisine, en caressa le bois lisse de ses deux mains.

— C'était ma place. Tu te rappelles ? Toi, tu t'asseyais là. Maman là, et... lui, ici. Et là, c'était la place de... de Benedicto. Notre frère Benedicto. Tu as de ses nouvelles ? Moi, la dernière fois, c'était avant de partir pour Santa Clara. J'étais allé le voir à l'hospice.

Yasmin servit deux tasses de café.

— J'y suis allé quatre fois, avec Laurencio. Une fois chaque année. Je lui écris régulièrement.

— Benedicto ne sait pas lire, Yasmin...

— Je sais, mais quelqu'un lui lit mes lettres. Une infirmière que j'ai rencontrée. Elle m'a promis de le faire chaque fois.

Ils burent en silence un moment.

— Si tu veux, plus tard dans la journée, on ira au cimetière voir la tombe de maman.

— *Si, hermana. Si.*

Ils terminèrent leur café sans parler. Ils n'échangèrent que quelques regards un peu tristes, quelques sourires affectueux, et ils ressentirent l'un et l'autre, à cet instant, le poids accablant de leur enfance affligée. Ils comprirent ensemble que ce qu'ils avaient cru enfoui à tout jamais sous le temps passé était encore là, bien vivant dans leurs mémoires et dans leurs cœurs.

Lorsqu'ils revinrent au bout d'une heure chez les Vicario, Miguel et Yasmin furent accueillis par le village tout entier. Xiomara avait fait le tour des maisons et invité tout le monde. Angela et Antonio Herrera ; Flora et Manuel Lopez ; Placida et Juan Segura et Pedro Montilla, tous étaient là pour revoir le garçon. La chaleur amicale et l'enthousiasme de cette réunion effacèrent toute trace de mélancolie et de morosité chez le frère et la sœur Márquez. Pépé avait sorti une autre bouteille de rhum du placard et des verres étaient sur la table. Xiomara apporta un grand plat en bois, dans lequel une montagne de *tamales* débordait presque, et un autre bondé de rondelles de *boniatos* frites et croustillantes. Les gens du *barrio* exprimèrent leur joie de revoir Miguel et, en ce samedi chaud du mois de juin 1999, ils célébrèrent abondamment les deux événements de la journée : le retour de Miguel Márquez au village et le voyage de Laurencio Alcázar à l'autre bout du monde.

Dehors, le ciel bleu et enveloppant charriait de légers nuages blancs et, loin, très loin, quelque part au nord du paradis, le commandant du vol Varadero-Montréal annonçait à ses passagers qu'il amorçait la descente et que l'arrivée se ferait à l'heure prévue.

Sur le flanc de la colline, la petite maison inhabitée et habituellement terne de Soledad, avec son jardin laissé en friche sur le toit, apparaissait ce jour-là illuminée sous les feux ardents du soleil.

Chapitre 8

UNE COLONIE DE FOURMIS entrant en rang dans une cathédrale : Laurencio ne put échapper à cette image. Il regardait partout autour de lui et Cristina Cruz, qui en était à sa cinquième entrée en terre canadienne, l'observait avec un petit sourire de compréhension amusée. L'aéroport de Montréal est un endroit vaste et somme toute assez froid. L'immensité du lieu peut impressionner le voyageur qui y débarque pour la première fois mais a la faculté de désoler l'habitué. Même lorsque s'y engouffrent les passagers de cinq ou six appareils à la fois et qu'ils déferlent en direction des cabines des douaniers, on reste sous l'impression d'une vacuité étrange.

Laurencio et Cristina avancèrent en ligne pendant un quart d'heure et se présentèrent devant un douanier qui s'adressa à eux en anglais pour leur poser les questions d'usage. Ils répondirent tour à tour. L'homme vérifia leurs passeports et les marqua de son sceau. Il les leur remit, en souriant finalement et en leur souhaitant la bienvenue et un bon séjour.

Ils allèrent directement récupérer leurs bagages, qu'ils empilèrent sur des chariots avant de se diriger vers les portes de sortie. De l'autre côté, devait en principe les attendre un envoyé de leur consulat à Montréal, que même Cristina ne connaissait pas. Ils leur fallut donc lire les pancartes brandies sous leurs yeux lorsqu'ils franchirent les grandes portes vitrées s'ouvrant devant eux. Laurencio aperçut le premier son nom et celui de sa compagne. L'homme qui tenait l'enseigne à bout de bras était sans nul doute possible un insulaire, comme eux. Ils s'en approchèrent et se présentèrent.

— Fernando Escobar, dit l'individu dans un bon français malgré le fort accent espagnol. Je suis chargé de vous conduire jusqu'à votre hôtel. La voiture nous attend au stationnement. Vous serez en mesure de vous détendre dans vos chambres d'ici une heure et quart tout au plus.

L'homme prit le chariot de Cristina et le poussa sans plus attendre vers un escalier roulant qui descendait vers le niveau des stationnements.

Pendant le trajet, Laurencio n'avait pas eu assez de ses deux yeux pour découvrir le paysage qui défilait par la vitre tintée de la voiture. Ils stoppèrent dans le sous-sol de l'hôtel Delta, à l'angle des rues Saint-Antoine et Université. Se présentant à la réception, ils furent reçus par le sous-directeur de l'établissement, qui leur souhaita la bienvenue et les avisa qu'ils seraient attendus à une heure, à la salle à manger, par des délégués de leur consulat. Un bagagiste vint prendre leurs valises et leur demanda de le suivre. Ils furent conduits au quatrième étage et on leur désigna des chambres dont les portes se faisaient face, de part et d'autre du large couloir. Cristina sortit un billet de sa poche et le tendit au garçon, qui attendait, droit et souriant. Il saisit l'argent d'un geste rapide et discret et le fit disparaître avec l'habileté d'un prestidigitateur, puis il se retira plein de gratitude en les assurant de son dévouement pendant toute la durée de leur séjour à l'hôtel. Cristina Cruz entra dans la chambre de Laurencio afin de s'assurer de son confort et affirma la qualité réputée de l'établissement, qu'elle connaissait bien. Puis elle se dirigea vers ses propres quartiers, après avoir fait promettre à Laurencio de ne pas hésiter à frapper à sa porte pour quelque information que ce soit. Elle serait prête à midi quarante-cinq ; lui également. Ils se séparèrent. Seul, Laurencio s'assit sur le lit, puis se coucha sur le dos, fixant le plafond, et se plongea dans ses pensées. Il y était enfin, au paradis de Soledad ! « Quel étrange univers », pensait-il. Bien que préparé depuis des mois, des années à ce voyage, rien ne ressemblait, du moins dans une première impression, à ce qu'il avait imaginé. Tout était si vaste, si immense ; les rues, les immeubles, comme cette Place Ville-Marie que lui avait désignée Cristina Cruz, non loin de l'hôtel, de l'autre côté du boulevard : un gratte-ciel comme il n'en avait vu que dans les films, d'une hauteur à donner des vertiges ; et il y avait une véritable ville sous ses pieds, avait expliqué la jeune femme. Laurencio voulait voir ça : des centaines de boutiques ! Il trouverait bien quelque chose à rapporter à Yasmin et à Xiomara, c'est sûr ! Il passa ses mains sur son visage et poussa un profond soupir. Il se sentit un peu fatigué. Une certaine nervosité ne l'avait pas quitté depuis l'embarquement, très tôt ce matin. Il avait besoin d'une douche et de vêtements propres. Il se leva d'un coup et fila dans la salle de bains.

La douche, qu'il prit presque froide par habitude, le revigora. Après s'être rasé et peigné, il défit ses bagages, s'habilla rapidement d'un complet beige clair, à la coupe élégamment décontractée, qu'il passa par-dessus une *guayabera* bleu nuit. Puis, il rangea ses vêtements dans la penderie et les tiroirs. Il tira un petit carnet noir d'un de ses bagages à main et le regarda un instant sans l'ouvrir. Il passa ses doigts sur la reliure et sur les lettres du nom inscrit en frontispice : Soledad. Il le glissa lentement dans la poche intérieure de son veston.

Lorsqu'il frappa à la chambre de Cristina, celle-ci vint ouvrir et l'invita à entrer en finissant d'accrocher une boucle d'oreille.

— Je suis presque prête.

Elle portait une robe à large encolure, bien ajustée à son corps mince, et... tout à fait fortuitement, de la même couleur, à un ton près, que la chemise de Laurencio.

— Vous êtes très élégante, Cristina.

— Merci, Laurencio. Vous aussi. Magnifique, le costume...

Elle laissa sa phrase en suspens.

— Mais...

— La chemise... dit Cristina, avec une moue de désapprobation.

— Comment? Elle va très bien avec votre robe, dit naïvement Laurencio.

— Elle jure avec la coupe superbe de votre veston. Une *guayabera*, c'est le *look* exotique qu'il faut garder pour le *garden-party* du consulat, auquel nous ne manquerons pas d'être invités, mais pour ce dîner...

Elle hocha négativement la tête.

— Alors... je ne sais vraiment pas...

— Vous permettez que j'aille voir avec vous ce que contient votre placard?

— Je ne demande pas mieux!

De retour à la chambre de Laurencio, Cristina fit glisser les portes du placard et passa en revue les vêtements accrochés sur les cintres.

— Vous n'avez que des chemises blanches? Vous n'avez rien prévu pour les moments plus...

Elle se retourna et s'arrêta net de parler. Laurencio avait retiré sa veste et sa chemise et attendait, torse nu, qu'elle ait choisi quelque chose.

— ... décontractés?

Cristina Cruz fut troublée par la beauté de son collègue. Elle ressentit une forte impulsion en regardant son corps basané et musclé; mais elle la refoula habilement et poursuivit:

— Il vous faudrait du noir avec ce costume.

— J'ai peut-être ce qu'il faut alors! s'exclama Laurencio ravi. Ça n'est pas complètement noir, mais...

Il sortit d'un tiroir un polo fin, d'un beau gris anthracite, qu'il exhiba comme un trophée au bout de son bras tendu, dans la pose victorieuse de Jason tenant la tête tranchée de la Méduse. Cristina fut parcourue par un autre frisson de désir ; car c'était bien de cela dont il s'agissait lorsqu'elle regardait le torse sculpté de ce jeune homme.

— Ça sera parfait ! Enfilez-le vite, nous devons descendre maintenant.

Laurencio s'exécuta en une minute et, à l'instant de saisir sa veste sur le dossier de la chaise où il l'avait négligemment posée, son carnet noir tomba sur le tapis de la chambre. C'est Cristina qui le vit la première et elle se pencha pour le ramasser, puis le tendit lentement à Laurencio.

— Soledad... osa-t-elle. C'est joli... C'est le nom d'une femme...

— En effet, dit simplement Laurencio, en remettant le carnet dans sa poche.

Après un silence de quelques secondes, tous deux se dirigèrent vers la porte. Marchant côte à côte d'un pas feutré par l'épais tapis du couloir, ils s'arrêtèrent devant des portes de bronze, qui s'ouvrirent devant eux. Ils entrèrent dans l'ascenseur et Cristina toucha du bout du doigt le voyant lumineux indiquant le rez-de-chaussée.

— Ma mère, fit abruptement Laurencio. Soledad était le prénom de ma mère.

— Je sais, oui, dit prestement Cristina.

À peine eut-elle prononcé ces mots que la jeune femme se mordit imperceptiblement la lèvre inférieure, dans l'attitude de celle qui vient de commettre une bourde. Sa réponse n'était pas tombée dans l'oreille d'un sourd. Laurencio eut un regard intrigué vers la jeune femme tournée vers les portes, qui s'ouvrirent sur le grand hall d'entrée de l'hôtel.

— Nous y sommes, dit-elle. N'oubliez pas que les gens avec qui nous allons passer les deux prochaines heures sont mandatés pour nous faciliter la tâche dans tous les aspects de notre mission commerciale. Cela veut dire qu'ils feront tout pour vous plaire. Ne vous laissez pas trop gagner par leurs égards, dit-elle en avançant d'un pas sûr et d'une démarche élégante vers la salle à manger. Ce sont d'excellents fonctionnaires qui remplissent parfaitement leur mandat, mais aucun d'eux n'ignore que notre mission se termine par un rapport écrit détaillé et tous veulent y faire bonne figure. C'est primordial pour eux ; ils ont pris goût aux cocktails, aux soirées officielles, aux voitures privées et vivent dans l'angoisse d'être rappelés au pays pour y trier de la paperasse derrière un bureau.

— Vous connaissez vraiment bien les dignitaires, Cristina, dit Laurencio avec un sourire.

— Mieux que vous pourriez le croire. Et à partir de cette seconde, fit-elle en baissant la voix quand ils entrèrent dans la grande salle, ne vous étonnez pas de ce que je m'adresse à vous en disant : « Monsieur le directeur ». Protocole oblige.

Ils avancèrent vers une table où ils furent accueillis par une jeune femme et deux hommes, qui se levèrent ensemble et arborèrent des sourires éclatants. Cristina les salua et fit les présentations d'usage en espagnol, répétant après chaque poignée de main : « *Señor director Laurencio Alcázar-Estebán* ». Enfin, Laurencio invita tout le groupe à s'asseoir. Du haut de ses vingt et un ans, il dépassait tout le monde d'une tête et les deux hommes qui s'adressaient à lui avec tant de déférence, Omar Palacios et Roberto Jiménez, avaient tous deux l'âge d'être son père. Laurencio fut parfait dans son rôle de directeur et la *señorita Casandra Pérez*, qui lui faisait face, le dévora des yeux du début à la fin de la rencontre. Laurencio resta imperturbable. Quelque chose agressa manifestement la *señorita Cruz* dans l'attitude et les yeux pétillants de sa vis-à vis et elle la traita par le mépris dès le premier abord, en l'ignorant. Toutes ses interventions furent dirigées vers la gent masculine durant le repas, ce qui n'échappa nullement au jeune directeur, qui tenta tant bien que mal de compenser l'indélicatesse, peu subtile, de sa compagne. Il invita régulièrement la jeune déléguée à exprimer son opinion sur le sujet en cours.

La rencontre prit une tournure des plus officielles, bien que parfaitement détendue. Les deux hommes en costume sombre, nœud de cravate impeccable, et la jeune femme en tailleur prince de galles, avec sur le revers du col une broche représentant une panthère de jade, firent les choses comme Cristina l'avait supputé : ils s'engagèrent à une grande obligeance, une disponibilité de chaque instant et donnèrent l'assurance d'une présence constante dans tous les fastidieux cinq à sept et les mondanités souvent épuisantes qui attendaient monsieur le directeur et sa collègue. Le repas se prolongea jusqu'à trois heures de l'après-midi.

Cristina argua de la fatigue du voyage pour obtenir la cession de la rencontre. La *señorita Casandra Pérez* proposa que soit fixée avant leur séparation la date la plus propice pour un petit cinq à sept de bienvenue qui serait organisé en leur honneur. La réception, qui, selon ses explications, se tiendrait dans les jardins du consulat, demandait quelques petits préparatifs dont elle avait la charge. La chose fit sourire Laurencio, qui pensa que Cristina connaissait décidément à fond les habitudes de ce genre de voyage. La jeune femme leva les yeux vers Casandra.

— J'ai malheureusement laissé l'agenda là-haut, dans ma chambre. Je le consulterai et vous ferai parvenir l'information rapidement, dit-elle.

— D'accord. Je compte sur vous, fit Mademoiselle Pérez.

— Joli stylo ! remarqua Cristina.

— Merci, dit sèchement Casandra.

Elle le remit dans son porte-documents. C'était un magnifique stylo de luxe, un *Duofold Parker centenial*, de nacre bleue, avec barrette et plume en or dix-huit carats : un objet de grande valeur.

— J'ai exactement le même, souligna Cristina.

Il y eut un silence, puis elle se tourna vers l'un des deux hommes. Celui-ci, le teint foncé, l'œil sombre, cheveux noirs et brillants, aux tempes grisonnantes et à la moustache bien entretenue, se nommait Omar Palacios et avait de surcroît une remarquable ressemblance avec le docteur Jivago. Il baissa les yeux et lissa sa cravate sur sa poitrine. Il ne fut que trop évident soudainement, pour Laurencio, qu'un commerce, dont il ignorait encore l'exacte nature, entre Cristina et Omar avait précédé la rencontre autour de cette table.

— Il est temps de vous laisser vous reposer, dit Omar Palacios en souriant sur des dents éclatantes.

Laurencio se leva, tout de suite imité par tout le groupe. On échangea des poignées de main et quelques politesses et le directeur et son attachée quittèrent la salle à manger.

Dans l'ascenseur qui les remontait lentement vers leurs chambres, Cristina et Laurencio observèrent le silence. Un lien étroit, puissant, presque intime, les maintenait unis malgré les apparences, chacun d'eux étant convaincu de circonscrire parfaitement la pensée de l'autre à cet instant précis. Ce silence, plus éloquent qu'un discours, fit se croiser leurs regards en biais. Cristina, dévorée par l'envie de décocher à Laurencio son sourire le plus dévastateur, se maîtrisa et s'en tint à charger sagement ses grands yeux gris-bleu d'une profonde affection. Elle soupira et dit :

— Bon, allez-y : je vous écoute, puisque vous êtes si futé. Et je vous mets au défi de me le dire avant que les portes de cet ascenseur s'ouvrent sur notre étage.

Laurencio passa sa main dans ses cheveux, amusé.

— Dépêchez-vous, on arrive, dit Cristina tandis que l'ascenseur s'immobilisait. C'est trop tard, vous allez perdre !

— La fille au stylo et l'homme à la moustache... énonça Laurencio avant l'ouverture des portes.

Cristina Cruz partit d'un rire franc et clair tant sa surprise était pleine d'une joie presque enfantine.

— Oh, bravo ! Félicitations vraiment, dit-elle, pleine d'admiration.

— C'était facile.

— Je vous aurais cru le triomphe plus modeste, monsieur le directeur, répliqua Cristina sur un ton taquin.

Ils s'engagèrent dans le corridor silencieux et éclairé de loin en loin par des chandeliers muraux garnis d'abat-jour propices à l'atmosphère de quiétude qui convient à un hôtel de grand renom.

— Franchement, Cristina, il est évident que la *señorita Casandra*, avec sa panthère de jade et son stylo de grande valeur, vous exaspérait. Quant au *senor Palacios*, je ne peux pas vous dire avec précision quel rôle il joue dans tout ça, mais je suis sûr que cet archétype du séducteur de chez nous n'en était pas à son premier contact avec vous.

Cristina Cruz fut soufflée par l'acuité dont faisait preuve un aussi jeune homme.

— Êtes-vous sûr de n'avoir que vingt et un ans, Laurencio ? Ce ne serait pas plutôt cent vingt-cinq, quelque chose comme ça ? Je comprends pourquoi votre dossier personnel porte la mention d'excellence.

Le garçon resta silencieux. Ils arrivèrent à la hauteur de leurs portes de chambres, s'arrêtèrent sous la lueur d'une applique et se firent face. Laurencio s'approcha et, du haut de sa stature, plongea ses yeux dans ceux de Cristina, qui retint sa respiration. Il regarda les longs cils noirs s'abaisser deux ou trois fois sur la couleur troublante des prunelles où il crut apercevoir furtivement plus qu'une invitation à entrer dans la même chambre, un appel à l'aide. Ce regard profond fut équivoque pour Cristina, malgré sa fugacité, et la plongea dans un état de confusion qui lui fit tourner la tête. Laurencio retint son attention :

— C'est la deuxième fois que vous faites allusion à mon dossier personnel, Cristina, dit-il doucement.

— Ah ? Je ne me rappelle pas l'avoir déjà fait.

Cristina Cruz ressentit avec force que cette remarque, faite sur un ton d'une parfaite sérénité, était en fait une question en suspens et que la réponse était inéluctable.

— Rappelez-vous, dans l'ascenseur, en descendant, je vous ai dit que Soledad était le nom de ma mère. Vous m'avez répondu : « Je sais. » Or, je ne vous ai jamais parlé de ma mère.

— Décidément ! je comprends pourquoi votre dossier porte la mention d'excellence.

Cristina se détendit et sourit tendrement à Laurencio, qui la regardait sans aucun signe d'impatience mais dont les yeux verts restaient d'une fixité impassible.

— La couleur de vos yeux est très particulière, dit-elle.

— À un autre moment, j'en dirais autant de celle des vôtres, répondit Laurencio sans broncher, mais vous ne vous en tirerez pas avec une cabriole, Cristina.

— J'espère que la jeune femme qui vous attend chez nous sait à quel point elle a de la chance.

— Il faudrait le lui demander à elle.

Cristina Cruz resta accrochée au regard bienveillant mais imperturbable de Laurencio et se laissa aller sans plus de résistance à l'aveu attendu.

— Oui, Laurencio, j'ai eu accès à votre dossier confidentiel. Et ce n'était pas un faux pas de ma part de vous le laisser comprendre : c'était tout ce qu'il y a de plus volontaire.

Il y avait eu dans sa voix quelque chose qui se voulait rassurant, comme si elle s'était attendue à ce que son aveu soit la cause d'un malaise. Toutefois, l'attitude de Laurencio ne laissa paraître aucun trouble. Au contraire, la douceur insistante de son regard s'éclaira d'une lueur lorsqu'il eut un petit sourire aux commissures des lèvres. Il tira de la poche de son veston la clé de sa chambre et fit lentement demi-tour pour la glisser dans la serrure.

— Dites-moi si je me trompe, mais n'y a-t-il pas qu'un nombre limité de personnes officielles de l'État qui ont ce droit ? Entrons dans ma chambre, voulez-vous ?

La *señorita Cruz* resta immobile au milieu du couloir et le regarda. Elle parut soudainement ravie et entra dans la chambre de Laurencio d'un pas lent.

— Enfin, lança-t-elle au passage, un premier signe de faiblesse.

— Surtout, n'allez pas croire...

— Bien sûr que non. Je ne parle pas de cette invitation dans votre chambre. Je faisais allusion à une première faille dans votre formidable assurance.

— Je vous semble imbu ? demanda-t-il, inquiet.

— Pas du tout, mais je ne sais pas si vous êtes conscient de la force qui se dégage de vous et de l'extraordinaire emprise que votre seule présence peut avoir sur les gens, au point qu'on a l'impression que rien ne pourrait vous prendre au dépourvu. Vous ne vous êtes pas rendu compte, pendant le repas, que nos camarades du consulat étaient subjugués par vous ? Aussi bien les hommes que la femme, d'ailleurs. Je connais ces gens. Ils ont tendance d'habitude à prendre de haut les directeurs commerciaux qu'on leur envoie. Vous êtes le quatrième que j'accompagne, mais vous êtes le premier à les assujettir, au point qu'ils n'ont même pas tenté un seul pas vers leur condescendance habituelle. Et vous n'avez que vingt et un ans, alors que vos prédécesseurs étaient tous bedonnants, chauves et fumaient des cigares énormes pour se convaincre de leur importance.

— Je fais tout ça, moi ?

— Et bien plus encore, jeune homme. Et le plus merveilleux, c'est justement que vous ne vous en rendiez pas compte.

Laurencio alla tirer les rideaux épais devant la grande fenêtre et plongea la pièce dans la pénombre, puis il alluma les lampes de chevet.

— J'essaie de recréer l'ambiance du corridor. Il me semble qu'elle nous était bonne.

Cristina Cruz prit place dans un fauteuil confortable dans un coin et regarda Laurencio aller et venir dans la pièce. Il retira sa veste, la laissa tomber sur le lit et remonta les manches de son polo jusqu'aux coudes, puis il s'assit au bord du lit, face à Cristina. Elle l'observait encore, à l'affût de ses moindres gestes. Il passa sa main dans ses cheveux et planta ses coudes sur ses genoux, en plongeant de nouveau son regard dans celui de sa vis-à-vis. Elle trouva que la désinvolture qu'il adoptait à cet instant lui donnait un charme accru et songea qu'il ressemblait davantage, sur le bord de ce lit, à une star de football qu'à un directeur de mission commerciale *del Banco Nacional.*

— Alors, demanda Laurencio, quelle est-elle ?

— Quoi ?

— Ma faiblesse, cette faille dont vous parliez en entrant. Qu'est-ce que c'est ?

— Pour dire la vérité, ça pourrait tout aussi bien être un adorable trait de votre personnalité, mais en occurrence l'ingénuité dont vous faites preuve sur le plan, occulte j'en conviens, du fonctionnement interne du Parti et de l'État donnerait prise à n'importe quelle manipulation et ferait de vous un instrument pratique pour qui voudrait vous utiliser.

— À quel moment ai-je démontré une telle naïveté, Cristina ?

— J'ignore où cette conversation nous conduira, mais je tiens à vous dire, avant de continuer, que j'ai un profond... attachement pour vous.

Au ton de voix de la jeune femme, Laurencio fronça les sourcils. Il sentit l'imminence d'une déclaration importante, bien que celle-ci n'eût démontré aucun autre signe de gravité que ce léger changement de ton.

— Voulez-vous que je demande qu'on nous monte quelque chose à boire ? s'enquit-il.

— Inutile. Regardez, là, dans ce petit réduit sous le meuble, dit-elle en pointant du doigt. C'est un frigo. Il y a dedans tout ce qu'il faut. Je prendrais bien un martini.

Elle vint au secours de Laurencio, resté figé devant la rangée de petites bouteilles.

— Laissez-moi faire. Qu'est-ce que vous prenez ?

— Je n'y connais rien. Je prendrai la même chose que vous.

Cristina fit tinter les glaçons dans les verres et servit en parlant :

— J'ai trente-deux ans, un poste enviable, une magnifique maison à La Havane où je peux prendre soin de mon père et de ma mère vieillissants ; tout pour avoir une vie agréable malgré la crise terrible que traverse notre pays. Bien des gens voudraient être à ma place et pourtant je m'apprête à faire la seule chose qui me soit strictement interdite et qui risque de me faire perdre tous mes biens et privilèges. Pourquoi ferais-je une telle chose ? Pourquoi ? dit-elle en lui tendant un verre.

— Je ne sais pas, Cristina. Je sais seulement que rien ne vous oblige à faire quoi que ce soit.

— C'est vrai. Alors, pourquoi vais-je le faire ? Posons la question différemment : Pourquoi ai-je tellement envie de me mettre à nu devant vous, de me montrer sans artifice, sans masque, et cela depuis le premier jour où je vous ai rencontré, dans votre bureau ? Pourquoi, si ce n'est parce que... je suis amoureuse ?

Laurencio avala une gorgée de son verre sans broncher, puis il retourna s'asseoir au bord du lit. Cristina regagna son fauteuil et on n'entendit que le tintement des glaçons dans les verres.

— Vous êtes une des plus belles femmes que j'aie rencontrées, Cristina... et probablement la plus brillante, mais, comme vous l'avez dit vous-même tout à l'heure, quelqu'un m'attend là-bas chez moi.

— Je sais, oui... Elle s'appelle Yasmin, a vingt-trois ans, est une amie d'enfance et a grandi avec ses frères chez une tante, à Santiago, après la mort tragique de sa mère. C'est aussi dans votre dossier, mais ça ne m'a pas empêchée de tomber amoureuse de vous. Et nous voilà revenus à cette histoire de dossier. Je ne vous aurais jamais rien dit des sentiments que j'ai pour vous si ce n'était pour dissiper vos doutes et vous convaincre du camp que j'ai choisi.

— Je ne comprends rien à ce que vous me racontez, Cristina. Pardonnez-moi.

— Je sais, et je vais être plus claire. En ce qui vous concerne, je suis Cristina Cruz, secrétaire de direction à l'emploi *del Banco Nacional.* Pour mes supérieurs hiérarchiques, je suis... un agent spécial des services nationaux.

Laurencio fut durement heurté. Il déposa son verre sur la table de chevet près de lui, se leva et fit le tour du lit. Il sentit sa tête tourner, ses oreilles bourdonner et passa ses mains sur ses yeux. Il eut le sentiment que quelque chose venait de basculer.

— Les services nationaux... c'est ce qu'on appelle aussi...

— ... Les services secrets. Oui.

— Alors, quoi ? Vous êtes une... une espionne ou quelque chose comme ça ?

— C'est également comme ça qu'on dit parfois.

— Qu'est-ce que ça veut dire ? Vous l'êtes ou pas ? Je croyais que vous deviez être claire !

Le ton de sa voix montait et se chargeait de colère sans qu'il s'en rendît compte. Cristina se leva et avança tout doucement vers lui.

— Je vous en prie, ne vous fâchez pas. Laissez-moi terminer avant de vous faire une idée. Regardez-moi, Laurencio. Regardez-moi bien. Voyez-vous dans mes yeux la moindre volonté de vous faire du mal ? Croyez-vous que je vous avouerais une telle chose si je n'avais pas ce désir que vous me voyiez telle que je suis, dans toute ma vérité ? Je vous l'ai dit, je suis amoureuse de vous. Ça n'était pas prévu, mais c'est comme ça. Je n'y peux rien, et vous non plus. Il n'y a plus rien au monde qui puisse changer ça, sinon peut-être le temps qui passera, quand nous serons de retour chez nous, que nos chemins se sépareront.

— Pourquoi a-t-on envoyé un agent spécial avec moi?

— Parce qu'un directeur commercial a besoin d'une secrétaire! Je suis à l'emploi *del Banco Nacional* et, à l'occasion, des services nationaux. Ils m'ont recrutée et me confient par moments des missions dans le cadre de mes fonctions, c'est-à-dire que je fais rapport à la banque et à eux. Vous comprenez?

— En quoi est-ce que j'intéresse les services secrets de notre pays?

— Comment vous résumer les rouages complexes de notre gouvernement en deux minutes?

— Essayez! dit fermement Laurencio. Et s'il vous en faut trois ou même quatre, prenez-les.

Cristina Cruz réfléchit quelques secondes et alla s'asseoir sur le lit. Elle invita Laurencio à en faire autant, alléguant qu'il aurait besoin de le faire à un moment ou l'autre de son explication. À partir de cet instant, la jeune femme se lança dans un récit qui tenait de la chimère aux oreilles de Laurencio. Il lui sembla que Cristina Cruz avait entrepris de lui lire à haute voix un ouvrage d'une vaine imagination, qu'il aurait pu cataloguer dans le genre fiction politique à bon marché. Il était, lui, le fils de Soledad, au centre de cette histoire abracadabrante. Il apprit qu'une fois sur des milliers il arrivait qu'une personne soit élue, à son insu, par l'État. Ce qui éveillait l'attention sur cette personne, c'était bien sûr la qualité du dossier confidentiel qui accompagne l'individu, depuis l'école élémentaire jusqu'aux études supérieures, en passant par le service militaire. Seuls les parcours parfaits étaient retenus et, de là, les éléments les plus brillants étaient élus. L'État entreprenait alors d'approfondir ces sujets et on faisait appel aux agents des services nationaux pour scruter à la loupe ces candidats exceptionnels.

— Mais pourquoi?

Cristina expliqua que c'était là la façon de faire du Parti pour assurer son avenir et la grande qualité de la machine politique dans l'entourage immédiat du *lider Maximo*, le président. On filtrait le peuple comme un chercheur d'or filtre le sable, et les pépites brillantes ainsi découvertes étaient un potentiel précieux pour la continuité d'un État fort et sain. Le polissage de ces pépites brutes s'effectuait ensuite durant deux ou trois ans de formation politique et on assurait ainsi un renforcement prestigieux des hautes sphères de l'édifice du pouvoir.

— C'est ainsi que ça fonctionne, dit Cristina Cruz.

— Mais enfin... pourquoi moi?

— Pourquoi vous? répéta Cristina, souriant à la naïveté de la question. Votre dossier porte la mention «exceptionnel», parmi les sujets cotés «brillants». On raconte qu'en haut lieu votre nom figure au sommet des listes les plus créditées et qu'une fois votre formation terminée vous seriez promis à un avenir éclatant au sein de notre gouvernement. Comprenez-vous bien ce que ça veut dire?

— J'avoue que j'ai un peu de difficulté, dit Laurencio, en s'asseyant enfin.

— Tout simplement qu'il n'en tient qu'à vous d'appartenir à la caste la plus privilégiée de notre système politique.

— Je suis né d'une fillette de treize ans, j'ai vécu et grandi dans une famille de *guajiros*, dans un petit bourg de campagne, ma mère est morte assassinée à dix-sept ans. Je n'ai rien fait d'extraordinaire, je n'ai même pas été un héros de guerre en Angola ou ailleurs. Pourquoi moi?

Cristina le regarda avec attendrissement. Elle avait envie de le prendre dans ses bras tant elle le trouvait beau avec ses cheveux défaits et son air éperdu. C'était la première fois qu'elle le voyait ainsi: le jeune directeur audacieux et téméraire qu'elle côtoyait depuis un peu plus d'un mois était soudain devenu un jeune homme plein de doute, presque fragile. Elle osa tendre la main jusqu'au visage de Laurencio et l'amena doucement à la regarder. Les yeux verts de Laurencio lui parurent encore plus troublants sous le voile léger de l'égarement.

Cristina Bolivar-Cruz, de son entier patronyme, était issue d'un milieu modeste. Sa mère avait été à l'emploi d'un hôpital de La Havane durant trente ans et souffrait aujourd'hui d'un grave décollement de la rétine des deux yeux qui la handicapait d'une cécité à soixante-dix pour cent. Son père avait consacré sa vie à une carrière militaire active qui l'avait entraîné au cœur de lointains conflits africains où il s'était illustré comme un redoutable soldat. Cristina avait été une enfant volontaire, studieuse et organisée et avait, comme Laurencio, effectué un cheminement brillant remarqué. Aujourd'hui, elle avait la vie qu'elle avait toujours voulue et prenait soin de ses parents retraités du mieux que ses occupations le lui permettaient. Quelques années auparavant, un mauvais mariage avec un fonctionnaire frivole et inconstant avait perturbé son existence pendant quelques mois, mais elle avait remis de l'ordre dans sa vie en obtenant le divorce. Tout ce qu'il lui restait de cette relation, c'était une aversion pour le mensonge et la perfidie en amour ; un rejet violent et systématique des hommes à petite moustache noire et un magnifique stylo d'un bleu nacré à la plume en or.

Cristina regarda Laurencio et songea qu'à trente-deux ans elle n'avait jamais expérimenté des emportements intimes aussi fulgurants et authentiques que ceux qui l'habitaient devant lui. Il lui suffisait de le regarder, comme elle le faisait à l'instant, pour que le flux de son sang s'affole dans ses veines et qu'elle se sente chavirée. Cette attirance vertigineuse lui évoquait les souvenirs de plongée dans les eaux antillaises de son adolescence, quand les profondeurs abyssales exerçaient une fascination délectable sur elle. Lorsqu'elle regardait Laurencio, elle se sentait au bord d'un gouffre, attirée vers le vide et paralysée de crainte.

Les choses eussent été tellement simples si elles n'avaient interpellé que l'épiderme, si ces effets physiologiques n'avaient été que les signaux du langage de la chair. Le fait est que Cristina se sentait investie de tellement de douceur, de tendresse et d'affection envers Laurencio qu'elle savait en son âme et conscience qu'il s'agissait d'amour véritable. Dans le rôle qu'elle avait à jouer auprès de lui durant leur séjour à l'étranger, elle accordait force de loi à une seule idée : protéger le jeune homme, lui éviter toute erreur et, le cas échéant, corriger illico celle qui se serait malgré tout glissée dans le parcours. Elle était amoureuse de Laurencio et serait donc sincère et vraie avec lui, au risque de perdre tout le reste. Elle trouvait exaltante l'idée de se fabriquer de toutes pièces l'argument de sa vie, celui vers lequel elle pourrait se retourner sans craindre la honte, à l'hiver de ses jours, et qui témoignerait d'un moment d'intégrité sans compromis dans son existence. Pouvoir se dire un jour : « J'ai tout risqué, tout, par amour pour lui. Je n'ai rien escamoté, je n'ai pas triché ni louvoyé, et je suis allée au bout de mon cœur une fois. » Et si quelqu'un était digne d'un tel engagement de sa part, c'était bien Laurencio Alcázar-Estebán.

— À quoi pensez-vous, Cristina ?

— Heu... je me disais que... je reprendrais bien un verre. Pas vous ?

Laurencio acquiesça d'un signe de tête. Elle se leva et se chargea du service.

Il la regarda se déplacer et le moindre de ses gestes lui parut différent. Avait-il vraiment entendu la *señorita Cruz* lui parler de tout cela ? Durant toutes ces années, il avait cru à la solitude de son existence s'écoulant en silence dans un petit village de six maisons avec pour tout regard bienveillant sur les secrets de son cœur celui de Soledad attendant dans l'au-delà que son fils tienne sa promesse. Voilà que tout à coup il découvrait que les Services nationaux, l'entourage du président, l'État le suivaient dans les moindres méandres de sa progression depuis l'école primaire. Un doute terrifiant le parcourut en un frisson généralisé et il éprouva une angoisse sourde. Qu'est-ce que tous ces gens, qui s'intéressaient à lui depuis si longtemps, savaient exactement ? Était-il possible qu'ils fussent au fait de ses intentions vengeresses ? Peut-être. De son geste sur Sebastian Mendez ? Sûrement pas. Ni lui ni Jesus Griego ne furent jamais inquiétés par les autorités. Selon les dires de Cristina Cruz, sa vie entière était consignée dans ce dossier, mais que signifiait au juste « vie entière » ?

— Vous m'avez sérieusement secoué, Cristina. Je ne me serais jamais douté d'une telle chose. Comment dois-je vous... Enfin, il me semble peu probable que je parvienne à vous considérer comme une secrétaire à l'avenir.

— Prenez-moi pour ce que je suis : votre amie et votre alliée. N'ayez aucune méfiance, aucune appréhension. Accordez-moi une confiance égale à celle dont j'ai fait preuve envers vous. S'il arrivait aux oreilles de mes supérieurs, de la banque ou du Service, que je vous ai affranchi, je n'aurais plus qu'à me réserver un coin de plage pour y vendre des objets d'artisanat aux touristes, et encore !

— Très bien. Amis. Nous verrons bien !

— Laissez-moi vous donner une preuve supplémentaire de ma sincérité.

— Je n'en ai pas besoin, Cristina.

— Je suis heureuse de vous l'entendre dire, mais j'insiste.

— Alors, allez-y.

— Plus tard. Je meurs de faim, pas vous ? Je voudrais vous emmener au restaurant, ce soir. Qu'en pensez-vous ?

— Au restaurant ? Pourquoi pas ?

— Je file me préparer. Faites-en autant : chemise blanche, cravate et ce magnifique complet bleu nuit que vous portiez ce matin, en arrivant. Il est seize heures trente ; je passerai vous prendre dans une heure et demie.

Elle déposa son verre et sortit de la chambre. Laurencio fut aussitôt envahi par une désagréable émotion, un salmigondis de sentiments divers. La colère et la crainte se mêlaient au doute et au regret. Peut-être aurait-il dû se montrer plus détaché et désinvolte à l'audition de cette mise au point de Cristina. La bonne attitude eût été, peut-être, d'affecter une légère surprise teintée d'amusement afin de se préserver de toute suspicion de la part de la jeune femme. L'idée que celle qu'il avait prise pour une secrétaire, ayant pour finalité de l'appuyer dans sa mission commerciale, était une espionne le perturbait. La même question revint s'imposer : Qu'est-ce que ces gens, qui semblaient tout connaître à son sujet, savaient encore, que Cristina Cruz n'avait pas dit ? Laurencio fut transpercé par un sentiment aigu de paranoïa. Peut-être que les profondeurs de son âme, qu'il avait toujours considérées comme une thébaïde dont lui seul pouvait à loisir franchir les limites, étaient un territoire moins vierge que ce qu'il s'était imaginé ? Peut-être n'était-il qu'un livre ouvert où ses moindres intentions s'étalaient aux regards de tous ? Comment une telle chose pouvait-elle être possible ? Comment une idée ayant germé dans son cœur d'adolescent et s'étant développée durant de longues années dans le mutisme le plus forcené pouvait-elle soudain relever du domaine public ? Cet amour que Cristina lui avait avoué, était-ce pour le meilleur ou pour le pire ? Le garçon savait que l'amour sans écho d'une jeune femme passionnée peut engendrer l'un comme l'autre. Pouvait-il avoir confiance en elle ou devait-il être sur ses gardes ? Il se secoua. Il lui fallait se défaire de cette hantise et se ressaisir. Il lui fallait recouvrer l'assurance et la confiance que le discours de Cristina Cruz lui avait dérobées. Après tout, il n'y avait pas lieu de s'inquiéter tant et aussi longtemps qu'il s'en tiendrait au rôle de directeur commercial.

Le temps avait filé durant ses jongleries, et Laurencio s'éjecta des oreillers où il s'était adossé et assoupi. Il disparut dans la salle de bains et, changeant de costume suivant les directives de Cristina, il prit soin de transférer son petit carnet noir d'une poche à l'autre et rangea sur des cintres veston et pantalon qui traînaient tel que le lui avait recommandé Xiomara. À l'heure dite, il était fin prêt et s'assit au bord du lit. Il songea, sans comprendre par quel cheminement de la pensée il en arrivait là, à ce jour où, en compagnie de Jesus, il avait tenté sans succès de retrouver la trace d'une amie d'enfance à Santiago. Il avait à peine quatorze ans et son cœur battait déjà pour cette jeune fille, qu'il n'avait pas revue depuis la petite enfance. Il se souvint successivement de la vive déception de ce jour-là et de la joie grisante des retrouvailles dans la cuisine des Vicario. Il sourit à l'image de Yasmin debout devant lui, rejetant sa toison de cheveux flamboyants vers l'arrière d'un mouvement vif de la tête. Puis, il se remémora leurs ébats amoureux dans l'herbe haute et sur le rocher de *la caleta*. Il entendit le rire clair de la jeune fille résonner à ses oreilles et se sentit tout à coup loin, très loin, et son humeur se chargea de tristesse. Que faisait-il dans cette chambre d'hôtel au bout du monde, alors que là-bas un être merveilleux n'attendait qu'un mot de sa part pour qu'aussitôt ils unissent leurs existences, fondent un foyer, fassent des enfants? Il pensa que ce serait peut-être magnifique d'accepter jusqu'au bout d'être «l'élu» dont avait parlé Cristina Cruz, de devenir membre de la caste la plus privilégiée du pays, d'offrir à Yasmin une vie pleine d'aisance et de confort. Après tout, il méritait bien cette récompense. Il s'était distingué toute sa vie par ses efforts, ses études brillantes, son travail sérieux et n'avait plus qu'à faire un succès de cette mission commerciale pour que sa réussite soit totale. Il n'avait pour cela qu'à faire marche arrière: oublier le terrible cauchemar de son enfance, oublier que sa mère avait été fauchée dans la fleur de l'âge, oublier l'injustice faite au pauvre Pedro Montilla, oublier la peine qui l'habitait depuis plus de quinze ans, qui avait presque détruit Jesus, celle de Xiomara et Pépé Vicario, oublier que des assassins vivaient impunément dans ce pays. Il n'avait qu'à effacer à tout jamais de son esprit le plan de vengeance qu'il avait échafaudé. Qui lui eût reproché de vouloir être heureux enfin ? Sûrement pas Soledad, qui, au dire de Xiomara, n'avait rêvé que de ce qu'il y avait de mieux pour lui. Laurencio fut envahi d'une telle confusion qu'il prit sa tête dans ses mains et soupira à fendre l'âme. On frappa à la porte de sa chambre.

□

Dans le taxi venu les cueillir à l'entrée de l'hôtel, Laurencio et Cristina échangeaient des remarques pleines d'étonnement en regardant dehors. Par cette fin d'après-midi de congé dominical, ils roulaient à une allure régulière dans des rues sans encombre. Ce qui suscitait l'emballement de Laurencio plus que la taille des immeubles était la salubrité apparente de la ville. Les trottoirs, les rues étaient exempts du moindre déchet ; ni papiers roulant dans les caniveaux, ni restants de casse-croûte transformés en festin de pigeons, ni bouteilles vides au pied des bancs de parc, comme à Matanzas ou à La Havane. Cette relative tranquillité de dimanche soir dans une propreté irréprochable insuffla à Laurencio un sentiment agréable d'ordre et d'organisation.

— J'aime beaucoup cette ville, dit-il. C'est haut, c'est grand, sans être menaçant.

— Montréal a une excellente réputation sur le plan de la qualité de vie ; mais nous roulons en ce moment dans les beaux quartiers, dit Cristina. Il y a l'autre extrémité de la ville : l'Est.

— C'est la zone, l'envers du décor ?

— Disons seulement que de ce côté-ci on tolère mal de voir ses activités journalières contrariées par des choses disgracieuses traînant sur le trottoir. De l'autre côté, par contre, il est fréquent de devoir enjamber un miséreux sans abri pour pouvoir continuer son chemin.

— C'est aussi net que ça ?

— Aussi net qu'entre bien nanti et démuni. Si vous voulez, nous irons nous promener dans l'autre direction dans quelques jours. Il y a aussi des endroits des plus agréables. Ça n'est quand même pas l'enfer.

« Bien sûr que non, pensa Laurencio. Il n'y a pas d'enfer, pas plus que de paradis. Ça serait trop facile, ça excuserait trop de choses. Il n'y a que des existences heureuses ou misérables, et derrière l'un et l'autre de ces destins une société responsable du bien comme du mal. »

— Oui, j'apprécierais que vous m'y conduisiez. Si ça ne vous ennuie pas, bien sûr. Parce qu'il faut que ce soit clair. Vos journées libres vous appartiennent. Vous les employez à votre guise.

— Rien ne me sera plus agréable que de vous servir de guide, Laurencio. Pour commencer, vous me direz ce que vous aurez pensé du restaurant où je vous emmène. Nous arrivons, c'est là. Chauffeur, arrêtez-vous ici, s'il vous plaît.

— Vous parlez bien notre langue, dit le chauffeur, qui n'avait rien saisi de leur discussion en espagnol.

— Merci. Puis-je avoir un reçu, s'il vous plaît ?

Elle paya la course, prit le bout de papier que l'homme lui tendait et sortit de l'auto, immobilisée le long du trottoir devant les portes élégantes d'un magnifique restaurant dont la baie vitrée immense en verre fumé affichait en lettres tubulaires et chromées le nom évocateur de *La Florentina : Ristorante*. Laurencio rejoignit Cristina devant la porte, qu'il ouvrit pour elle, dans un geste de galanterie que la jeune femme apprécia d'autant plus que, lors d'un précédent voyage, son patron ventru et sans délicatesse lui avait lâché une porte en plein visage en entrant le premier, sans se soucier d'elle. Elle sourit à ce souvenir.

— Qu'avez-vous ? Qu'est-ce qui vous amuse ?

Elle lui raconta l'anecdote en quelques mots et ils s'arrêtèrent à l'entrée de la salle à manger, où les attendait un maître d'hôtel tiré à quatre épingles. L'homme leur demanda de le suivre et les conduisit à une table magnifiquement engoncée dans une sorte d'alcôve, située dans un coin de la grande pièce, ni trop loin ni trop près d'un âtre de pierre immense. Cristina et Laurencio prirent place, échangèrent quelques commentaires en espagnol sur le décor, dont l'aménagement particulièrement soigné était digne des plus beaux effets de la Renaissance italienne. Des tableaux sur les murs très hauts côtoyaient des tapisseries hallucinantes de détails et des éclairages judicieux dévoilaient ces richesses sans ostentation. C'était le genre de lieu fait pour les longs tête-à-tête où le temps n'existe pas. Une musique de fond audible sans être dérangeante flottait dans l'immense salle à manger. Cristina et Laurencio consultèrent le menu et le jeune homme s'en remit à l'expertise de sa compagne pour l'élaboration de son repas. Cristina se chargea de cette tâche avec le même plaisir qu'elle prenait à lui rendre quelque service que ce fût. Cette fois, Laurencio ressentit l'inclination des sentiments de la jeune femme derrière son zèle. Jusqu'à l'aveu fait plus tôt dans la chambre d'hôtel, il mettait le dévouement de Cristina Cruz sur le compte d'une remarquable qualité professionnelle ; mais là, en la regardant choisir méticuleusement pour lui ce qui devait lui procurer les plaisirs délicats de la table, il vit une femme éprise et tendre. Elle fit ses suggestions, qu'il agréa l'une après l'autre, en réitérant son entière confiance. Le garçon de table apporta une bouteille que Cristina avait choisie, l'ouvrit et la déposa afin que le vin respirât. Puis il revint quelques minutes plus tard et servit. Quand il se fut retiré, Cristina saisit son verre et le leva devant elle ; Laurencio l'imita et ils trinquèrent.

— À l'affection, à l'amitié et à la confiance qu'elle implique, dit la jeune femme.

— À la confiance.

Ils burent. Laurencio promena son regard sur le décor et soupira d'aise. Cristina, qui ne le lâchait pas des yeux, remarqua son bien-être.

— L'endroit vous plaît ?

— L'ambiance est superbe.

— Et ce qu'on y mange en est digne à ce qu'il paraît.

— Comment... mais... c'est la première fois que vous y venez ? J'étais sûr que vous connaissiez.

— De réputation. Dites-moi, ne trouvez-vous pas qu'un restaurant comme celui-ci, dans quatre ou cinq de nos centres touristiques importants, serait un investissement à considérer ?

— J'ignorais que nous venions ici pour travailler.

— Pourquoi ne pas joindre l'utile à l'agréable ? Alors, qu'en pensez-vous ?

— Sans doute. Cette forme d'investissement s'inscrit parfaitement dans le cadre de notre mission.

Ils poursuivirent leur conversation à mi-voix, tandis que les plats commençaient à arriver. Ils mangèrent, burent et plaisantèrent, et Laurencio sentit tomber la tension de son premier voyage en avion et du tête-à-tête avec la délégation du consulat. Il repensa à quelques reprises pendant le repas aux formidables aveux de Cristina. La première journée n'avait pas encore décliné que déjà il savait que la jeune femme était beaucoup plus que la simple secrétaire de direction qu'on avait bien voulu lui présenter et qu'elle avait pour lui des sentiments ardents qu'il n'avait soupçonnés à aucun moment. La prétendante l'embarrassait davantage que l'espionne. Il savait comment faire face à la seconde, mais quand il la regardait parler, passer sa main dans ses cheveux, cligner langoureusement des paupières sous l'effet du bon vin, il ignorait s'il tiendrait longtemps tête à la première. C'était une expérience toute neuve pour Laurencio qu'un tel sentiment dubitatif. Son amour pour Yasmin avait toujours été à l'abri de tels assauts et jamais rien n'avait pu l'ébranler, pas même le funeste projet qui régissait sa vie entière. Dans le clair-obscur caressant et la sérénité de cette soirée, que les concertos brandebourgeois de Jean-Sébastien Bach grisaient en sourdine tout autant que le vin, la beauté inéluctable de Cristina s'imposait et lui valait des impulsions de désir coupable. Il ressentait les onze ans de plus de Cristina comme autant d'incitations supplémentaires à se laisser aller à l'appétence qui tenaillait son corps. Il pensa qu'il était heureux qu'ils fussent séparés par une table dans un lieu public, convaincu que dans l'intimité il aurait déjà rendu les armes dans une abdication sans condition. La jeune femme le regarda fixement. Il y avait dans son grand regard gris-bleu la grâce et la suavité d'un matin de brume au-dessus des eaux. Laurencio sut aussitôt qu'y pénétrer était se couper du reste du monde, s'y perdre avec délectation, dans un état tel que le moindre frisson de l'épiderme résonne comme un cri de la chair, implorant les caresses du bout des lèvres et des doigts.

— Si nous passions aux choses sérieuses...

— Qu'est-ce que... Enfin, que voulez-vous dire ? bredouilla Laurencio, tiré de ses rêveries.

— Il est temps, je crois, que je vous donne cette preuve de loyauté que je vous ai promise. Vous n'avez pas oublié ?

— Non. Bien sûr que non, mais... croyez-vous vraiment que le moment est...

— Il ne saurait l'être mieux, coupa-t-elle. Vous verrez.

Laurencio se secoua et se redressa sur sa chaise. Il lui sembla que la soirée allait prendre un virage et il se serait attendu à tout, excepté à ce qui allait survenir.

— Je suis sûre qu'avant de partir de l'hôtel vous n'avez pas omis de ranger votre petit carnet dans la poche de votre veston.

— C'est vrai, mais qu'est-ce que mon carnet vient faire...

— J'y arrive. Je n'ai jamais eu sous les yeux, je le jure, le contenu de ce carnet. Cependant, je crois pouvoir dire sans me tromper qu'en l'ouvrant j'y trouverais trois noms.

Elle fit une pause, puis précisa :

— David Sloman, Mike Capplan et Tony Bellini.

Laurencio fut figé de surprise. Il y avait un monde entre avoir lu ces noms confinés dans un dossier qu'elle avait étudié sous toutes ses coutures et les deviner dans ce carnet qu'elle n'avait jamais feuilleté.

— Continuez, dit-il, mine de rien.

— Ces hommes sont ceux que vous avez toujours considérés comme les assassins de Soledad, votre mère. Je crois savoir pourquoi vous êtes ici, Laurencio.

— Quelle sorte de secrétaire seriez-vous si vous ne le saviez pas ?

— Vous comprenez parfaitement ce que je veux dire et, s'il est vrai que vous êtes directeur des relations commerciales avec l'étranger pour tout le monde, y compris ceux qui m'emploient pour vous surveiller, je sais, moi, que vous êtes habité par l'idée de venger votre mère, que jamais vous n'avez oublié qu'elle fut sauvagement violée et tuée par trois touristes sans scrupule. Vous êtes aujourd'hui presque à leurs portes, alors qu'ils s'imaginent depuis plus de quinze ans à l'abri de tout châtiment. J'ai à la fois envie de vous demander pardon de remuer tant de douloureux souvenirs et la conviction que ce que j'évoque ne vous quitte jamais, de toute manière. Je le vois dans vos yeux, Laurencio.

Cristina Cruz y était parvenue. Elle avait réussi, à force d'observation, de réflexion aiguë et d'intérêt pour le cœur de Laurencio, à percer le mystère qu'elle pressentait en marchant vers l'avion qui devait les emporter.

Laurencio resta muet quelques instants en la dévisageant intensément.

— Vous êtes magnifique, Cristina Cruz. Absolument merveilleuse. Et si je m'ouvrais à vous, que se passerait-il ?

— J'aimerais tant que vous le fassiez, Laurencio Alcázar, mais...

Elle se tut, le temps pour le garçon de table de verser dans leurs verres ce qu'il restait de pinot noir.

— Madame, monsieur, tout est à votre goût ?

— Tout est parfait, dit Cristina. Voulez-vous demander au patron de venir nous voir, s'il vous plaît ?

— Heu... bien sûr, madame, dit le serveur, un peu surpris.

Il se retira avec la bouteille vide. Laurencio regarda sa compagne d'un air perplexe.

— C'est le moment de lui donner notre carte et de l'inviter au cocktail que nous allons organiser.

— Vous êtes si déconcertante. J'avoue que j'ai de la difficulté à vous suivre par moments. Je crois avoir devant moi l'agent des services nationaux et je vois surgir la secrétaire.

— Pourtant, depuis quelques heures déjà, vous ne devriez plus voir que la femme, dit-elle avec un profond accent de sincérité.

Elle tourna la tête vers un homme au fond de la salle.

— Voilà le patron de l'endroit. Je vous présente ; ensuite, je lui parle. Laissez-moi faire jusqu'au bout.

L'homme traversa la salle à manger en souriant aux clients au passage. Il s'arrêta à une table pour serrer la main d'un gros homme accompagné de deux femmes lourdement fardées et continua son chemin jusqu'à Cristina, qui lui décocha son plus somptueux sourire.

— *Good evening*, dit-il en s'approchant.

Cristina entreprit de lui parler dans un anglais impeccable. Elle se nomma et tendit la main.

— Votre restaurant nous a été fortement recommandé et nous en sommes très heureux, dit-elle, en se tournant légèrement sur sa chaise.

Elle expliqua en quelques phrases limpides la mission commerciale dont ils étaient chargés et l'intérêt qu'ils portaient à la possibilité de faire des affaires avec le patron d'un établissement d'une telle qualité.

— Je voudrais vous présenter le directeur de cette mission, Monsieur Alcázar-Estebán.

Laurencio se leva et tendit la main. L'homme, de taille moyenne, fut manifestement étonné par celle de son client. Il leva un visage bronzé et souriant ; Laurencio vit une cicatrice près de l'œil gauche qui se perdait dans les rides du sourire.

— Tony Bellini, dit-il, très heureux.

— Monsieur Alcázar et moi, reprit vivement Cristina, voudrions vous inviter à une soirée rencontre dans une quinzaine de jours. Croyez-vous la chose possible, monsieur Bellini ?

Tandis que Cristina tendait à l'homme un carton d'invitation tiré de son sac à main, Laurencio eut l'impression qu'on venait de frapper violemment un énorme gong placé dans son oreille. Le nom de Bellini résonnait dans sa tête comme les cloches de Cárdenas au matin du Nouvel An. Il se rassit machinalement, absent, hors de toute conscience, mais se fit rapidement violence pour tenter d'observer l'individu sans se départir de l'attitude du directeur commercial. Tony Bellini avait bien traversé le temps et portait la soixantaine avec autant d'élégance que son costume gris finement rayé. Il était resté mince et porté sur les bijoux en or. Sa chevelure noire d'avant était maintenant entièrement grise, le regard était toujours aussi perçant, le teint floridien et le sourire éclatant, bien qu'avec un je-ne-sais-quoi de méprisant. Après tant d'années, Laurencio mettait enfin un visage sur le nom d'un des assassins de sa mère. L'individu lui sembla mériter toute la haine du monde. Malgré le raffinement évident et les manières civilisées, il le trouvait hideux et la petite cicatrice, près de l'œil, prenait des allures d'horrible mutilation. C'était à peine possible. Il n'y avait pas une journée qu'ils étaient arrivés et il en avait trouvé un. Il n'avait qu'une envie : se lever et lui planter sa fourchette à dessert dans la gorge. Était-ce là la preuve de loyauté dont avait parlé Cristina ? Cela ressemblait davantage à un piège. Il entendit la jeune femme prononcer son nom, sortit des limbes et se tourna vers elle.

— N'est-ce pas, monsieur le directeur ? demanda-t-elle en souriant.

— Absolument.

Puis il vit Bellini acquiescer par un sourire et une courbette, et se retirer, l'invitation à la main, en leur souhaitant une excellente fin de soirée.

— Il viendra, dit Cristina en se tournant de nouveau vers Laurencio. Ça vous en fait un.

— Où voulez-vous en venir ?

— Vous n'avez pas encore compris ? Je veux vous aider. Vous y arriverez peut-être seul mais, ensemble, c'est une certitude. Laissez-moi le faire avec vous, je vous en prie : ayez confiance en moi.

— Savez-vous ce que vous risquez à être mêlée à ce genre de chose ? Et d'abord, pourquoi y tenez-vous tant ?

— Faut-il que je vous le répète ? Parce que je vous aime, Laurencio. Je vous...

— Attendez. Retournons à notre hôtel si vous le voulez bien. Je dois sortir d'ici.

Cristina fit un signe au serveur, qui s'approcha tout sourire, et demanda l'addition. À leur grande surprise, celui-ci les avisa que le repas leur était offert par Monsieur Bellini. Ils firent transmettre de chaleureux remerciements et se levèrent pour marcher vers la sortie. Laurencio ressentit encore à cet instant un doute. Avait-il véritablement tenu la main, il y avait quelques instants à peine, d'un des responsables de son malheur ? Avait-il fini par apercevoir enfin une des têtes de la chimère de la vieille Gisela Catala ? Dans la seconde qui suivit, il en fut convaincu.

Chapitre 9

UNE PLUIE FINE s'était mise à tomber et s'était rapidement intensifiée pendant leur trajet de retour en taxi. Il tombait des hallebardes. Lorsque le véhicule s'arrêta le long du trottoir, au croisement des rues Saint-Antoine et Université, Laurencio et Cristina durent se précipiter vers le hall d'entrée du Delta, sans cependant pouvoir éviter la douche. Ils croisèrent un groupe d'Asiatiques élégamment vêtus en marchant vers l'ascenseur et disparurent derrière les portes, qui glissèrent mollement pour se refermer.

— Qu'y a-t-il à mon agenda pour demain ? demanda Laurencio.

— Rien d'important. Je veux dire, aucun rendez-vous. Juste une certaine préparation entre vous et moi, en vue des deux rencontres de mardi. C'est une journée volontairement légère, pour nous permettre de nous acclimater.

— Je ne suis plus fatigué. Cette douche m'a revitalisé, et vous ?

— Moi aussi. Je propose qu'on se sèche et qu'on se rejoigne en bas, au bar de l'hôtel.

— Ce que nous avons à nous dire n'est pas pour toutes les oreilles, surtout pas pour celles qui traînent dans ce genre de lieu.

— Vous avez raison. Venez dans ma chambre après vous être changé.

— Vous me prêterez une serviette et ça ira, dit Laurencio en la prenant par le bras.

Cristina entra la première et fila aussitôt à la salle de bains pour revenir avec une serviette de bain moelleuse, qu'elle lui tendit.

— Je vais me changer. Vous m'excusez un instant?

— Bien sûr.

— Mettez votre veston à sécher sur le dossier de la chaise, là, dit-elle, en disparaissant de nouveau.

Laurencio retira sa veste et se déplaça dans la pièce en se frictionnant énergiquement la tête avec la serviette, qu'il laissa ensuite autour de son cou. Il alla écarter les rideaux pour regarder dehors. Il ne pouvait voir, de cette chambre, que la façade d'un grand complexe et ses multiples baies vitrées illuminées. La Place Bonaventure, avait dit Cristina. Il eut une pensée nostalgique pour Jesus Griego, son complice des premiers jours. Il eût été heureux de pouvoir lui parler, là, tout de suite, de pouvoir lui dire qu'ils en tenaient un, que ça s'était fait si facilement qu'il avait encore peine à le croire. Que Bellini avait été si près de lui qu'il aurait pu le tuer sur place. Qu'il aurait pu l'exécuter aussi simplement qu'ils l'avaient fait de Sebastian Mendez. La pensée de Laurencio eut à peine le temps de bifurquer vers Yasmin; il se dit qu'il devrait lui téléphoner au plus tôt. Cristina Cruz sortit alors de la salle de bains en agitant de la main sa chevelure défaite pour finir de la sécher.

— Voulez-vous nous servir le digestif que nous n'avons pas eu le temps de prendre après ce bon repas? Qu'est-ce que vous en dites?

— Je suis ennuyé de vous avoir tant pressée, Cristina, mais il fallait absolument que je quitte cet endroit après avoir côtoyé Bellini.

— Ne soyez pas désolé, je comprends parfaitement cela. Je n'ai que des félicitations à vous faire pour votre sang-froid. J'ai parié sur vous et j'ai gagné. Je savais que vous passeriez l'épreuve, et elle était de taille! D'autres à votre place auraient perdu toute contenance. Vous êtes fort.

— Mais je ne suis qu'un enfant de chœur comparé à vous. Vous me conduisez où vous voulez. J'ai l'impression d'être une marionnette entre vos mains.

— Je n'ai aucune intention malveillante. Je ne voulais que vous en convaincre pour que vous cessiez de vous méfier de moi. La meilleure façon était de me rapprocher autant que possible de vous. N'est-ce pas comme ça qu'on fait quand on veut protéger quelqu'un ?

Laurencio la regarda parler et il lui trouva une fois de plus une douceur qu'elle ne laissait pas souvent entrevoir. Il se rendit compte qu'il s'était laissé gagner par la confiance et la conviction que Cristina Cruz était un ange gardien qui ne lui voulait que du bien. Qui sait, peut-être était-elle envoyée par Soledad elle-même ? Elle lui apparaissait comme une créature affectueuse et sans malice, dont il ressentait l'inclination. Il la trouva belle à ravir dans la sortie de bain en grosse ratine blanche de l'hôtel qu'elle avait endossée. Elle marchait pieds nus sur l'épais tapis de la chambre, la ceinture bien nouée autour de la taille, les cheveux libres sur le dos en une toison fournie et sombre tranchant sur la blancheur du vêtement. Elle se pencha vers le petit frigo et l'ouvrit.

— Puisque vous ne vous décidez pas, je vais nous servir.

— Pardon, je vous regardais et je...

— Continuez, ne vous arrêtez pas : je vous écoute. Ne me dites surtout pas que vous ne savez pas à quoi vous en tenir. Je ne sais plus quoi inventer pour vous convaincre de ma sincérité.

— Détendez-vous, Cristina Cruz. Je suis vaincu et je ne doute plus de vous, mais il y a un million de questions que je veux vous poser.

Il saisit le verre qu'elle lui offrait.

— Commençons tout de suite alors, dit-elle en s'asseyant.

Elle prit place dans un des deux fauteuils disposés face à face dans un coin de la chambre et s'y lova confortablement, repliant sous elle ses jambes lisses et ambrées sous la lumière filtrée des abat-jour. Elle but une gorgée et leva ses yeux clairs sur lui.

— Je vous dirai tout ce que vous voulez savoir. Vous n'avez qu'à demander.

Laurencio saisit le second fauteuil et le rapprocha afin d'être le plus près possible d'elle. Il s'y installa, passa une main énergique dans ses cheveux et plongea un regard déterminé dans celui de Cristina. Elle soutint ce regard sans sourciller et sa poitrine se souleva sous la ratine blanche, dans un soupir discret et retenu. Il aurait suffi de pas grand-chose dans l'ordre de cet instant suspendu et c'en aurait été fait d'elle. Elle se serait donnée corps et âme à ce jeune homme qui, d'un seul regard, provoquait autant de choses délicieuses jusqu'au fond de ses entrailles. Mais la détermination de Laurencio était sans équivoque et ne convoitait que quelques réponses, en dépit de tout ce qu'elle se sentait prête à lui offrir.

— Vous m'avez dit être la seule à connaître mes secrets, Cristina.

— C'est vrai.

— Alors, répondez-moi s'il vous plaît, d'où tenez-vous tout ce que vous savez à mon sujet et pourquoi êtes-vous si sûre de ne pas vous tromper sur mes intentions de vengeance ?

— Très bien. Finissons-en. Après, je n'aurai plus rien à cacher. Vous saurez tout.

— Je vous crois sur parole.

Cristina regarda le fond du verre qu'elle tenait à la main et fit tourner lentement les glaçons dans le liquide aux reflets dorés, puis elle leva résolument les yeux vers Laurencio.

— Quand on m'a appelée aux bureaux de La Havane pour m'assigner ce travail par le biais de mes fonctions à la banque, je ne savais rien de vous. Ce n'est que quelques jours plus tard qu'on m'a remis votre dossier pour que je l'étudie, en long et en large, avant notre première rencontre. Après que nous ayons fait connaissance, au bout d'une semaine, souvenez-vous, j'ai pris un congé de deux jours, que j'ai passé avec mon père et ma mère, chez moi, à La Havane. C'est en parlant avec mes parents de mon nouveau patron que j'ai dû citer votre nom.

— Et alors ? fit Laurencio, suspendu à sa bouche.

— Alors, mon père me fit répéter ce nom et me raconta qu'il avait connu un Laurencio Alcázar-Estebán quand il était encore actif dans l'armée. Et sans même que je le lui demande, il me décrivit un jeune homme aussi brillant que fougueux et volontaire, d'une force intérieure comme il en avait rarement rencontré dans sa longue vie de militaire. Un jeune homme plein de douleur et de détermination, avec lequel il s'était lié d'amitié ; en conséquence de quoi, le garçon lui avait fait des confidences d'un ordre privé, que mon père refusa de nous livrer, à ma mère et à moi. Il avait juré, disait-il, de garder le secret ; et mon père est un homme d'honneur. Mais il n'eut qu'à raconter comment la mère de ce garçon avait été assassinée par trois touristes pour que je vous reconnaisse sans l'ombre d'un doute, Laurencio.

— Votre père...

— Je suis Cristina Bolivar-Cruz. Le sergent Luis Bolivar est mon père.

Laurencio demeura profondément perplexe. L'évocation du sergent Bolivar s'était accompagnée de la terrible conviction d'une grave erreur de parcours. Durant toutes ces années, Laurencio n'avait cédé qu'une seule fois à la tentation de se délester du poids de son terrible projet, et il avait fallu que le bénéficiaire de cet unique moment de faiblesse ait une fille dans les services secrets du pays. Il y avait bien seize ou dix-sept millions d'âmes sur son île et le sort, par une maîtrise facétieuse, l'avait conduit jusqu'au sergent Bolivar. Jusqu'à sa fille, Cristina Cruz, assise là, devant lui. Pour Laurencio, il restait à trancher sur les intentions véritables de ce fatum, qu'il conçut tout à coup comme un despote régnant sur toute son existence, d'un pouvoir incontestable. Était-il élu ou condamné ? Quel était son apanage ? Le destin était-il un allié ou un adversaire ? Il sentit qu'il devait dans l'instant même jouer le tout pour le tout et choisir la bonne carte, comme ces joueurs de baccara qu'il avait vus dans un film à la télé sur la fin du régime Batista. Il alla chercher l'inspiration dans le regard émouvant de Cristina. La tête légèrement penchée sur le côté, la jeune femme lui souriait tendrement, mordillant le bord de son verre dans une attitude à la fois inquiète et abandonnée. Il crut entendre dans son for intérieur la voix de Soledad l'exhortant à aller de l'avant : « N'aie pas peur, disait-elle, n'aie pas peur. »

— Je n'ai pas peur, dit-il brusquement.

— Et vous avez profondément raison, répondit tout de go Cristina. Je vous l'ai dit : jamais je ne vous ferai de mal ; je veux vous aider à réaliser ce que vous avez entrepris.

— Je ne veux que les ramener chez nous, à Cuba, dit-il, le regard brillant. Je veux qu'ils y reviennent pour faire face à leur destin. Celui de me regarder dans les yeux, en sachant qui je suis quand je leur énoncerai leur sentence de mort.

— Alors, ils y reviendront, tous les trois. Je vous le promets.

— Il s'agit d'exécuter des individus, Cristina, vous le comprenez bien ? Vous n'êtes pas mal à l'aise avec cette idée ?

— Il y a longtemps que mes quelques années aux services nationaux ont familiarisé ma conscience avec ce genre de dilemme, mais c'est la première fois que je me sens concernée, comme s'il s'agissait de moi. Et en fait, il s'agit bien de moi.

Elle avisa son verre vide et se leva pour aller vers le frigo. Laurencio la saisit au passage par la taille, dans un geste réflexe qui la surprit mais auquel elle répondit de tout son corps, se laissant emporter par le bras qui l'enserrait.

Laurencio colla sa joue contre elle et ferma les yeux. Lui assis dans le fauteuil, elle debout à ses côtés, ils restèrent ainsi, la main ferme de Laurencio s'agrippant au vêtement, dans le dos de Cristina. Il posa son verre à l'aveuglette sur le tapis près de lui. Elle lâcha le sien et le laissa tomber pour plonger ses doigts dans ses cheveux.

Dehors, on entendit une sirène de police s'éloignant dans la ville. La chambre s'emplit, pour elle et lui, d'une fragrance de volupté qui fleurait comme une promesse de bonheur. Cette simple étreinte agissait pour elle et lui comme un baume apaisant sur des douleurs longtemps cuisantes. Des larmes coulèrent sur les joues de Cristina Cruz, longuement refoulées, qui prenaient dans la lumière tamisée de la pièce des allures d'offrande à quelque divinité des cœurs laissés pour compte et enfin récompensés de leurs souffrances discrètes.

Laurencio leva la tête et, voyant son visage ruisselant, il fut transpercé de compassion et de désir concupiscent. Il tira alors la ceinture de la sortie de bain, qui s'ouvrit, libérant les seins, dévoilant le nombril doux et chaud. Le contact de leurs peaux valut à Cristina un spasme de délice. Elle laissa glisser la robe de chambre le long de son corps, dans un mouvement de l'épaule, et s'agrippa aux cheveux de Laurencio, comme pour ne pas tomber. Tandis qu'il couvrait son ventre de baisers frénétiques, elle tira sa chemise hors de son pantalon, puis la lui retira comme une pelure, sans se soucier des boutons. Il l'aida comme il put, sans cesser de la caresser du bout des lèvres, et leurs deux corps prirent la texture granulée d'une extraordinaire chair de poule. Laurencio se laissa emporter par l'impulsion qui s'était emparée de lui et passa sa bouche sur le pubis foisonnant et soyeux de la jeune femme, qui s'ouvrit alors à lui, comme un bouton de rose dans un petit matin. Elle s'abandonna, laissant tomber à leurs pieds les dernières inhibitions, les ultimes hésitations qui rejoignirent les vêtements sur le sol. Les effluves voluptueux, dans l'air de la chambre, firent place à un fort parfum animal. Laurencio se dressa sur ses jambes, plongea ses deux mains dans les cheveux de Cristina et l'embrassa fougueusement. Elle s'empressa de défaire la ceinture de son pantalon et fit en sorte qu'il allât lui aussi joncher le tapis. Ils étaient nus, beaux tous les deux, et leurs épidermes exacerbés frémissaient au moindre frottement. Pieds nus dans les bras de Laurencio, Cristina paraissait plus petite. Elle effleurait son corps de ses seins et de ses cuisses, promenant ses mains sur sa peau métissée, l'explorant du bout des doigts, cherchant sa nuque, ses reins, ses fesses, puis elle sentit dans sa main la vigueur qu'elle avait depuis longtemps supputée. Ils se prenaient et s'offraient, s'exposaient et se saisissaient au vol avec une gestuelle telle qu'ils ressemblaient à des danseurs dont le numéro aurait été longuement préparé. Leurs deux corps s'alliaient dans une harmonie parfaite, sans fausse note, sans raté. Laurencio la souleva dans ses bras puissants et la déposa sur le lit, où ils devinrent dans l'instant deux fauves affamés prêts à s'entre-dévorer. Cristina déploya toutes ses facultés, qui s'avérèrent illimitées. Elle joua de la moindre partie de son corps magnifique pour exciter celui de Laurencio et faire de ce moment un hymne à l'amour, une ode charnelle, un poème corporel. Ses longs cheveux noirs, ses ongles, ses lèvres, sa langue, ses dents, tout était mis à contribution pour exprimer l'envie qu'elle avait de Laurencio et nourrir la sienne. Du bout des doigts, elle fit monter en un crescendo frémissant sa passion. Elle retardait le moment, pourtant désespérément appelé, où il la dévasterait, où elle le sentirait dans ses entrailles et où elle posséderait enfin au fond d'elle-même et à jamais l'ultime souvenir d'un amour impossible.

L'éclairage des abat-jour ambrés cuivrait la peau de Cristina. Laurencio se laissa guider dans cette délectable lutte, dans cette minutieuse chorégraphie qui conduisait leurs êtres dans des roulades, des glissades, des chatteries à faire se dresser les poils sur le corps. Dès les premiers moments, dans son bureau de la banque, il avait ressenti l'animal racé qui, sous la panoplie de secrétaire de direction, s'était présenté à lui. Mais là, sur ce lit où ils se manipulaient mutuellement, il était témoin de la beauté spectaculaire de cette femme ; ses courbes, ses formes l'affolaient et l'incitaient à la plus profonde impudicité. Il ressentait l'appétit qu'il avait d'elle jusqu'à la douleur, une brûlure dans le bas du ventre, qui lui arrachait des gémissements et des soupirs, qu'il exhalait comme des sanglots.

Cristina et Laurencio s'immobilisèrent un instant. Il essuya des petites gouttes de sueur qui perlaient entre ses seins ; elle en fit autant, passant sa main sur sa poitrine moite, puis, fixant son regard dans le sien, elle le prit entre ses cuisses fermes et, d'un mouvement des jambes précis et ponctuel, l'amena sur son ventre brûlant. Elle ouvrit une bouche languissante et mouilla ses lèvres du bout de sa langue ; Laurencio entendit la demande aussi clairement que si elle avait été formulée verbalement. Il ne put s'y dérober plus longtemps. Tout en lui désirait cette immersion, ce plongeon au fond de Cristina Cruz. Ce fut alors le début d'un coït qui leur arracha, à tous deux, des gémissements de jouissance ; le premier au cours d'une suite de cavalcades effrénées qui allaient se répéter jusqu'à l'assouvissement de la chair aux petites heures du matin, tandis qu'ils s'endormiraient, entièrement consumés.

□

Les jours qui suivirent allaient bénéficier de cette extraordinaire osmose entre deux êtres brillants qui instituaient désormais le plus redoutable duo jamais formé. La perception qu'avait Laurencio de la belle Cristina, à la suite de leurs ébats, était pour de bon aux antipodes de celle qui avait été au départ ; il pensait qu'à l'époque des grands conflits entre l'Est et l'Ouest, de la guerre froide dont sa patrie avait été partie prenante, Cristina Cruz aurait sûrement été, au cœur de cet âge d'or de l'espionnage, la plus efficace d'entre tous. Il voyait combien la jeune femme était forte, sûre d'elle, d'une intelligence subtile et redoutable ; une véritable machine d'organisation. Elle convainquait en même temps qu'elle séduisait : dans les cocktails et les réceptions, la gent masculine s'agglutinait autour d'elle comme bourdons lourdauds autour d'une fleur n'attendant que cet instant pour offrir son suc, tel un philtre d'amour. Les quelques rencontres et entrevues qu'ils avaient déjà réalisées s'étaient soldées par des succès. Les hommes qu'elle entretenait d'affaires se laissaient engloutir dans l'océan gris-bleu de son regard et leurs intérêts dans les relations financières qu'elle faisait miroiter se manifestaient comme par évidence. Cristina n'avait pas cette froideur des femmes d'affaires occidentales. Elle ne jouait pas du prestige de ses fonctions comme d'un paravent protégeant des attaques de la familiarité et pourtant incitait au plus grand respect. Elle savait être secrétaire de direction et femme désirable à la fois. Et si ses interlocuteurs se suspendaient invariablement à ses lèvres suaves, ça n'en était pas moins pour gober le discours officiel qu'elle leur servait. Après avoir été présenté comme « Monsieur le directeur », Laurencio n'avait qu'à l'écouter et hocher la tête de temps en temps pour approuver. Cristina avait à ce point le contrôle de leur mission commerciale qu'elle semblait la conduire tout droit vers un succès jamais atteint. En toute honnêteté, Laurencio ne pouvait que lui accorder, jusque-là, tout le mérite des résultats. Loin de s'en sentir diminué ou frustré dans sa gloriole personnelle, comme l'auraient sûrement été les autres patrons de Cristina, il estimait que son éclat à lui ne s'inspirait que de la chance qu'il avait eue de rencontrer une telle femme. Et c'était très bien ainsi. Qu'elle fût éprise de lui au point de tout lui sacrifier, au mépris de la condamnation qu'elle encourait, il voyait cela comme une intervention de sa destinée, à laquelle il apposait souvent le visage de Soledad. Avec le dévouement affirmé de Cristina, il se sentait moins seul, moins loin de Jesus Griego, pendant des années son unique allié. Le poids de son obsession s'était allégé depuis qu'il s'était rallié, sans y être pour beaucoup, la force et la volonté de cette femme. Elle lui apparaissait magnifique et il s'était surpris à quelques reprises à établir des comparaisons. Il n'appréciait pas le sentiment que cela lui inspirait et refusait de toutes ses forces de se laisser happer par ces projections spontanées : il les chassait violemment.

Ce jour-là, Cristina Cruz et Laurencio Alcázar s'apprêtaient à rencontrer un partenaire potentiel important. Au cours d'une session de travail, comme ils en avaient fréquemment autour d'un bon repas, Laurencio avait suggéré une investigation dans le champ lucratif du tourisme sur leur île. La réflexion s'était très vite portée sur les besoins toujours grandissants de publicité à l'étranger et ceux d'une campagne de séduction toujours plus efficace. Très vite, Cristina avait deviné que le second nom sur le carnet de Laurencio était celui de Mike Capplan. L'entrepreneur avait fait son chemin et les bureaux de Capplan Images & Design occupaient tout le sixième étage d'un édifice séculaire de la rue de la Commune. La petite compagnie était devenue l'une des plus cotées de tout le pays en redorant les blasons de plusieurs gros noms de l'économie sociale et s'était ainsi vue chargée de la visibilité d'une clientèle des plus prestigieuses. Cristina honorait Laurencio pour cette approche, qu'elle jugeait tout à fait brillante, et s'investissait totalement dans la stratégie.

— Je n'imagine pas une maison de publicité refuser un tel contrat, avait-elle dit. Notre coin de terre, avec sa géographie, est un client de rêve à tous les points de vue pour un fabricant d'images.

— Une fabrique d'images en pleine expansion et d'une ambition vive, avait précisé Laurencio.

La rencontre avait été fixée à l'heure matinale où les bureaux sentent encore le café et les croissants, où les secrétaires corrigent l'aspect de leurs ongles et où les téléphones n'ont pas encore commencé à sonner. Laurencio et Cristina sortirent de l'ascenseur et poussèrent une grande porte vitrée au bout du couloir pour se retrouver aussitôt dans un riche hall d'accueil dont les couleurs sombres des murs inspiraient les charmes délicieux d'un sous-bois en plein été. Sous la lumière halogène d'une élégante lampe au design italien, une jeune fille les reçut avec un sourire. Cristina s'entretint un court moment avec elle, tandis que Laurencio se tenait droit derrière elle, s'intéressant de sa place aux reproductions accrochées dans un couloir qui s'allongeait devant lui. Un gros homme passa à l'autre bout, sortant d'une pièce pour entrer dans une autre. Un portable collé à son oreille, il gesticulait en parlant. Sans s'arrêter, il eut un regard furtif vers Laurencio et disparut. Laurencio intervint, aimable mais ferme :

— Nous avons une journée chargée, mademoiselle.

— Monsieur Capplan est sur une autre ligne, mais je l'ai prévenu de votre arrivée. Ça ne sera plus très long, dit la réceptionniste en raccrochant son récepteur.

Comme elle venait de le dire, Capplan apparut de nouveau au bout du corridor, enfilant un veston sur sa chemise blanche. Il s'approcha de Laurencio et Cristina en souriant et en tendant la main. Il était rougeaud et semblait à bout de souffle.

— Monsieur Alcázar, madame Cruz. Mike Capplan, dit-il. Très heureux. Suivez-moi, nous allons nous installer dans mon bureau.

L'homme ouvrit la marche jusqu'à une pièce immense et haute de plafond, où le contraste était érigé en choix de style. Tout dans la décoration de ce bureau était organisé en fonction de l'antinomie des textures : le marbre lisse de sculptures élégantes contre la rusticité chaleureuse de la brique des murs et du bois des poutres. Derrière un pupitre imposant de verre, de chrome et de bois laqué noir, s'ouvrait une immense fenêtre en arche sur une vue apaisante du vieux port de la ville. Capplan les invita à s'asseoir et leur offrit du café, qu'ils refusèrent.

— Magnifique bureau, dit Cristina.

— J'aime beaucoup cet endroit, répondit Capplan. En plus d'être agréable et bien restauré, c'est un des rares immeubles qui offraient l'espace dont notre groupe a besoin. Pour l'instant, nous y sommes installés, mais je veux cet édifice et, en tant que principal actionnaire du conseil que je préside, je vais veiller à ce qu'on en fasse l'acquisition. Capplan Images & Design est en pleine croissance et nous avons sous ce toit tous les locaux qu'il nous faut.

— Ce sont justement cette croissance dynamique et votre réputation qui nous amènent, monsieur Capplan, dit Laurencio pour entamer le vif du sujet.

— Oui. Et je suis aussi flatté qu'étonné, monsieur Alcázar.

— Qu'est-ce qui vous surprend dans notre démarche ? demanda Cristina.

— Ma perplexité vient de ce que j'étais persuadé que les prouesses exécutées par nos concurrents du groupe Thomson & Clark vous satisfaisaient pleinement. Il y a bien quatre ans que vous faites affaire avec eux et votre industrie du tourisme s'en porte plutôt bien selon les études, d'où ma surprise que vous cherchiez un nouveau partenaire.

— Je comprends parfaitement votre réaction, monsieur Capplan, dit Laurencio. Il est vrai qu'ils ont fait du bon travail, mais il est l'heure de passer à autre chose. Vous savez mieux que personne que les années 2000 vont imposer leur style dans tous les domaines. Celui de l'image, nous ne vous apprenons rien, est aux premières lignes de toutes les tendances. Si les grands pontes de l'industrie touristique de notre pays ne l'ont pas encore compris, nous ne pouvons pas les condamner, mais il relève du fondement même de notre mission chez vous de pallier ce retard et de leur ouvrir les yeux sur cette nouvelle réalité. Nous pensons sincèrement que nous devons rechercher, plus qu'un partenaire, comme vous le disiez, un véritable maître d'œuvre.

Laurencio se surprenait d'être en mesure de parler ainsi à cet homme. Même en anglais, les mots sortaient de sa bouche avec une facilité et une assurance qui lui valaient l'attention intense de Capplan et l'admiration détectable de Cristina. Il n'avait pas ressenti, comme au jour de sa rencontre avec Bellini, cette furieuse impulsion de meurtre devant Mike Capplan. Il était investi d'une excitation intense, qu'il utilisait à la mise en place impavide du piège qu'ils étaient venus lui tendre.

— Qu'est-ce qui vous a amenés, si je peux me permettre, à penser que Capplan Images & Design pouvait être ce... maître d'œuvre ?

— Nous avons étudié les campagnes dont vous vous êtes chargés, monsieur Capplan, dit Cristina, notamment aux extrémités est et ouest de votre grand pays. Ce que vous appelez les provinces Maritimes vous doivent leur nouvel essor économique, à ce qu'on dit.

— Notre campagne a porté ses fruits, mais il ne faut rien exagérer.

— Une revue spécialisée publiait un article sur vous en 1998 : « Capplan remet les Rocheuses sur la carte du Canada. » C'est impressionnant, monsieur Capplan. Et les exemples se succèdent. Je crois que sachant cela vous ne vous étonnerez plus de nous trouver ici dans ce bureau.

— Nous nous contenterons pour aujourd'hui, dit Laurencio, que vous acceptiez de vous joindre à nous à l'occasion du repas-rencontre organisé à notre hôtel ce week-end. Plusieurs y seront, de toutes allégeances industrielles, mais soyons clairs : ce que nous visons, Madame Cruz et moi, n'est rien de moins que votre partenariat. Nous voulons vous voir renouveler l'image de notre île et vendre au monde nos plages et notre mer des Caraïbes, notre climat et notre végétation, notre peuple et sa musique. Nous sommes prêts à vous héberger des mois durant pour vous en imprégner si nécessaire. Nous souhaitons vous confier l'avenir immédiat de la représentation du tourisme chez nous.

— À propos, dit subtilement Cristina, connaissez-vous notre pays, monsieur Capplan ?

— Malheureusement pas, fit l'homme en s'adossant dans son fauteuil de cuir, mais je suis sûr que je prendrai un grand plaisir à combler cette lacune.

« Quel enfant de salaud ! » pensa Laurencio.

— Venez nous rendre visite. Je me ferai un plaisir de vous faire découvrir ses charmes, dit Cristina, dans un sourire volontairement radieux.

— Si c'est une promesse, rétorqua Capplan, alors j'irai sûrement, mademoiselle Cruz.

Pour quiconque ayant connu Mike Capplan quinze ans auparavant, les signes du temps et de la prospérité pouvaient se voir à l'œil nu ; l'homme avait perdu des cheveux et gagné des kilos. Une large tonsure laissait briller la surface de son crâne, et son menton s'était alourdi de chairs molles ; le tour de taille avait probablement plus que doublé et les amples vêtements, d'une indéniable qualité, tenaient compte du coffre du personnage. Mike Capplan avait troqué sa silhouette presque juvénile de l'époque du tourisme sexuel en compagnie de ses complices pour celle d'un homme d'affaires imposant. Laurencio et Cristina le rencontraient pour la première fois et ne pouvaient juger de cette différence ; ils savaient toutefois qu'ils avaient devant eux un produit du monde de la libre entreprise, où le succès se mesure souvent au poids des individus et à l'espace qu'ils occupent dans une pièce.

Alors que Cristina se lançait dans un discours exposant les avantages pour la Capplan Images & Design de considérer sérieusement l'offre de leur gouvernement, Laurencio put, tout à loisir, observer Mike Capplan. L'individu paraissait visiblement fier de sa réussite. Le fils de Soledad tenta un instant d'imaginer l'homme qu'il avait devant lui en soustrayant quinze années de sa vie ; il n'y parvint pas. Ça n'avait au fond aucune importance. Tout ce qui comptait, c'était que Jesus et lui n'aient pas espéré en vain ce jour où ils retrouveraient la trace des assassins, et ce jour était enfin arrivé. Bellini, et maintenant Capplan. Laurencio regardait ce gros homme rougeaud qui écoutait Cristina en portant sur elle un regard libidineux. Il passait machinalement ses doigts sur les commissures de sa bouche tombante, ce qui créait l'impression d'un sourire suffisant permanent, et il avait le visage boursouflé de celui qui abuse de la table et de l'alcool. En observant cet air de fatuité et d'autosatisfaction, Laurencio pensa au plaisir qu'il prendrait, le jour venu, à annoncer à cet être dégoûtant que tout était fini pour lui. Il avait osé prétendre sans sourciller qu'il ne connaissait pas l'île où il avait perpétré cet acte horrible qui lui valait ce matin, sans qu'il s'en doutât, d'être assis en face de son juge et bourreau. Laurencio ressentit un intense et curieux plaisir, mêlé de colère, qui sans crier gare lui valut une mimique étrange.

— Qu'avez-vous, monsieur Alcázar, demanda Capplan. Vous vous sentez mal ?

— Oh ! un petit malaise : problème de digestion, je crois, dit Laurencio, se ressaisissant.

— Nous allons vous abandonner à vos occupations pour l'instant, monsieur Capplan, dit Cristina.

— J'espère sincèrement que vous considérerez notre proposition, ajouta Laurencio en se levant.

Cristina l'imita, saisit son porte-documents, et ils étaient prêts à sortir du bureau lorsque Capplan, qui avait jusque-là écouté sans beaucoup faire entendre le son de sa voix, prit la parole :

— Vous ne croyez tout de même pas que vous allez partir comme ça !

Cristina et Laurencio restèrent perplexes. Le ton de Capplan avait été sec et ils crurent que le gibier avait reniflé le chasseur. Ils demeurèrent cependant imperturbables.

— Nous vous écoutons, monsieur Capplan, dit Laurencio, la voix posée et le regard droit.

Si une seule chose ne s'était pas transformée dans le physique de Mike Capplan, c'était la taille, plutôt moyenne. Aussi parut-il nettement moins imposant en s'approchant de Laurencio. Il fit le tour de son bureau en ajustant sa ceinture sous son estomac volumineux et boutonna son veston. En quelques pas, il fut contraint de lever le visage pour s'adresser à son invité. En homme d'affaires au fait de la psycho logie des attitudes physiques dans les rapports de force que sont les affaires, Capplan ne se sentit pas à l'aise sous cet angle. Il retourna vers son bureau sous un prétexte quelconque et resta près du meuble; cette distance estompait la grande taille de Laurencio et rendait à son vis-à-vis ses capacités. Il tourna la tête vers Cristina avant de parler.

— Je déteste tout ce qui est cocktails et soirées. Je n'y mets jamais les pieds et y délègue quelqu'un de mon entourage. Ne m'attendez donc pas ce week-end à votre dîner-rencontre.

— Nous en prenons note, monsieur Capplan, dit Laurencio.

— Toutefois, enchaîna rapidement Mike en se retournant vers lui, vous pouvez considérer sérieusement mon accord à votre proposition. Celle-ci représente beaucoup pour une maison de production comme la nôtre et je n'ai pas l'intention de passer à côté.

Cristina et Laurencio esquissèrent un sourire à peine surpris.

— Je crois que vous prenez là une excellente décision, monsieur Capplan.

— Je le crois aussi, mademoiselle Cruz.

— Voyez-vous, Mike, dit Laurencio en s'avançant de quelques pas, l'ennuyeux c'est que je ne pense pas que nos autorités apprécieraient beaucoup de transiger avec un délégué. N'est-ce pas, mademoiselle Cruz ?

— Vous avez parfaitement raison, monsieur le directeur.

— Un délégué ? fit Mike. Il n'en est pas question. Un séjour sous vos tropiques, tous frais payés, je présume ?

— Transporté, nourri, logé, dit Cristina, et bien sûr toutes les surprises réservées aux invités de marque, ajouta-t-elle dans un sourire gracieux.

— Entre nous, fit Mike Capplan en blaguant, je n'aime personne de mon entourage suffisamment pour lui abandonner un tel plaisir. C'est moi qui traite personnellement les affaires d'or.

— Le contraire m'aurait beaucoup étonné de la part d'un homme qui mène si bien sa barque, lança Laurencio en passant l'index sur son sourcil. Je vais vous avouer quelque chose. Je ne devrais pas, au risque de vous rendre plus... gourmand. Depuis une dizaine de jours que nous sommes à l'affût d'investisseurs potentiels, nous n'avons fait que deux rencontres majeures que nous serions fiers de ramener chez nous, et vous êtes l'une d'elles.

— Voilà un partenaire qui va finir par nous coûter cher, monsieur le directeur, plaisanta Cristina.

— Mais qui donnera de gros complexes de débutants à Thomson & Clark, dit Mike en riant et en leur tendant une carte professionnelle. *It's a deal !*

Ils échangèrent des poignées de main fermes scellant leur marché.

— J'attends de vos nouvelles très bientôt.

— Comptez sur nous, monsieur Capplan, dit Cristina. Vous êtes déjà dans notre carnet d'invitations.

— Inutile de nous raccompagner, nous retrouverons la sortie, dit Laurencio. Une bonne journée à la Capplan Images & Design.

— Elle ne saurait être meilleure, termina Mike Capplan.

Là-dessus, ils se séparèrent et Laurencio et Cristina quittèrent l'endroit d'un pas énergique. Ils s'engouffrèrent dans l'ascenseur, au bout du couloir feutré, et aussitôt les portes refermées échangèrent un regard pétillant de satisfaction contenue.

— Nous le tenons, dit Cristina.

— Je crois bien que oui.

Il la prit par la taille et l'attira contre lui. Leurs bouches se joignirent dans un baiser brûlant de passion qui se prolongea du cinquième étage au rez-de-chaussée.

— David Sloman sera une autre paire de manches, dit Cristina.

— Peut-être, mais il nous le faut aussi.

□

Plutôt que le cinq à sept habituel, le consulat organisa un *brunch* en l'honneur de ses deux invités insulaires. Ce fut une idée de l'organisatrice de l'événement, la *señorita Casandra Pérez*, pour contourner les nombreux conflits d'horaire que présentait l'agenda de Cristina Cruz. Elle et Laurencio avaient convenu de tout tenter pour éviter cette obligation officielle et fastidieuse qui venait gruger un temps précieux qu'ils auraient voulu tout à eux. Devant la débrouillardise de Casandra Pérez, l'esquive fut impossible.

C'est ainsi qu'au troisième dimanche de leur séjour ils furent reçus dans le jardin minuscule de la bâtisse plutôt terne, au style inexistant, de la rue Pine Ouest, qui abritait les bureaux des représentants de leur île à Montréal. Pendant toute une matinée, ils durent supporter les sourires figés du consul et de son épouse, les délicatesses habituelles des quelques employés en poste et les allées et venues étourdissantes de la *señorita Pérez*, qui rivalisait de *sex-appeal* avec Cristina et se portait au secours de Laurencio au moindre de ses gestes.

L'âge de « Monsieur le directeur de la mission commerciale » semblait en intriguer plus d'un et on s'approchait volontiers de lui pour un brin de conversation, histoire de vérifier les rumeurs qui couraient et le décrivaient comme un jeune prodige ayant toute la confiance des dirigeants de l'État. Laurencio livra une performance qui lui valut une fois de plus l'admiration de sa compagne. Il fut éblouissant de maîtrise et sa forte personnalité séduisit tous et chacun. Ce fut la première fois qu'un cadre supérieur *del Banco Nacional* réussissait cet exploit à l'unanimité, sans complet-cravate ni cigare à la bouche. Sur le conseil de Cristina, Laurencio avait revêtu sa *guayabera* bleu nuit, qui tombait sur un ample pantalon de flanelle claire, et il se sentait parfaitement à l'aise dans ce vêtement décontracté, sans autre prestige que celui du symbole d'appartenance à un peuple.

Quand arriva le dernier tour de piste, qui consistait en un laïus de remerciement, Laurencio fit preuve de grande finesse et, en guise de conclusion, posa la question : « Comment ne pas avoir de succès dans nos missions avec une équipe comme celle-ci ? » Par ces mots, il aurait balayé toute résistance à son charme et à son succès, pour peu qu'il y en eût encore.

Vers midi trente, Cristina et lui quittèrent le consulat dans un taxi. Casandra Pérez les accompagna jusque sur le trottoir et se pencha plus d'une fois à la portière pour s'adresser au directeur, réitérant dix fois la disponibilité du consulat et la sienne propre pour quelque besoin que ce soit. Chaque fois, le décolleté estival de Casandra illustrait le contenu généreux de ses propos et laissait présager de son grand dévouement. Le taxi s'ébranla enfin et s'éloigna.

— Quelle garce ! s'exclama Cristina.

— Je la trouve personnellement très efficace.

Pour toute réponse à cette appréciation, Cristina lui pinça la cuisse.

— Pardon, monsieur le directeur, dit-elle avec ironie, en singeant les battements de cils de Casandra.

Laurencio fut amusé de cette innocente jalousie et leurs doigts se retrouvèrent au milieu de la banquette pour aussitôt s'agripper solidement. Tous deux sentirent alors se réinstaller en eux la grande complicité et la compatibilité de leurs épidermes, qu'ils devaient invariablement éluder dès que leur intimité était brisée.

Cristina donna une adresse au chauffeur.

— Nous avons la journée pour nous. Profitons-en pour visiter comme tu voulais le faire. De plus, j'ai quelque chose à te montrer.

— Allons-y, lança Laurencio. J'ai besoin d'oublier ces trois heures que nous venons de passer.

Ils roulèrent un moment à travers la ville, passant d'ouest en est, et arrivèrent à destination : rue Sherbrooke, devant un immeuble imposant.

— Où sommes-nous ? demanda Laurencio.

— C'est une place d'affaires comme on en trouve beaucoup en ville : bureaux d'avocats, de notaires, succursale de banque et maisons de production de tous les genres. Mais ça n'est pas là que nous allons. C'est seulement ce que je voulais que croie le chauffeur du taxi, précisa Cristina. Viens, marchons un peu.

Elle prit Laurencio par le bras, adoptant l'attitude et la démarche détendues de la femme amoureuse, et le conduisit sur un trottoir animé. Ils déambulèrent ainsi, du pas accordé d'un couple de touristes, remontant le trajet du taxi, se laissant caresser par la douceur des derniers moments du mois de juin. Une promenade silencieuse au rythme lent, à regarder passer des couples disparates et des individus dont la seule vue suggérait à Laurencio, allez savoir pourquoi, l'unique spectacle de cirque qu'il ait vu un jour, à Ciego de Avila, en compagnie de Jesus. Certains éléments de cette représentation mouvante autour de lui lui paraissaient relever d'une telle fantaisie, d'une telle excentricité que celle-ci ne pouvait appartenir qu'à une réalité fabriquée, mise en scène par un artiste. Il s'attendait à tout moment à entendre s'élever une voix criant: « Coupez! On fait une pause et on reprend dans trente minutes! »

Un trio singulier avançait vers eux: une jeune fille dont la moitié du crâne était entièrement rasé; un garçon aux traits juvéniles, arborant une crête de trente centimètres d'un bleu éclatant; un troisième individu, dont on distinguait à peine un œil lourdement fardé sous une tignasse orange et verte hallucinante. Ils étaient accoutrés d'étrange manière et avaient tous le visage décoré d'anneaux scintillants qui leur perçaient la peau. Laurencio ne put se défaire de cette vision et se retourna sur leur joyeux passage et leur indifférence au monde ambiant. Cristina fut amusée par la curiosité émerveillée, presque enfantine, de son compagnon.

— On les appelle *punks.* Ce sont des marginaux, des rebelles si tu préfères.

— Des rebelles?

— Oui, dans un certain sens. Ces costumes qu'ils portent sont en quelque sorte leurs uniformes, mais leurs armées ne se regroupent pas dans la montagne. Ils ont leurs quartiers généraux en pleine ville, au vu et au su de tout le monde. Ils protestent contre tout ce qui est ordre établi et rejettent tout ce qui ne leur ressemble pas. Et rien ne leur ressemble. Ils s'expriment par une attitude générale et par certains actes provocateurs.

— Et ils ont le droit de faire ça?

— Nous sommes au pays de toutes les libertés, Laurencio, dit Cristina, un peu sarcastique. Celle de la parole est au paroxysme. Le droit d'expression est considéré comme chose due aux plus humbles. Et tout le monde l'utilise.

— Même pour critiquer l'État?

— Surtout pour ça. On dit que c'est le signe de la bonne santé de la démocratie.

— Comment peut-on vivre chaque jour de sa vie dans le ressentiment et l'insatisfaction?

— Il faudrait le demander à tous nos frères et nos sœurs qui ne rêvent que de l'Amérique, mais il faudrait pour cela qu'on leur accorde le droit à la critique.

Laurencio resta pensif. Cristina Cruz semblait avoir des idées arrêtées sur bien des choses.

— Dans ce pays, comme je le comprends maintenant, le mécontentement social et l'espoir de changement qui l'accompagne, lorsqu'ils sont exprimés tout haut, sont la soupape du moteur principal d'une machine qui en fait ses beaux jours. Les discours de ces *punks*, comme tous autres qui s'élèvent contre les dirigeants, ne sont que des voix à peine audibles qui s'égosillent contre le vent d'un système à peu près inébranlable. Ce droit n'est qu'un exorcisme garant de la tranquillité de ce système. Les différents partis prétendant au pouvoir utilisent et manipulent les doléances du peuple pour promouvoir des styles de gouvernement qui ne diffèrent en rien l'un de l'autre, à y regarder de près; mais pour se hisser au poste de commandement, ils promettent tous la satisfaction tant désirée. Ils ne font que jongler avec les revendications populaires.

— C'est incroyable, dit Laurencio en se retournant sur un vol de pigeons. Ça paraît trop énorme pour que personne ne s'en rende compte!

— Qu'as-tu donc appris à l'université de La Havane? Tout le monde s'en rend compte, mais c'est justement ça, l'enjeu de la partie: la séduction. Qui fera preuve de plus de finesse et de démagogie pour séduire le peuple? Il n'y a qu'à porter un peu d'attention à leurs campagnes électorales: ce sont de véritables numéros de clowns, et c'est celui qui récoltera les plus chaleureux applaudissements du public qui sera couronné.

Laurencio, un instant méditatif, pensa au *jefe* Vicario, puis secoua la tête.

— Pauvre Pépé, dit-il, il ne sait pas à quel point il est encore loin de la réalité. Chez nous, ce pays a pourtant la réputation d'être la terre de tous les bonheurs.

— Et ça se comprend. Le Canada n'est qu'une banlieue tranquille et accueillante de l'énorme métropole du capitalisme que sont les USA.

Ils venaient de traverser une rue dense de circulation, à un carrefour animé, et se retrouvaient face à un petit parc, en pleine ville, qui rappela à Laurencio, en moins vaste, celui de *La Libertad*, à Matanzas. Des bancs en bois dans des allées ombragées de grands arbres ; des pigeons et des couples d'amoureux roucoulant dans un poudroiement de soleil d'après-midi entre les branches ; des promeneurs ; et un vieil homme endormi dans l'herbe au pied d'un arbre : un ronflant affront à l'équité sociale, recroquevillé dans des haillons crasseux, serrant sur sa poitrine ce qu'on pouvait deviner être tout son capital et qui tenait dans un sac d'épicerie en plastique.

— Où sommes-nous ?

— Cet endroit est appelé le Carré Saint-Louis, dit Cristina. Viens, allons nous asseoir un moment.

Elle l'entraîna vers un banc et ils s'y installèrent. À aucun moment elle ne lâcha son bras. Elle tendit la main, droit devant eux.

— Vois-tu la rue juste en face, où s'engouffre cette voiture blanche ? demanda-t-elle. Les maisons de cette rue, pour la plupart, datent du siècle dernier. De très jolies maisons. Dans l'une d'entre elles, au rez-de-chaussée, il y a une boutique. C'est un bouquiniste qui se spécialise, si mes renseignements sont exacts, dans les livres pour la jeunesse. L'étage au-dessus est habité par le propriétaire de la boutique.

— David Sloman ! C'est ça, n'est-ce pas ?

— David Sloman, acquiesça Cristina sans détourner son regard.

Laurencio ressentit un léger emballement de son rythme cardiaque à l'évocation du troisième assassin de Soledad. L'innocente promenade en agréable compagnie venait de reprendre l'aspect de l'implacable traque qu'ils avaient entreprise deux semaines auparavant. Ainsi, il les tenait tous. Comment Cristina avait-elle obtenu des renseignements aussi précis ? Laurencio savait que sans son aide il serait peut-être encore à se creuser les méninges pour trouver l'approche du premier d'entre eux. Ils étaient là, sur ce banc du bout du monde, quinze jours à peine après leur arrivée, et il lui semblait avoir déjà gagné la partie. Il n'en était rien pourtant et il le savait bien au fond ; Cristina l'avait mis en garde à plusieurs reprises contre la difficulté que représenterait le cas Sloman. Non pas que l'individu fût, d'une manière ou d'une autre, plus dangereux que ses deux acolytes ; c'était plutôt la nature de ses occupations qui posait problème. Laurencio l'avait rapidement compris : quel angle adopter pour proposer à un auteur de livres pour enfants converti en bouquiniste de faire des affaires avec le gouvernement d'une île sous les tropiques ? Il avait beau y réfléchir, il ne voyait rien qui tienne la route. Le modeste commerce de David Sloman ne permettait aucune proposition qui eût été plausible.

— Qu'est-ce qu'on va faire, maintenant ?

— Que dirais-tu d'aller trouver un livre ou deux à rapporter à notre fils, qui nous attend chez nous et qui brûle d'apprendre le français ? dit Cristina, l'air malin.

— D'accord. On verra au moins à quoi il ressemble.

Ils joignirent le geste à la décision. La poitrine de Laurencio se serra à l'idée de compléter le portrait de famille de la vermine qui avait infesté son existence. Cristina sentit se crisper son bras sous sa main.

— Ça ira ? demanda-t-elle.

— Sans problème, fit simplement Laurencio, en continuant d'avancer dans la petite rue.

Ils s'arrêtèrent devant la boutique, où ils lurent depuis le trottoir d'en face, au-dessus de la devanture, l'enseigne peinte à la main : « IL ÉTAIT UNE FOIS : Livres d'occasion ». Ils levèrent les yeux vers quatre fenêtres alignées côte à côte et, plus haut encore, trois autres en pignon, accrochées à la pente du toit. L'édifice comptait deux étages et un grenier qui semblait aménagé. Le magasin paraissait aussi désert que la rue elle-même, mais Cristina et Laurencio traversèrent malgré tout pour y voir de plus près. Après avoir secoué la porte d'entrée et tenté d'apercevoir l'intérieur par la vitrine, Cristina proposa de revenir dans le courant de la semaine.

— Attends, fit Laurencio sur un ton péremptoire qui saisit Cristina. Je dois le voir. Il est peut-être chez lui ?

— Peut-être. Et alors ? Qu'est-ce qu'on lui dira ?

— C'est bien la première fois que je te vois dépourvue.

— Je ne crois pas que nous devrions rester plus longtemps sur ce trottoir, Laurencio.

— Je sais comment nous allons faire ! Il est écrivain et connu. Nous sommes chiliens, on nous a parlé de son œuvre et nous nous y intéressons.

— Pourquoi ?

— Parce que... parce que nous voulons traduire ses livres en espagnol pour les enfants de notre pays !

— Traducteurs chiliens : c'est une entrée en matière qui se défend parfaitement.

Ils avisèrent une porte munie d'une vitre de verre givré et opaque qui juxtaposait l'entrée de la boutique et appartenait manifestement à la même bâtisse. Cristina s'avança et appuya sur le bouton d'une sonnette très décorative en métal cuivré. Ils attendirent des secondes qui parurent interminables à Laurencio. Il avait déjà vécu cette attente impatiente devant un portail, sur un trottoir ensoleillé, le manche d'un couteau dans la main. N'obtenant aucune réponse, il sonna à son tour. Une voix retentit enfin dans un petit haut-parleur situé sous le bouton. C'était une voix d'homme qui s'exprimait en anglais.

— Nous voudrions rencontrer Monsieur David Sloman, dit Cristina.

— C'est à quel sujet?

— Nous voudrions lui parler de ses livres.

— Je vous ouvre. Montez.

Un timbre sonore grésilla dans le haut-parleur et la porte s'ouvrit à la première pression sur le loquet. Ils s'engouffrèrent dans l'immeuble et gravirent un long escalier qui grimpait tout droit devant eux, présentant sa vingtaine de marches moelleusement enveloppées dans du tapis couleur noisette qui mariait élégamment sa teinte avec le vert sombre des murs. L'éclairage provenait d'une demi-douzaine d'appliques modernes alignées de bas en haut jusqu'à un palier où ils trouvèrent une porte en bois massif ornée de festons. Ils frappèrent et, là encore, la porte s'ouvrit d'elle-même. Personne n'attendait derrière cette porte, qu'ils refermèrent aussitôt entrés. Cristina et Laurencio échangèrent un regard perplexe. Ils traversèrent un petit vestibule décoré de deux chevaux en bronze sur des socles en marbre et aboutirent dans une vaste pièce où salon, salle à manger et cuisine se côtoyaient sans autres cloisons que des haies de plantes vertes dans des pots qui rivalisaient de beauté. L'espace immense de cette pièce richement meublée et décorée baignait dans la lumière de l'après-midi qui s'engouffrait par quatre fenêtres donnant sur la rue et quatre autres qui, selon toute logique architecturale, donnaient sur un jardin à l'arrière où l'on pouvait apercevoir la cime de deux érables au feuillage frémissant.

Laurencio et Cristina s'aventurèrent un peu plus avant et, finalement, appelèrent.

— Par ici! fit une voix au-dessus d'eux. Désolé de ne pouvoir vous accueillir plus correctement, dit l'homme.

Ils levèrent la tête pour n'apercevoir que le buste de David Sloman, derrière le parapet d'une mezzanine, quatre mètres plus haut.

— Monsieur Sloman? s'enquit Cristina, le visage levé vers lui.

— C'est moi, oui. Approchez, je vous en prie. Venez me rejoindre.

Ils eurent beau chercher des yeux l'escalier qui aurait pu les conduire jusque là-haut, ils ne virent rien.

— Là-bas, fit Sloman en pointant son doigt vers un petit élévateur intérieur. Dans le coin. Prenez l'ascenseur.

Cristina et Laurencio s'exécutèrent et s'élevèrent avec lenteur jusqu'à l'étage supérieur dans un petit ronronnement de moteur électrique. Ils comprirent la raison d'être de cet accessoire aussitôt arrivés près de Sloman. L'homme était dans un fauteuil d'infirme et c'est en roulant, les yeux baissés sur ses jambes mortes, qu'il s'approcha d'eux et leur demanda de le suivre dans une autre partie de cet étage, où, dit-il, ils pourraient s'installer confortablement. Laurencio le suivit du regard et ressentit une profonde déception mêlée de colère en le voyant manœuvrer son engin entre les meubles. Sans les connaître, il ressentit les circonstances qui avaient rivé Sloman à son fauteuil roulant comme une grâce pour l'homme et une trahison pour lui.

La pièce où ils se trouvaient était aménagée dans le grenier de la maison et il en émanait un charme indiscutable. Les sous-pentes de l'architecture, percées de fenêtres en pignon, en formaient le plafond et le plancher avait été découpé en son centre de manière à créer cet espace sur la moitié de la maison et la mezzanine sur le côté. Le vide ainsi ouvert offrait à l'étage inférieur un spectaculaire plafond-cathédrale. L'espace vivable de tout l'étage supérieur était ceint du muret en planches décoratives où était apparu le visage de Sloman quelques minutes plus tôt. Cristina et Laurencio prirent place sur une causeuse en cuir d'Italie rouge sang, que leur hôte leur indiquait d'une main tremblante.

— Puis-je vous offrir quelque chose ? demanda-t-il, la voix chevrotante.

— C'est très aimable, mais non, merci, dit Cristina. Nous ne voulons pas vous déranger longtemps, monsieur Sloman. Je m'appelle Cristina Cruz.

— Enchanté, madame.

— Et voici Monsieur Laurencio Alcázar.

Sloman tourna les yeux vers Laurencio et le fixa longuement.

— Laurencio... fit-il, dans un murmure à peine audible.

— Alcázar, oui. Nous sommes traducteurs, nous venons du Chili et nous voudrions vous entretenir d'un certain projet.

Laurencio s'efforçait d'être convaincant et naturel, mais l'expression singulière qu'il avait déchiffrée sur le visage de Sloman le troublait intensément. Il en fut sûr : c'était le visage de la peur qu'il regardait en parlant.

— Mademoiselle Cruz va vous expliquer, dit-il. Son anglais est meilleur que le mien.

Cristina prit la parole et se lança dans un mensonge éhonté, une invention de son cru sur le canevas décidé devant la porte d'entrée. Tout le temps qu'elle parla, Laurencio examina la physionomie de Sloman. Le visage torturé n'était pas uniquement de circonstance, mais celui du quotidien. L'homme souffrait encore les affres les plus aiguës, les angoisses les plus cruelles. La funeste destinée qui l'avait placé dans cette machine roulante à boutons et à manettes en était, fort probablement, pour beaucoup responsable. Et, si tant est que l'imagination de l'écrivain qu'il était y faisait quelque chose, il souffrait davantage encore de la peur.

L'existence entière de Sloman n'était plus que peur. Il avait peur de la vie et du remords, peur du vent qui souffle en rafale, peur du tonnerre et des éclairs, comme un enfant, peur de la pluie qui frappe les fenêtres, peur de la nuit et de ses ombres, peur du bruit, des cris, des pas sur les feuilles mortes, peur du sommeil et de ses rêves qui l'entraînaient chaque fois vers l'horreur, peur des spectres qui venaient pour le torturer dans l'obscurité, peur des oiseaux noirs qui crient dans les arbres la malédiction. Il avait peur de tout, excepté de la mort elle-même, seule capable de vaincre toutes ses terreurs et de l'en libérer.

Il n'avait pas toujours été comme ça ; la vie avait été très généreuse avec lui, jadis, mais il s'était perdu à tout jamais. Il avait noirci son âme au feu des péchés les plus mortels. Fils de rabbin élevé dans la parole de la Torah chébealpé, David Sloman avait renié toute religion dès l'âge de dix-huit ans. Il s'était plongé dans un imaginaire qui surgissait depuis toujours d'une recherche du temps perdu et des merveilles d'une enfance occultée par « la loi qui est dans la parole » que lui inculquait son père. Il devint un auteur d'histoires et de contes pour la jeunesse reconnu du milieu littéraire. Il connut le succès et une certaine célébrité qui lui avaient assuré le confort dans lequel on le trouvait aujourd'hui. Et il avait tout gâché. Il avait vécu sans limites ni bornes, sans jamais tenter de circonscrire les impulsions les plus pernicieuses, les plus à l'index de la morale, sans s'embarrasser de compassion niaise ni de pitié pour qui que ce soit. Et se croyant éligible, du fond de son athéisme, à toutes les jouissances perverses, se croyant à l'abri des démons et des feux de l'enfer, il avait bafoué les lois les plus élémentaires de l'homme civilisé. Puis un jour, une maladie incurable, un virus fatal qui s'installa dans sa tête, son cœur et tout son être, en fit cet homme de soixante-huit ans le plus vieux qu'il eut été donné de voir. Un vieillard tourmenté, rongé de l'intérieur et tremblant comme un chien maltraité dont le maigre squelette et la peau terne ne pouvaient être que l'unique contenant de l'effroyable terreur qu'on lisait dans son regard. Sloman était hanté par les pires frayeurs. L'origine de sa maladie, le nom de son virus : le remords.

— Qu'en pensez-vous, monsieur Sloman ? termina Cristina.

— Je suis heureux de vous rencontrer, dit-il faiblement, réellement heureux, mais je ne crois pas que vous vous intéressiez vraiment à mes livres, annonça-t-il dans un rictus fébrile.

Cristina et Laurencio échangèrent une œillade à la dérobade. Que voulait-il dire par là ? Cristina lui posa la question.

— Peu importe. Croyez-moi, ce qui compte, c'est que vous soyez là.

Ces paroles, énigmatiques et presque inquiétantes pour les visiteurs de l'écrivain, semblaient apaisantes pour celui-ci.

Six ans auparavant, au volant d'une Mercedes sport, sur la route du Nord, David Sloman s'était délibérément jeté à cent quatre-vingts à l'heure sous un camion-citerne qui l'avait traîné jusqu'aux portes de l'enfer, trois cents mètres plus loin, sans lui permettre d'y entrer. On l'avait extirpé d'un amas de ferraille et il avait survécu, pour le malheur qu'il vivait aujourd'hui, paralysé et soudé à ce fauteuil sophistiqué, incapable désormais de parer les assauts des dragons carnassiers qui lui dévoraient l'âme. Des trois assassins de Soledad, David Sloman était le seul à n'avoir pu accorder sa conscience avec son acte monstrueux. Aussi avait-il tenté de trouver la paix dans la mort.

— Je crois que nous allons vous laisser réfléchir à notre proposition, dit Cristina.

— Oui, ajouta Laurencio. Nous vous rappellerons dans quelques jours, avant notre départ.

— Attendez. Je vous en prie, ne partez pas. Pour l'amour du ciel, attendez.

L'homme les implorait de rester encore et ils mesurèrent, dans ses yeux pleins de larmes et ses mains tendues, osseuses et frémissantes, l'amplitude des ravages que recelait la piteuse carcasse qui s'agitait devant eux.

— Je crois que le seul de mes ouvrages qui mérite que vous y consacriez votre temps est le dernier. Je l'ai terminé cette nuit même. Il ne tient qu'à vous qu'il soit ou non publié.

Sloman manœuvra son fauteuil, roula jusqu'à la mezzanine où était aménagé son lieu de travail, et ils le virent glisser un manuscrit dans une grande enveloppe qu'il scella. Quand il revint vers eux, il paraissait animé d'une soudaine exubérance.

— Je vous offre cet ouvrage. Je n'en ai plus pour longtemps et le destin qui vous a envoyés me commande ce geste. Acceptez-le, je vous en supplie, Laurencio, dit-il avec un regard de martyre brûlant sur le bûcher. Lisez cet ouvrage. C'est la seule chose que j'ai écrite de toute ma vie qui soit digne de votre temps, croyez-moi. Tout le reste n'est que foutaise vide de sens.

Laurencio prit l'enveloppe qu'il lui tendait et jeta un regard vers Cristina, qui approuva d'un imperceptible hochement de la tête. Ils se levèrent, un peu ébahis, et saluèrent leur hôte, qui s'éloignait déjà vers sa table de travail.

— Vous connaissez le chemin, lança-t-il sans se retourner. Merci du fond du cœur de votre visite, Laurencio. À vous aussi, mademoiselle Cruz.

Cristina et Laurencio se dirigèrent vers le petit ascenseur vitré, y prirent place et descendirent, les yeux rivés sur Sloman, qu'ils apercevaient encore derrière le parapet de bois. Arrivés à l'étage inférieur, ils allèrent directement vers le vestibule. La voix de David Sloman se fit alors entendre. Ils levèrent la tête et l'aperçurent, avec l'assurance de ce qui allait se passer. Il s'était hissé jusqu'à la taille sur le muret et, dans cette position précaire, il parla d'une voix sans souffle bien qu'audible :

— Laurencio Alcázar, je vous souhaite, à vous et à toute votre descendance, pour les siècles et les siècles, d'être protégés par la grâce de Dieu et j'implore un million de fois votre pardon !

Sur ces mots, il se jeta en avant dans le vide ; une chute de quatre mètres, au terme de laquelle il s'écrasa sur un petit meuble antique qui céda sous la violence de l'impact. Sloman gisait sur le plancher, les jambes brisées à en juger leur position impossible, mais il vivait encore. Laurencio s'approcha d'un pas lent, assujetti à la stupeur. Il resta debout près de David Sloman et lui adressa le même regard dégoûté qu'il avait dans son enfance pour les larves visqueuses qu'il s'amusait à écraser du pied. L'homme posa un regard pitoyable sur lui et eut ce que Laurencio interpréta comme un sourire.

— Je sais, murmura-t-il dans un râle d'agonisant, je sais.

Il toussa et du sang apparut à sa bouche.

— C'est la seconde fois que Satan s'oppose à mon admission. Je t'en supplie, fais ce qu'il faut. Libère-moi. C'est pour ça que tu es là.

Laurencio s'agenouilla alors auprès de lui, passa son bras gauche sous sa tête dans un geste presque secourable et, le fixant droit dans les yeux, il mit son autre main sur le menton du vieil homme qui souriait toujours.

— Si tu ne veux pas le faire pour moi, fais-le pour Soledad.

Laurencio exerça alors une poussée brusque et brève de la main droite et un craquement sec se fit entendre. La nuque brisée, les yeux grands ouverts sur Dieu seul sait quelle image, David Sloman était mort.

— Vite, Laurencio, il faut quitter cette maison.

Cristina et Laurencio se précipitèrent vers la sortie et la sonnerie du téléphone retentit. Ils allaient s'engager dans l'escalier quand un répondeur s'enclencha pour prendre l'appel. Laurencio s'arrêta net.

— Attends! Je veux entendre.

Ils revinrent sur leurs pas et une voix, là-haut, sur la mezzanine, se fit claire et nette:

— Nom de Dieu, Sloman, qu'est-ce que tu fous? Je t'ai demandé de me rappeler au plus pressé au sujet de ces deux Cubains. Rappelle-moi aujourd'hui, bordel!

Cristina et Laurencio en furent convaincus: c'était la voix de Tony Bellini. Ils filèrent avec diligence et se retrouvèrent en quelques secondes dans la rue, où deux enfants jouaient à des jeux innocents sur le trottoir d'en face, à des années-lumière des agissements adultes du monde.

Ils rentrèrent en taxi à leur hôtel, silencieux et plus étroitement complices que jamais. Ils n'ouvrirent pas l'enveloppe contenant le manuscrit de David Sloman cette nuit-là mais firent l'amour comme ils ne l'avaient jamais fait : en pleurant l'un et l'autre, sans comprendre la nature de leurs larmes, sachant seulement qu'ils n'avaient jamais ressenti une extase plus totale.

Chapitre 10

COMME RIEN, jamais, ne survient pour rien, leurs larmes, incompréhensibles tout d'abord, avaient pourtant leur raison. C'est dans la même chambre, dans le même lit que s'éveillèrent Laurencio et Cristina, en ce lundi matin qui suivait l'expiation du premier des trois meurtriers de Soledad. Ils avaient passé une bonne part de la nuit à sculpter, baiser sur baiser, caresse sur caresse, le monument à la gloire de leur idylle ; à se prodiguer les plus doux attouchements et les plus délectables douleurs, pénétrés l'un et l'autre de la prescience de l'inéluctable. La fin de David Sloman avait été l'épisode culminant du pacte d'amour qu'ils avaient conclu. La mort des coupables étant l'unique exutoire à la haine vengeresse de Laurencio, il lui fallait atteindre celle-là pour que celle-ci s'éteigne. Dans les heures qui avaient suivi leur retour à l'hôtel, il s'était senti pour la première fois en voie de guérison. Ils étaient allés ensemble jusqu'au plus condamnable des gestes ; car si Sloman avait tenté d'en finir lui-même et que l'intervention de Laurencio pouvait aisément, par un jugement conciliant, se motiver de compassion, elle et lui savaient bien que c'était dans un tout autre état d'âme qu'il avait poussé sur le menton de Sloman pour lui briser le cou. Une technique, avait-il avoué par la suite, qu'il tenait de l'enseignement martial d'un certain sergent Luis Bolivar. Comme un nœud qui se resserre davantage quand on tire dessus, le lien qui les tenait ensemble désormais était indénouable. Cette nuit, l'intraitable volonté qui les caractérisait tous deux, faisant taire la faiblesse originelle de la chair, avait décidé de la suite des choses. Tacitement, juste avec leurs larmes, Cristina et Laurencio avaient accepté le jugement. Ils se retireraient au glorieux fait des délices, avant que le corps ne se lasse, comme le public d'un artiste trop vieux. Ils laisseraient en suspens les baisers, les effleurements et les soupirs, comme une œuvre sciemment inachevée.

Laurencio se leva le premier et se dirigea vers la petite table à café où il avait déposé le manuscrit de David Sloman en entrant dans la chambre. Il saisit la grande enveloppe et la retourna entre ses mains sans l'ouvrir.

— Pourquoi nous a-t-il donné ça ?

Cristina se souleva dans le lit, bourra les oreillers de quelques coups de poings et s'installa confortablement.

— J'avoue que je n'en ai aucune idée. Tu veux l'ouvrir ?

— Je ne sais pas si j'en ai envie. C'est curieux, il a dit que c'était la seule chose écrite par lui qui pourrait nous intéresser. Qu'est-ce que ça peut bien signifier ? Et cette façon qu'il avait de m'appeler par mon prénom comme si on se connaissait depuis toujours ! Il ne pouvait pas me connaître. Ma mère m'avait jeté par la fenêtre en les entendant arriver. Elle me criait de m'enfuir, d'aller chercher de l'aide. Je me suis caché dans les fourrés... Personne ne m'a vu cette nuit-là ; c'est le vieux qui m'a trouvé et m'a emporté dans ses bras. Ils ignoraient ma présence. Le seul au courant de mon existence était Sebastian Mendez et je doute que, dans leur frénésie meurtrière, il se soit même souvenu de l'enfant de Soledad.

— Pourtant, Sloman semblait troublé par ton prénom et je suis persuadée qu'il s'attendait à notre visite.

— J'en suis sûr aussi. Le coup de téléphone de Bellini disait : « ... au sujet des deux Cubains ». Voilà pourquoi Sloman n'a pas marché une seule seconde dans notre histoire de traducteurs chiliens.

— Quoi qu'il en soit, il ne parlera plus jamais. Ce qui m'inquiète, c'est cet appel de Bellini. A-t-il la puce à l'oreille ou n'était-ce que prudence de sa part ?

— Je trouverais normal, même après toutes ces années, que la simple évocation de notre île le mette sur ses gardes.

— Il faut donc présumer qu'il est également entré en contact avec Capplan. La partie n'est peut-être pas gagnée. On ne doit pas commettre l'erreur de sous-estimer les salauds auxquels on a affaire.

Laurencio mûrit un instant la remarque de Cristina en regardant intensément l'enveloppe qu'il avait en main, puis il se décida et l'ouvrit d'un seul coup. Il tira une pile de feuilles tapées à la machine ; un ouvrage d'au moins deux cent cinquante pages et dont le titre... Laurencio n'en revint pas.

— C'est pas vrai ! ... Qu'est-ce que ça veut dire ? Il en a fait un livre ! Il a fait un roman de la mort de ma mère !

— Je peux voir ?

— Il ne peut pas avoir poussé l'offense jusque-là ! dit-il en lui tendant le manuscrit.

Cristina lut à voix haute le titre :

— *Soledad, au sud du paradis.*

— Je ne crois pas que Sloman ait voulu faire ça, Laurencio. Il était dévoré par le remords, ça se voyait.

Elle tourna la première feuille.

— Ce n'est pas un roman. Regarde, là, ce qui est écrit : « Testament de David Sloman ».

Laurencio s'assit avec lenteur près de Cristina et ils feuilletèrent l'ouvrage. On retrouvait des noms familiers, au hasard des pages : Mendez, Capplan, Bellini et, bien sûr, Soledad et Laurencio. Des passages décrivaient leur île, du point de vue édulcoré d'un touriste, mais c'était bien leur décor. Ici et là, un mot donnait le ton du récit : il était contrit, plein de regrets, de repentir et de chagrin. Sloman avait tout consigné dans cette histoire présentée comme une œuvre littéraire, qui n'en était pas moins un testament.

— Il voulait publier ça ? Un testament public. Pourquoi ?

— Une sorte de règlement de comptes avec son existence, qui sait ?

— Et avec ses complices, il ne s'est pas donné la peine de changer les noms.

— C'est la preuve qu'il ne voulait pas faire une œuvre de fiction, mais un document officiel.

Laurencio et Cristina avaient vu juste. David Sloman n'avait jamais réussi à faire taire sa conscience. Sa lucidité d'artiste, qu'il estimait avoir « perdue dans un moment de folie ludique et de violence exacerbée », n'avait jamais pu s'accommoder d'un tel souvenir. Son imagination fervente avait voulu retenir le chapitre le plus noir d'une existence vouée au péché et à l'attaque systématique des dogmes sévères de son enfance volée. Elle avait donné naissance à tous les démons, qui consumèrent son âme dans le silence de son secret terrifiant. Le cerveau malade avait entraîné le handicap du corps et la putréfaction intérieure avait suivi son cours jusqu'à empuantir son être entier.

Après l'échec de sa tentative de suicide, David Sloman avait résolu d'exorciser ses cauchemars en léguant à la postérité sa culpabilité. Il avait jugé que sa mémoire ne méritait pas de reposer sous l'égide d'un célèbre écrivain pour enfants, et il voulut hisser au-dessus de sa triste dépouille l'oriflamme des pestiférés. C'est tout ce qu'il estimait mériter ; et il entendait que nul acteur de cette abomination n'échappe à la justice. C'est ainsi qu'il avait avisé Bellini et Capplan de son projet. Ceux-ci avaient violemment réagi et leurs tentatives de dissuasion avaient tourné au vinaigre pour devenir des menaces. Mais quelles menaces pouvaient atteindre un homme qui avait prononcé sa propre sentence de mort depuis longtemps ? Ainsi, les complices de David Sloman vivaient-ils avec l'arme de Damoclès suspendue par un cheveu au-dessus de leur prospérité et de leur insolente existence.

— J'en sais assez pour l'instant, dit Laurencio. Je ne veux pas en lire plus. Demain, nous serons en face de Bellini. Je ne veux pas risquer de perdre mes moyens.

— Tu as raison. Nous pourrions envoyer ce manuscrit à n'importe quel éditeur important. Il le publierait aussitôt, c'est certain. Capplan et Bellini verraient leur vie se transformer en enfer, eux aussi. Tu serais payé de tes efforts.

— Surtout pas ! Surtout pas. Tu entends, Cristina ? Aucune justice ne se substituera à la mienne et à celle de Jesus Griego, de Pépé et de Xiomara. La terre qui a bu le sang de Soledad Estebán-García boira celui de ses bourreaux, je me le suis juré.

Cristina ne prononça plus un mot et glissa le manuscrit dans son enveloppe. Laurencio avait raison. Pourquoi avait-elle suggéré une telle chose ? Était-il possible qu'elle ait cru un seul instant qu'il puisse accepter la moindre réduction de son rôle et de ses responsabilités dans l'anéantissement des assassins de sa mère ? Cela revenait à proposer à un soldat fougueux courant en première ligne, dans la nuit pluvieuse, sous le feu de la mitraille, de s'abriter tranquillement sous un arbre en attendant que l'eau du ciel submerge l'ennemi.

Ils se levèrent en silence pour entamer la journée, consacrée aux préparatifs de la réception du lendemain.

□

Laurencio termina de nouer sa cravate, passa la brosse dans ses cheveux et sortit de la salle de bains. Il consulta sa montre : neuf heures. On frappa à la porte de la chambre.

— Oui ?

— C'est moi.

— Entre, Cristina.

Cristina parut, vêtue d'un tailleur élégant dont la jupe était fendue sur quinze centimètres à l'arrière et perchée sur des escarpins en peau de crocodile que Laurencio connaissait bien. Les cheveux noués en chignon et, sur le nez, de fines lunettes sans monture dont elle n'avait que faire, les verres étant dépourvus de prescription, mais qu'elle chaussait pour certaines occasions.

— Jolie, mais un peu sévère, dit Laurencio.

— Je sais. C'est voulu.

Elle consulta sa montre à son tour.

— Nous avons trente minutes devant nous. Descendons voir si tout est prêt.

— J'ai encore besoin d'un quart d'heure. Je vais téléphoner là-bas.

Là-bas, c'était chez lui, au *barrio*. Là-bas, c'était Yasmin Marquez. Cristina le regarda avec un attendrissement mêlé de tristesse, puis elle se secoua afin de dissimuler l'émotion qui lui serrait le cœur.

— Je te laisse. Dis bonjour pour moi... Enfin, si tu veux. Tu me rejoindras en bas.

Elle tourna les talons pour sortir, sa mallette à la main, puis s'arrêta avant de franchir la porte et se retourna vers Laurencio qui la regardait l'air en peine.

— Nous sommes adultes, Laurencio, dit-elle. Ce que nous avons fait, nous l'avons fait en toute lucidité et en parfaite connaissance de la situation. Nous en avions très envie tous les deux et nous n'avions aucune illusion. Nous savions parfaitement qu'il s'agissait d'un commencement et d'une fin. Dans une semaine, nous serons chez nous et il serait plus sage de nous en tenir déjà à...

— Cristina, je t'en prie...

Il vint la prendre dans ses bras.

— Je ne suis pas amère, crois-moi. Tu m'as offert mon plus magnifique souvenir de femme. Je serai vieille et défaite par les années que je garderai encore comme le plus précieux des trésors la brûlure de tes baisers sur ma peau. Tu m'as délicieusement marquée au cœur pour le reste de mes jours. De quoi pourrais-je me plaindre ? Ces quinze jours d'amour passionné vécus avec toi se comparent avantageusement à la vie entière de beaucoup de femmes. Tu m'as comblée.

Ils s'embrassèrent et ce baiser avait, pour elle comme pour lui, le goût de la dernière fois. Ils furent tendres et délicats, comme pour permettre à leurs bouches de fixer pour toujours la mémoire des lèvres. Puis Cristina le poussa gentiment vers le téléphone.

— Va ! Prends le temps qu'il te faut. Un directeur peut se faire désirer quelques minutes. C'est dans l'ordre des choses. Je les ferai patienter.

Elle sortit de la chambre. Seule dans le couloir, elle s'adossa au mur et laissa jaillir ses larmes. Une porte s'ouvrit un peu plus loin et deux hommes sortirent d'une chambre en plaisantant et en riant. Elle chercha fébrilement sa clé dans son sac et s'engouffra dans sa chambre, puis dans la salle de bains, où elle répara les dégâts de son chagrin. Puis elle se regarda fixement dans le miroir.

— Qu'est ce que c'est que ces jérémiades infantiles ? se demanda-t-elle à haute voix. Tu as eu ce que tu voulais, tu as rêvé ton rêve : il est temps de te réveiller, mademoiselle Cruz !

Elle ajusta ses lunettes devant ses yeux et sortit du pas assuré d'une secrétaire de direction *del Banco Nacional*.

Le consulat cubain avait réservé une salle de réception de l'hôtel Delta. Tous les invités étaient arrivés et avaient été accueillis gracieusement par la *señorita Casandra Pérez* ; l'hôtesse avait vu à ce qu'ils soient tous présentés les uns aux autres, ainsi qu'au consul. Le promoteur en hôtellerie côtoyait la vice-présidente d'une firme pharmaceutique ; le pdg d'une fabrique de machines agricoles se réjouissait en compagnie d'un éminent spécialiste en recherches hydrologiques ; un député fédéral, sentant la bonne occasion de prendre à son actif une part des accords de principe de la journée, serrait des mains sous les flashs du photographe qu'il avait lui-même invité ; le consul Enrico Diaz, sans son épouse, tenait messe basse en espagnol avec Omar Palacios et Roberto Jiménez. Des petits groupes s'étaient ainsi formés autour d'une grande table garnie pour le buffet lorsque Cristina fit son entrée dans la salle. Elle fut, elle aussi, reçue par Mademoiselle Pérez, qui la félicita de l'élégance de son tailleur.

— Merci, dit Cristina. Et félicitations à vous pour tout ça, dit-elle avec un geste discret sur l'ensemble du décor.

— C'est mon job, dit humblement Casandra.

La jeune femme était touchée du mot gentil de Cristina et s'enquit aussitôt de Monsieur le directeur. Cristina expliqua qu'il serait là dans quelques minutes, qu'il avait un appel important à placer au pays. Puis elle fut annoncée à la volée aux invités avant d'entreprendre des contacts plus personnalisés, au fur et à mesure de son intégration au groupe. Le dernier à la saluer fut Tony Bellini, qui s'était jusque-là tenu légèrement à l'écart, près d'une pile de journaux, apportés sans doute par l'un ou l'autre des invités. Cristina avait remarqué, dès son entrée, la présence de Bellini et l'intérêt qu'il semblait porter à ces quotidiens, au détriment de l'événement qui l'avait amené. C'est avec un sourire irrésistible que Cristina s'approcha et affirma le grand plaisir qu'elle avait à le voir en ce lieu. Elle lui assura que Monsieur Alcázar et elle-même ne repartiraient pas chez eux sans profiter une fois encore des délices de sa table. Elle comptait bien, ajouta-t-elle, pouvoir un jour le faire sans prendre l'avion.

— Vos désirs sont des devoirs, *signora*, dit Tony Bellini, italien jusqu'au coin de l'œil.

Cristina le pria de prendre un verre de vin et s'éloigna en souriant pour serrer d'autres mains. Bellini retourna, mine de rien, vers la pile de journaux. Quelques minutes plus tard, ce fut au tour de Laurencio de faire son apparition. Casandra accourut dans sa direction et fut plus gracieuse encore qu'avec quiconque dans l'accueil qu'elle lui fit. Le directeur dut lui aussi se prêter à tous les salamalecs de circonstance et alla lui-même tirer Bellini de la lecture dans laquelle il s'était plongé, ignorant l'animation autour de lui et la présence du consul à quelques pas.

— Heureux de vous voir parmi nous, monsieur Bellini, dit-il.

— Ah, monsieur Alcázar ! fit Bellini en se retournant, je n'aurais pas manqué ça pour tout l'or du monde.

Sur la page frontispice d'un des quotidiens posés sur la petite commode, Laurencio aperçut alors l'objet de l'intérêt de Bellini : une grande photographie de David Sloman, avec un titre en caractères gras et larges : « Mort de l'écrivain David Sloman ».

— Vous connaissiez cet homme ? demanda Laurencio, les yeux sur le journal.

— De renommée, comme tout le monde, pour l'avoir entendu à la télévision à l'occasion. C'était semble-t-il un grand écrivain. Suicide, dit le journal.

— C'est triste, mais c'est bien la preuve que la réussite, quel que soit le domaine, doit se savourer sans retenue : date de péremption inconnue ! Et puisque nous parlons de succès, je nous en souhaite beaucoup, monsieur Bellini. Avez-vous rencontré Mademoiselle Cruz ?

— C'est fait, oui.

— Vous a-t-elle demandé de nous réserver une de vos tables ?

— C'est quand il vous plaira, dit Bellini.

L'affabilité de Monsieur le directeur était telle que les craintes de Bellini fondaient comme neige au soleil. Ce journal avait soulagé l'individu du poids de la menace que représentait le remords stupide de son complice. La mort de Sloman était pleine de promesses et le fait qu'elle survenait au moment même de la présence de Cubains dans le panorama de ses affaires était fortuit. Il voulait s'en convaincre et y parvenait petit à petit.

Issu d'une famille d'immigrants italiens, Tony Bellini avait grandi sur la rue Saint-Viateur, à la limite est et ouest de la ville, où son père avait tenu pendant vingt ans un bar fréquenté par une clientèle d'Italiens, de Portugais et quelques autres expatriés habitués venus de Hongrie, d'Afrique du Sud ou du Guatemala. Il avait fait ses premiers pas sur le carrelage de cet établissement et son enfance avait été ponctuée d'éclats de voix d'hommes ivres beuglant au-dessus des tables à cartes. Maintes fois, il s'était endormi dans l'arrière-boutiquc, dans l'odeur forte de la bière et du vin, les yeux rougis par la fumée des cigarettes. Puis un jour, à l'âge de seize ans, il avait annoncé à Mario Bellini, son père, qu'il en avait assez de l'école et qu'il voulait s'impliquer dans le commerce familial comme son frère Franscesco. Heureux de voir ses fils reprendre le flambeau, Mario Bellini leur avait légué toute l'affaire au jour de ses soixante-quatre ans pour retourner, après quarante ans de banquise, sous les feux de son Italie du Sud natale. Il y mourut trois ans plus tard, le jus de la treille ayant ses vertus et ses risques, d'une cirrhose.

À trente-quatre ans, Tony entendit l'appel d'ambitions propres. Franscesco avait racheté la part de commerce de son frère et Tony avait joint la somme à un pécule économisé pour ouvrir son premier club privé : *La Bella Note.* Suivit cinq ans plus tard *La Dolce Vita*, où s'étaient scellées des amitiés maudites sur la base d'une perversité commune avec deux clients réguliers : Mike Capplan et David Sloman. À quarante-quatre ans, ce qu'il avait considéré comme une « erreur de parcours » sous les tropiques avait forcé Tony Bellini à vendre *La Dolce Vita* et à changer d'horizon. Il avait coupé toute relation avec Mike et David, jusqu'à ce que ce dernier refasse surface avec l'idée fixe d'un repentir public. Il ne pouvait être question pour Tony Bellini, dont les affaires roulaient grand train, de laisser ce fils de rabbin traumatisé ruiner tous ses efforts et il avait confié à Capplan que, s'il le fallait, il irait jusqu'à « lui fermer sa grande gueule». C'étaient les mots qu'il avait prononcés. Capplan avait abondé dans le même sens ; celui somme toute, des hommes d'affaires ambitieux, et ils avaient résumé ainsi les choses : « Après tout, on n'a pas eu besoin de lui tordre un bras pour qu'il se la tape, cette négresse ! Il a mangé à la même table que nous ! Qu'est-ce qu'il nous fait chier avec ses regrets de pédéraste ! » Et les deux hommes avaient convenu de poursuivre leurs honorables activités sans trop prêter attention au délire d'un malade qui ne parvenait pas à mourir sans déranger, mais bien d'accord sur ce qu'il faudrait faire si celui-ci mettait son projet de « manifeste du parfait couillon » à exécution. Ils ne se contactèrent plus que très rarement, afin d'avoir un œil sur Sloman, qui, depuis près d'un an toutefois, semblait plus calme et faisait moins de vagues. L'un et l'autre lui avaient parlé, de temps en temps, au téléphone, s'assurant discrètement de sa déchéance. Une fois sur deux, ils s'adressaient à un répondeur téléphonique ; une fois sur quatre, Sloman rendait les appels, histoire de remercier ses « bons amis » pour leur mansuétude à son égard et de les rassurer sur son état.

Or, affectant le renversement du tyran remords, Sloman se soumit plutôt à sa volonté toute-puissante et entreprit la rédaction de ses mémoires. Il y travailla des mois durant, déversant sur le papier sa coupable existence et celle de ses complices. Puis un coup de téléphone de Bellini l'avisa de la présence de deux Cubains en ville, et — il en eut aussitôt une instinctive conviction — bientôt devant sa porte. Il avait précipité la cadence, souffrant jour et nuit les sévices que lui infligeait ses démons intérieurs dans un ultime face à face dont il avait arrêté l'issue. Il mit le point final à son ouvrage la veille même de la visite, si justement pressentie, de Laurencio et Cristina.

En ce mardi 22 juin 1999, David Sloman faisait une dernière fois la manchette des journaux. Le matin même de ce jour, un appel exubérant de Mike Capplan avait informé

Bellini de la bonne nouvelle. Loin de s'inquiéter, ils se congratulèrent en découvrant qu'ils s'embarquaient ensemble dans l'aventure du statut international dont ils rêvaient. La présence de plusieurs investisseurs de capitaux sur ce coup les rassurait totalement. Et comme aimait à le répéter Mike Capplan, après dix-sept ans, il y avait prescription sur leur bavure de jeunesse chez les Pépitos et, d'ailleurs, se rappelaient-ils seulement avoir passé une nuit blanche avec une Noire de toute leur vie? Ces gorges chaudes suffisaient à calfater leur conscience, à préserver l'aveuglement de leur ambition démesurée et l'illusion de leur progression glorieuse parmi le gratin du *business world.*

La journée se termina par une ovation de tous les invités à l'adresse de Laurencio Alcázar, suggérée par le plus haut dignitaire de la représentation cubaine: Monsieur le consul Enrico Diaz, pour souligner le succès extraordinaire de cette mission commerciale qui s'achevait dans quatre jours, date du retour au pays. Et tandis qu'il était ainsi honoré, recevant les acclamations enthousiastes de tous ces gens, Laurencio songea qu'il y avait peut-être une justice, au bout du compte, pour peu qu'on la bousculât afin qu'elle ne s'endorme pas. Ne dit-on pas de la vengeance que c'est un plat qui se mange froid? La table était mise, les invitations envoyées et les convives en chemin. Le jeune homme, dont le dossier confidentiel portait la mention «exceptionnel», se réjouissait d'avance du succès de la dégustation. Levant son verre et félicitant le héros du jour, Tony Bellini n'avait pas l'ombre d'une idée de l'exploit qu'il célébrait.

□

Ces quatre dernières journées, Laurencio et Cristina les employèrent à visiter la ville, aux distractions touristiques de tous genres, à la chasse aux cadeaux pour ceux qui attendaient là-bas. Ils se sentirent si légers qu'ils allèrent à pied, depuis leur hôtel, jusqu'au lac des Castors, sur le mont

Royal, pique-niquer dans l'herbe et jeter des miettes aux cygnes majestueux. Ils essayèrent quelques restaurants, dont un cubain, où ils aperçurent par hasard Omar Pallacios en galante compagnie. Et à moins de s'être fait teindre les cheveux platine et d'avoir subi une augmentation mammaire phénoménale dans les deux derniers jours, il ne pouvait s'agir de Casandra Pérez en face de lui. Cristina reconnut bien là l'homme qu'elle avait connu et vit pour la première fois rire Laurencio lorsqu'elle lui raconta quelques anecdotes de sa relation avec Omar. À aucun moment ils ne furent attristés par le sort de Casandra, la sachant pleine de ressources.

Finalement, ils firent ce dont ils avaient convenu. Cristina téléphona à Bellini pour l'aviser que « malheureusement, une bousculade dans l'horaire de dernière minute les priverait de leur plaisir, mais qu'ils repartaient le cœur léger, sachant que très bientôt un restaurant *La Florentina* ouvrirait ses portes sous leur ciel tropical. S'y voyant déjà, Bellini avait exprimé des regrets, mais il comprenait, avait-il dit, ce genre d'impératif. Il leur avait souhaité un bon voyage en leur donnant rendez-vous en avril 2000, époque choisie par les autorités de l'île pour recevoir ses dignes invités.

Le dernier jour vint donc, suivi de la dernière nuit à l'hôtel Delta. Les bagages étaient faits et, au matin vers les neuf heures, on se mettrait en route pour l'aéroport. Après avoir dîné à la salle à manger de l'hôtel, joyeusement accompagnés toute la soirée par un congrès de dentistes d'un côté et d'ophtalmologistes de l'autre, Laurencio et Cristina étaient remontés à leurs chambres, laissant les rivaux se disputer l'ambiance de l'endroit, œil pour œil, dent pour dent.

À dix heures, ils étaient allongés sur leur lit respectif, faisant le bilan de ce voyage extraordinaire. Dans la pénombre, Cristina pensa : « Jamais mission commerciale ne fut ni ne sera plus palpitante. » Dans l'obscurité, Laurencio pensa : « Bien qu'exaltant, ce séjour n'était qu'un avant-goût de ce qui nous attend, Jesus et moi, au jour de la confrontation.» Assise au bord de son lit, ne trouvant pas le sommeil, Cristina se dit: «Seul un jeune homme qualifié d'exceptionnel pouvait à ce point réaliser en quelques jours tous les fantasmes que j'avais fini par croire inaccessibles.» Assis dans le fauteuil, se sentant agité, Laurencio se demanda: «Où en serais-je exactement sans le talent extraordinaire de Cristina Cruz-Bolivar? Quelle heureuse décision que celle de m'abandonner entre ses mains!» Debout, la main sur la poignée de porte, Cristina s'exhorta: «Retourne dans ton lit et cesse ces bêtises qui ne sont pas dignes de toi.» Appuyé au chambranle, Laurencio se tint sensiblement le même discours: «Tout ça ne rime à rien», et patati et patata... Il ouvrit; elle fit de même. Surprise, sourire, c'était parti. Ils s'élancèrent l'un vers l'autre pour s'étreindre au beau milieu du couloir. Se couvrant de baisers, s'empoignant par les cheveux, se palpant de haut en bas et inversement, s'entortillant comme lierre et tuteur, ils se dirent: «Tant pis pour les promesses! Cette histoire ne se termine que demain.» Sautillant, titubant, s'arrachant leurs vêtements, ne se lâchant ni des mains, ni des lèvres, ni des yeux, ils fermèrent une des portes pour disparaître par l'autre, avant de la pousser du pied sur leur passion. Tel un artiste insatiable, avide de bravos, la chair ne sait se résigner à sortir de scène tant que le désir se dresse et crie: «Encore!»

Chapitre 11

LE VOL FUT TRANQUILLE. Dans l'avion qui les ramenait vers leur sol natal, la mutation fut totale chez Laurencio et Cristina : ils redevinrent le patron et la secrétaire et n'échangèrent que des propos professionnels. Laurencio s'était senti, dès l'aéroport, contraint à cette attitude par celle-là même de sa collègue, qui avait retrouvé le vouvoiement et les « Monsieur le directeur ». Il avait fait le voyage, respectueux de cette décision, mais accompagné du désagréable sentiment de rencontrer une connaissance qui ne désirait pas le reconnaître. Situation pour le moins frustrante au premier abord et souvent blessante par la suite.

Cristina Cruz s'était fait violence à maintes reprises pour s'empêcher de saisir la main de son compagnon de voyage ou pour ne pas poser sa tête sur son épaule dans une montée de tendresse. Elle savait que dans un appareil de la compagnie nationale des transports aériens la moindre hôtesse, le moindre employé pouvaient, comme elle, servir des intérêts obscurs. Chacune de ces femmes, passant et repassant dans l'allée, au service des passagers, pouvait avoir la charge inavouée d'établir à l'arrivée, dans le ronronnement d'un ventilateur de plafond, quelque part dans un bureau sombre et chaud, un rapport détaillé sur leur comportement à tous deux. C'était ainsi. Cristina connaissait son métier, sa patrie et ses rouages. Elle avait accepté tout cela depuis longtemps et s'y conformait. Cette fois, son histoire d'amour fulgurante devait passer derrière elle. Dans l'intérêt de la suite de sa vie, de celle de Laurencio et peut-être, surtout, dans celui de la phase finale de l'épopée vengeresse que ce garçon magnifique — elle ne le dirait jamais assez — avait entreprise en y mettant pour sa mère tout l'amour et toute la loyauté du monde. Cristina avait songé à la fierté que devait ressentir Soledad du haut de son paradis en voyant quel fils elle avait mis au monde.

L'avion s'était posé sur la piste du petit aéroport de Varadero, qui les avait vus s'envoler vingt-sept jours plus tôt. Ils s'étaient laissé porter par le flot de la foule de passagers qui se déversait vers les cabines vitrées des douaniers et les bagages, qui attendaient de l'autre côté des tourniquets. Ils avaient traversé cette limite avec la forte impression de passer la porte d'entrée de la maison. Ils avaient été accueillis comme les dignes représentants de l'État qu'ils étaient et s'étaient retrouvés dehors, dans la moiteur des tropiques, leurs valises à leurs pieds.

Cristina héla un taxi. Elle s'attendit à ce que Laurencio profite du véhicule et qu'ils fassent ensemble le trajet jusqu'à la ville, ce qu'il aurait sûrement accepté n'eût été la Ford Fairlane de Pépé, garée à quelques pas de là, avec Jesus Griego derrière le volant. Laurencio expliqua qu'il avait téléphoné à son ami de venir le chercher et que, vu qu'on était dimanche, il préférait rentrer directement chez lui. Cristina l'avisa que les supérieurs de la banque s'attendaient à le voir aujourd'hui et avaient sûrement préparé une petite réception de bienvenue, ce à quoi il rétorqua qu'il était grand temps que ses patrons comprennent que personne n'est parfait et que, s'ils le voulaient, ils pouvaient biffer dans son dossier la mention « exceptionnel » et inscrire à la place : *necesita puesta a punto* : « a besoin d'une mise au point ». Cristina partit d'un rire franc et ils se serrèrent la main comme deux collègues de travail l'eurent fait, mais avec cette différence qu'eux seuls pouvaient savoir la nature du courant qui traversa leurs membres jusqu'à leurs cœurs à cet instant.

Laurencio aida Cristina à fourguer ses bagages dans le coffre du taxi et il lui ouvrit la portière. Elle prit place sans le quitter des yeux et leurs regards s'arrachèrent au départ de la voiture, dans une déchirure brutale. Cristina s'éloigna, Laurencio saisit ses valises et se retourna vers la Crown Victoria, vers Jesus, qui s'amena lentement au bord du trottoir, vers sa vie. Griego sortit du véhicule, le visage éclairé de joie. Il en fit le tour et vint prendre Laurencio dans ses bras. Ils s'étreignirent avec force et se regardèrent droit dans les yeux.

— *Hola, muchacho*!

— Comment ça va, Jesus?

— Vraiment bien, maintenant que tu es là. Vraiment bien. Allez, viens, ne perdons pas de temps: j'en connais qui ne me le pardonneraient pas.

Ils jetèrent les bagages sur la banquette arrière et s'engouffrèrent dans l'auto pour démarrer sans attendre. Ils avaient beaucoup à se raconter et commencèrent aussitôt. Ils parlèrent sans trêve, jusqu'à ce qu'ils débouchent sur le petit chemin de terre aride, en vue du *barrio* et de Yasmin, qui sautait de joie en agitant les mains comme une enfant.

Jesus sortit de la poche de sa chemise la photographie de Soledad et la tendit à son jeune camarade:

— Tiens! dit-il, comme promis, je te la rends.

— Merci, dit Laurencio. Elle ne m'a pas quitté de tout le voyage.

Laurencio glissa la photo dans sa poche et sourit à Yasmin, qui se jeta sur la portière et sur lui après l'avoir littéralement extirpé de son siège. Elle se blottit dans ses bras et l'embrassa avec tant de fougue et de passion que Laurencio en fut gêné lorsqu'il aperçut Xiomara et Pépé qui s'approchaient.

— Hé! du calme, jeune fille! Je t'avais dit que je reviendrais.

Yasmin le prit par le bras et le conduisit vers les deux vieux, qui, regardant l'enfant de Soledad, voyaient aussi en lui l'autre Laurencio, le fils que la mer et ses requins leur avaient un jour enlevé et qu'un tortueux destin leur avait pour ainsi dire rendu. Ils l'embrassèrent tour à tour.

— Où est Miguel? demanda Laurencio.

— Il travaille, dit Yasmin. Il s'est fait placer dans un hôtel de Varadero. Il y fait quatre jours, du jeudi au dimanche. Il meurt d'envie de te voir; il revient demain matin.

La petite assemblée entra dans la maison afin de profiter d'un court moment avant l'arrivée, qui ne tarderait pas, des Segura, Herrera, Lopez et Montilla.

Vers la fin de l'après-midi, les amis et voisins, qui n'avaient pas manqué de se réunir autour du voyageur, convinrent avec bonne grâce et compréhension de laisser la famille Vicario un peu seule. Angela, Placida et Flora embrassèrent le garçon pour le remercier de la pensée qu'il avait eue en rapportant un petit cadeau à chacune d'elles; les hommes repartirent contents eux aussi des présents reçus: Juan reçut une pipe en écume de mer qui avait la forme magnifiquement extravagante d'un saxophone; Antonio la paire de bottes western en cuir noir dont il avait toujours rêvé; Manuel le fumeur de cigares un énorme briquet de table imbriqué dans un ours polaire sculpté par un Inuit; et Pedro Montilla un superbe couteau de pêcheur en nacre, avec tellement de lames qu'il ignorait la fonction de plusieurs d'entre elles. Quant aux cadeaux que reçurent les trois femmes, ils parurent si judicieusement choisis que Yasmin flaira l'intervention de Cristina Cruz. Elle n'eut pas à en faire la remarque. Laurencio la devança et avoua que, sans elle, il n'aurait même pas osé mettre les pieds dans ces boutiques de lingerie féminine et n'aurait certainement pas si bien trouvé. Les trois paires de culottes à dentelle trop petites pour Placida échurent à Angela, qui passa le déshabillé trop sage à Flora, qui donna le soutien-gorge trop grand à Placida; et elles sortirent en babillant, suivies de leurs maris aussi joyeux qu'elles.

Jusque tard le soir, Laurencio raconta son séjour au Canada. Le succès de la mission commerciale fut applaudi par tous et la description captivante que fit Laurencio des us et coutumes laissa ses auditeurs tantôt rêveurs, tantôt outrés. Il répondit aux questions que Yasmin, Xiomara et Pépé lui posèrent et entendit toutes celles que Jesus ne formula pas. Le visage de son ami, pourtant souriant, ne réussissait guère à le leurrer. Jesus refoulait une impatience dévorante d'entendre son compte rendu. Celui-ci lui avait fait dire par Yasmin que tout se déroulait à merveille, que l'expédition était couronnée de succès ; mais tous ces sous-entendus et demi-confirmations par téléphone ne comblaient pas Jesus, qui s'était rongé les sangs. Laurencio se leva et alla ouvrir un sac de voyage resté sur le plancher de la cuisine.

— J'ai rapporté avec moi de quoi vous donner une idée de tout ce qui peut se passer en une seule journée dans ce pays. L'information se jette sur les gens comme les vagues de la mer sur les rochers : sans arrêt, du matin au soir et même la nuit. C'est insensé.

Il tira des journaux du bagage et les déposa sur la table.

— C'est du français... constata Pépé.

— Français, anglais, espagnol et même chinois, on y trouve les journaux dans toutes les langues. La télévision, c'est pareil : chaque ethnie a sa chaîne, dont certaines ne ferment jamais.

— Ils ne dorment pas la nuit ? demanda Xiomara.

— Certains dorment, d'autres travaillent. Ils n'arrêtent jamais complètement.

— Pas étonnant qu'ils soient si stressés et blafards quand ils arrivent ici ! lança Pépé.

Laurencio prit un journal et leur fit la lecture de quelques gros titres à sensation, traduisant directement en espagnol. Puis il en arriva, mine de rien, là où il voulait. Il tira de la pile de quotidiens celui qui affichait la photographie de David Sloman et lut :

— Mort de l'écrivain David Sloman.

Jesus se dressa sur sa chaise à l'audition du nom. Il regarda Laurencio et parut soudainement intéressé par ce qui, jusque-là, n'était à ses yeux qu'un fatras sans intérêt d'évocations sordides. Laurencio fut le seul à percevoir la réaction de son ami. Il fit la lecture de l'article avec un air détaché et déposa le journal sur le dessus de la pile, bien orienté à la vue de Jesus, qui resta rivé à la grande photo couleur.

— Allez, dit soudain Xiomara, je crois qu'il est temps pour vous deux d'être un peu seuls, dit-elle en regardant tour à tour Laurencio et Yasmin. Vous devez avoir plein de choses à vous dire.

Ils se levèrent. Laurencio alla sortir d'autres paquets et fit la distribution : Xiomara, Pépé, Jesus et Yasmin, personne n'avait été oublié.

— Celui-là, c'est pour Miguel, ajouta-t-il en tendant un sac à Yasmin. Vous ouvrirez quand on sera partis. On se revoit tout à l'heure, Jesus, pour le souper.

Yasmin était déjà dehors ; Laurencio la suivit, puis revint sur ses pas, fit signe à Jesus de s'approcher et mit sa main sur son épaule pour lui chuchoter à l'oreille :

— Il était déjà presque mort de terreur, mais c'est moi qui lui ai brisé le cou dans sa propre maison.

Ils se regardèrent fixement, échangèrent une expression de profonde satisfaction et se séparèrent.

— À tout à l'heure, se dirent-ils.

Restés seuls, Xiomara, Pépé et Jesus se jetèrent sur leurs cadeaux. Jesus déchira le papier qui enveloppait le sien, au grand dam de Xiomara qui conservait précieusement tous les papiers décoratifs. Elle soupira de dépit, mais il était trop tard. Jesus déballa une superbe paire de lunettes soleil, au design élégant, signées Giorgio Armani.

— Bon sang, quel style !

Les deux vieux partirent à rire.

— Tu vas avoir fière allure sur ta moto avec ça, dit Xiomara.

— Elles sont magnifiques !

Xiomara développa méticuleusement son paquet et tira d'une petite boîte en carton un délicat pendentif en forme de cœur. Elle fut visiblement très émue et le mit aussitôt autour de son cou.

— Attends, dit Jesus, je crois qu'il s'ouvre.

Et joignant le geste à la parole, il alla ouvrir l'objet, dans lequel il lut l'inscription : « *I love you forever* ».

— Qu'est-ce que ça veut dire ? demanda la vieille femme.

— C'est en anglais. « *Te amo para siempre* », traduisit-il.

Les larmes affluèrent aux yeux de Xiomara. Elle se retourna vers son mari.

— Je veux porter ce bijou sur moi quand je serai morte, dit-elle avec gravité. Tu entends, Pépé ? Je veux que tu m'enterres avec ça autour du cou !

— Oui, oui, j'ai compris ! fit le vieillard, mais ça peut attendre que j'aie ouvert mon paquet !

Xiomara haussa les épaules et embrassa le pendentif. Vicario, les bras croisés sur la table, regardait son cadeau emballé et ficelé sans y toucher.

— Qu'est-ce que ça peut bien être ? Je n'en ai aucune idée.

Il hochait la tête d'un côté et de l'autre, évaluant la forme et les dimensions du paquet sans décroiser les bras.

— Arrête de faire tant de manières et ouvre-le ! s'impatienta Xiomara, sous le regard amusé de Jesus. Et surtout, ne déchire pas le papier.

Pépé se décida enfin et, de ses gros doigts rugueux et malhabiles, mit un temps exaspérant à dénuder une boîte de vingt centimètres de haut pour en sortir son contenu. Il déposa l'objet devant lui et croisa de nouveau les bras pour le regarder.

— Qu'est-ce que c'est que ce truc ? dit-il, en plissant le front.

— Je pense, dit Jesus en approchant, que c'est une chope pour boire la bière.

— Elle est étonnante, dit Xiomara.

L'objet était original et tout à fait inattendu : un verre à bière de grande capacité, creusé à même la statuette d'un moine à tonsure, gras et rougeaud, vêtu d'une robe de bure ; l'anse de la chope était formée par un bras du personnage, qui tenait dans l'autre main un bâton noueux.

— Quel drôle de cadeau ! dit Pépé en le prenant dans ses mains pour le regarder sous tous les angles. Je l'ai toujours dit, l'Amérique, c'est de la merde dans du beau papier ! Il est brisé !

Xiomara s'approcha pour constater que le bâton du moine était fragile, car il bougeait à la moindre pression du doigt. C'est alors qu'une sorte de petit volet à ressort, sous le ventre du personnage, s'ouvrit, laissant se dresser vers le ciel un énorme pénis en érection.

— Seigneur Dieu ! s'écria Xiomara en reculant de deux pas.

Vicario resta sans voix plusieurs secondes, puis fut pris d'un fou rire incontrôlable qui lui fit le visage écarlate. Il dut se lever pour faire quelques pas, mais revint refermer le mécanisme de la chope, pour appuyer encore sur le bâton du moine et le faire exhiber une nouvelle fois son engin. Le fou rire de Pépé était tel qu'il en pleura des larmes grosses comme une pluie tropicale de juillet.

— C'est le meilleur cadeau que j'aie jamais eu ! dit-il en s'étouffant de rire.

Il saisit l'objet prestement et se dirigea vers la porte, claudiquant mais avec célérité, l'autre main sur sa hanche douloureuse.

— Il faut que Juan et Antonio voient ça !

— Il doit bien y avoir vingt ans que je ne l'ai pas vu se fendre comme ça, dit Xiomara, stupéfaite.

— Il faut croire que Laurencio a découvert son point faible, dit Jesus.

Ils s'amusèrent de la remarque et Xiomara prépara du café.

□

Ils avaient fait l'amour jusqu'à ce que leurs corps fourbus demandent grâce. Le cœur au galop, allongés côte à côte, ils regardaient le plafond en silence, exténués et noyés de sueur. Laurencio et Yasmin avaient gagné la maison au pas de course, refermé la porte sur eux, s'étaient barricadés et avaient retiré leurs vêtements à la hâte, les semant ici et là. Ils s'étaient jetés sur le lit dans un corps à corps sans merci et sans parole superflue.

Il n'existe pas de camouflage capable de dissimuler très longtemps l'amour là où il est ni de le feindre où il n'est pas. Laurencio déposa sa main sur le sein chaud et mouillé de transpiration de sa compagne. Il perçut les battements du cœur de Yasmin et eut l'impression étrange de tenir dans le creux de sa paume tout l'amour du monde. Le souvenir de ses nuits torrides en compagnie d'une autre femme s'imposa dans son esprit et il en fut gêné, mais cette évocation spontanée, cette comparaison qu'il n'avait pas désirée, lui permit d'éprouver avec certitude l'authenticité de l'instant qu'il vivait et de réaliser la nature contrefaite et plagiaire des moments intimes vécus dans les bras de Cristina Cruz. C'était toute la différence entre l'œuvre originale et sa reproduction, entre le vrai et le semblant, entre la vérité et le mensonge. La jeune femme qui était là, haletante auprès de lui, était la femme de sa vie. Il en fut, dans l'instant plus que jamais, persuadé.

— Si tu le désires toujours, dit-il, brisant le silence, au printemps prochain, nous nous marierons.

Yasmin reçut la nouvelle en restant muette plusieurs secondes. Laurencio crut qu'elle n'avait pas entendu. Il s'apprêtait à répéter...

— Oui! cria-t-elle. Oui, oui, oui!

Comme une enfant déchaînée par l'annonce d'une promesse attendue, elle s'agita et battit le matelas de ses pieds et de ses mains en jubilant bruyamment. Puis elle se retourna vers Laurencio et grimpa à califourchon sur son ventre.

— Bien sûr que je le veux, mais pourquoi attendre au printemps ?

— Parce que, au printemps, j'aurai enfin ma vie entière pour toi.

— Ils reviennent quand ?

— En avril.

— Et après ?

— Après... après, Soledad reposera en paix pour l'éternité.

— Oui... mais je veux dire... quand ils seront là, que feras-tu ?

— Ne me le demande pas, ma chérie. Ce qui suivra leur arrivée au pays ne sera à jamais partagé que par Jesus et moi. Ne pose plus la question, ni aujourd'hui, ni plus tard, ni jamais. Je t'assure que ça vaut mieux ainsi. Nous serons heureux, je te le promets.

Yasmin n'insista plus. Elle caressa les cheveux de Laurencio, baisa son visage tendrement et, de chatteries en cajoleries, raviva leur désir. Ils s'enflammèrent de nouveau et s'immergèrent l'un dans l'autre avec passion.

□

Les semaines qui suivirent furent portées par une vague de bonheur quasi parfait. Les vieux étaient de nouveau entourés de leurs enfants, Yasmin avait retrouvé Laurencio et son frère Miguel, Jesus revenait régulièrement souper à la maison, souvent après le travail, dans son uniforme bleu marine de policier ; le *barrio* entier avait retrouvé son rythme et sa joie de vivre. À quatre-vingt-un ans, Pépé présidait toujours les assemblées du CDR et, lors de la dernière réunion, pour appuyer la thèse de son discours d'ouverture traditionnel et illustrer la puérilité de l'Amérique, il avait, pour preuve, exhibé son moine à gros pénis. Il n'avait réussi qu'à faire s'effondrer de rire tous les membres du Parti, qui avaient tous tenu à appuyer sur le bâton. L'assemblée s'était déroulée autour de la chope à bière de Pépé, qui n'avait démontré, au bout du compte, que la puérilité des hommes quels qu'ils soient.

Laurencio avait été encensé par ses supérieurs. Le bilan présenté par Cristina Cruz avait cheminé jusqu'aux plus hautes instances des services commerciaux et des services spéciaux qui avaient mandaté la jeune femme. Laurencio Alcázar-Esteban était un sujet de conversation en vogue dans certaines maisons huppées de La Havane et il dut se soumettre à certaines obligations. Il se prêta à quelques reprises au jeu des mondanités, qu'il abhorrait mais qui se présentait comme inévitable. À l'une de ces soirées, il revit Cristina. Ils furent parfaits l'un et l'autre et nul n'aurait pu supputer ne fût-ce qu'un indice de la liaison ardente qu'ils avaient vécue. Ce soir-là, un convive chauve et arborant une barbe présidentielle s'était approché de Laurencio pour lui glisser à l'oreille :

— Qu'est-ce qui ne va pas chez vous, mon garçon ? Vous êtes exemplaire sous tous rapports, dit-on, mais vous semblez de marbre là où tous les hommes de cette soirée fondraient ; ne me dites pas que vous savez résister à Mademoiselle Cruz, je trouverais cela contre nature.

Ce à quoi Laurencio avait rétorqué :

— C'est elle qui résiste et, croyez-moi, j'ai tout essayé.

Il avait ainsi fait d'une pierre deux coups, préservant d'une seule réponse le machisme si cher à tous les pantalons présents et la convenance de la magnifique Cristina, si crainte par toutes les robes correspondantes. Et tandis que les hôtes et les invités avaient été tout à fait rassurés sur l'ordre des choses, Laurencio et Cristina avaient pu se tenir mutuellement compagnie, en toute quiétude, au cours d'une soirée d'un ennui mortel. À la banque, ils se côtoyaient chaque jour. Ils avaient été chargés de la suite des opérations, qui consistait à préparer la venue des investisseurs au mois d'avril.

On était presque en décembre et la visite du pape Jean-Paul II était au cœur d'une effervescence généralisée. L'île entière se préparait à la venue de l'homme en blanc, qui ne devait fouler le sol tropical que l'espace de quelques jours, y célébrer quatre messes et y faire onze discours. L'événement prenait des allures de fête nationale et était à la fois la rentrée d'un immense capital politique pour l'État. Ceux d'en haut, avec la responsabilité du destin de la nation, et ceux d'en bas, dans les rues, devant les portes ouvertes sur les cours intérieures: tous ne s'entretenaient que de cela. Xiomara Vicario, puissamment croyante, avait astiqué le crucifix sur le mur de sa chambre. Pépé lui avait grogné que le produit qu'elle avait utilisé empuantissait ses nuits et qu'il ne comprenait pas comment Il faisait pour ne pas sauter de sa croix et disparaître. Depuis ce temps, il arrivait à la vieille femme de s'éveiller au cœur de la nuit pour jeter un œil, derrière elle, sur le mur et s'assurer qu'Il était toujours là.

Pendant que cette ferveur gagnait des centaines de milliers de personnes autour d'eux sur l'île, Laurencio Alcázar-Estebán et Jesus Griego s'affairaient à des préparatifs d'un autre genre. Ils passaient beaucoup de temps ensemble, sortaient fréquemment avec la Crown Victoria de Pépé et revenaient parfois tard le soir, après que tout le monde ait soupé. Eussent-ils été filés et surveillés à longueur de jour qu'il eût été difficile de dire quoi que ce fût, tant leurs agissements semblaient anodins. Laurencio et Jesus n'en préméditaient pas moins méticuleusement l'assassinat de deux hommes. Et tandis que le commandant suprême, le *líder máximo* de la nation, discourait sur la Place de la Révolution, préparant son peuple à la visite historique du pape dans l'île, ils ourdissaient une action dont la terrible nature, des plus condamnables aux yeux du commun des mortels, n'avait d'écho que la légitimité qu'elle revêtait aux leurs. Yasmin ne posait aucune question, sachant en substance ce qui les occupait. Miguel Márquez ressentit la complicité hermétique des deux hommes comme une déconsidération à son endroit. Il en fut blessé et confia sa déception à sa sœur. Yasmin se sentit en posture fort inconfortable pendant quelques jours, s'interdisant de trahir le secret de Laurencio, d'une part, et incapable de rester insensible au malaise de son frère, d'autre part. Elle chérissait Miguelito depuis leur tendre enfance ; depuis l'époque de la poupée de chiffon et de corde qu'il lui avait fabriquée avec une vieille chemise d'Augustino, leur père. Aussi loin qu'elle pouvait se souvenir, Miguel était là, protecteur. Yasmin fit part à Laurencio de l'affliction de son frère. À aucun prix Laurencio n'aurait voulu froisser la susceptibilité de son ami d'enfance. Il n'avait tout simplement pas réfléchi à ça. Il reconnaissait que son attitude avait manqué d'égards envers le jeune homme. L'univers dans lequel il s'était plongé avec Jesus, celui de la vengeance, les avait aveuglés. Laurencio mesurait les risques qu'un tel comportement pouvait représenter : il n'était jamais bon, dans ce genre de projet, de s'enflammer au point de perdre conscience de l'entourage ; la moindre maladresse devenait menace de se rendre visible et de se trahir. Il entreprit donc, après une conversation avec Jesus Griego, de corriger la faute et de renouer avec la vie qui avait toujours été la sienne : celle du *barrio*. Jesus et lui s'entendirent sur une façon différente de procéder et furent en mesure de progresser malgré tout dans leur funeste planification. La tête froide, attentifs au moindre détail et trouvant dans leurs cœurs blessés la force nécessaire pour suivre une raison qui était la leur, dont ils avaient, depuis toujours, la conviction qu'elle glissait sur la bonne inclinaison. Leur motivation commune était devenue la seule avenue possible pour eux.

Ils étaient désormais dans la partie étroite de l'entonnoir et la seule issue envisageable était devant.

□

Tous au village, qui avaient vu grandir *el niño de la niña*, qui l'avaient regardé devenir un homme, comprenaient qu'il ne pouvait plus être le même. Les fonctions qu'il occupait à la *Banco Nacional*, le succès qu'il obtenait, tout cela en faisait un jeune homme occupé et soucieux de beaucoup de responsabilités. On se souvenait de lui, lorsqu'il fit ses premiers pas, sur la place devant tout le monde, un jour de fiesta. On se souvenait de lui quand il dévalait le sentier en courant pour sauter dans les bras de Pépé ou de Xiomara. On se souvenait de lui enfant terrifié et trempé jusqu'aux os sous les éléments déchaînés. Entre les Lopez, les Herrera, les Segura, les Vicario, Montilla et Griego réunis, cela faisait dix personnes au fait de la douleur que ce garçon avait éprouvée depuis son plus jeune âge. Dix personnes fières de lui, de son courage et du trajet brillant qu'il avait accompli. Certains soirs, au cours de réunions amicales, il arrivait qu'on se remémorât la découverte de la fillette de treize ans, son bébé dans les bras, couchée sur le sol terreux de ce qui n'était alors qu'un poulailler, qui devint sa maison puis le théâtre de sa fin violente. Dans la mémoire du petit hameau, plus encore que l'assassinat sur la place publique de Magdalena Márquez par son mari, la mort de Soledad était l'événement qui suscitait le plus de lourdeur dans les cœurs, même dix-huit ans plus tard. Voilà pourquoi, mises au courant de ce que tramait le garçon, toutes les âmes de ce village auraient fermé les yeux sur son acte. C'eût été un jury averti sanctionnant les coupables d'un assentiment silencieux et inviolable. Cette certitude ne pouvait d'aucune manière être prise en compte par les deux principaux responsables, qui se souciaient au contraire de préserver l'innocence de tous leurs amis, au cas où leur entreprise tournerait au vinaigre. Cela étant posé et respecté, Jesus et Laurencio marchaient vers leur destin armés d'une inébranlable confiance.

□

Le pape était venu. Il avait livré au peuple de l'île son message d'amour et au reste du monde les autres considérations. Des mots qu'il avait judicieusement habillés de diplomatie. Des termes et des images choisis et pesés. Et pour qui savait lire entre les lignes de ses discours il avait donné à réfléchir. Puis, il était reparti, laissant derrière lui des milliers d'hommes, de femmes et d'enfants avec un goût eucharistique sur la langue ; mais le corps et le sang du Christ, nourriture sacrée s'il en est une, incomparable denrée spirituelle, ne suffisent pas à combler les estomacs. L'espérance d'un temps meilleur et l'attente du renouveau social furent souvent dans l'histoire des hommes les prémices d'un échauffement des humeurs populaires. Les dirigeants de la nation ne devaient pas l'ignorer, issus d'un semblable contexte de privations et de frustrations qui les avait conduits à la révolte. Il arrivait quelquefois, dans les cafés ou sur les bancs des parcs publics, que l'on notât l'irritation et l'impatience dans les voix des travailleurs, rassemblés autour d'un jeu de dominos. Le sens de banderoles, comme celles que l'on pouvait voir sur la route de La Havane, clamant en toutes lettres : « *Libertad o muerte !* » depuis les temps déjà lointains de la *Révolucion*, prenait pour plusieurs un virage en épingle et semblait désormais pointer du doigt des causes nouvelles aux difficultés du peuple.

Pendant des siècles, le sang des descendants de Diego Velasquez et celui des esclaves noirs d'Afrique s'étaient unis pour répandre dans les plantations de tabac, de canne à sucre et de café un peuple qui avait entonné à l'unisson son folklore, son cœur et sa misère. Aujourd'hui encore, ce chant montait en musique des radiocassettes et persévérait à conserver aux êtres courage et dignité. Et qui connaissait bien les habitants de cette île savait les lourdes conséquences qu'il pourrait y avoir à ne plus entendre un jour ces chants monter des patios à ciel ouvert.

Pour l'heure, le passage du siècle s'était fait dans l'allégresse ; une ambiance de liesse où chaque insulaire avait oublié un instant sa condition précaire et avait fêté la venue de l'an 2000 en tentant de se réaffirmer sa foi et sa confiance en *el lider máximo* et sa vision politique. Comme chaque nouvelle année qui arrivait, celle-ci apportait son lot d'amour, de patience, de tolérance et de compréhension et entreprenait la restauration des convictions ébréchées, la réanimation des volontés épuisées.

Une semaine tout juste après les célébrations, le dimanche 8 janvier, allait survenir un autre événement dramatique dans l'existence du *barrio*.

Pendant la nuit, claire et chaude, la cloche de l'étable retentit, réveillant tous les habitants endormis. Cette cloche ne sonnait que pour les urgences et les grands dangers. Laurencio le savait depuis toujours. Il sauta de son lit, enfila son pantalon et sa chemise et se retrouva dehors, pieds nus, ébloui par les flammes d'un incendie qui avalait la maison de Flora et Manuel Lopez. Flora, en chemise de nuit, avait couru tirer l'alarme et s'agitait en tous sens. Yasmin arriva sur les lieux, suivie de Miguel. En quelques secondes, tout le monde fut autour d'elle, à l'écouter crier qu'elle n'avait pas réussi à réveiller Manuel, son mari. Le vieil homme de soixante et onze ans s'était endormi avec son cigare à la bouche, tentait-elle d'expliquer.

Laurencio ne fit ni une ni deux. Il avisa un grand baril en bois plein d'eau de pluie sur le côté de la maison, y courut, y sauta à pieds joints, se mouillant même la tête et, prenant son élan, il s'enfonça dans le brasier, imité aussitôt par Miguel, qui le suivit à l'intérieur de la maison en flammes. Yasmin crut défaillir en les voyant disparaître au centre de cet enfer vrombissant. Herrera et Segura s'approchèrent autant qu'ils purent, tentant d'apercevoir quelque chose, mais la chaleur les obligea à reculer. L'attente fut horriblement angoissée et on commença à croire que le réflexe des deux amis avait été inconsidéré. Soudain, on vit leurs silhouettes réapparaître et s'extirper des flammes en portant le corps de Manuel Lopez. Le feu avait commencé à s'en prendre au pantalon de Laurencio. Herrera lui intima de se jeter sur le sol et couvrit la jambe du garçon de sa chemise, qu'il avait à la main, pendant que Segura arrivait avec un seau d'eau qu'il lui versa dessus sans attendre. Laurencio et Miguel s'affairèrent ensuite à la réanimation de Manuel Lopez, inerte, sur la terre battue, à la lumière de l'incendie. Ils firent appel à leur expérience militaire et mirent en pratique ce qu'ils avaient appris en matière de sauvetage. Ils firent tant et si bien qu'au bout d'une minute à peine le vieux Manuel ouvrit les yeux et se dressa sur son séant, regardant flamber sa demeure.

— Tout va bien, Manuel, dit Laurencio. Tu es dehors, tout va bien.

Le vieil homme regarda fébrilement autour de lui, scrutant les visages illuminés de reflets dansants.

— Flora ! s'écria-t-il. Flora !

— Je suis là, Manuel ! Je suis là, mon vieux !

Manuel Lopez regarda sa femme et demanda gravement :

— Mes cigares ! Tu as mes cigares ?

La vieille Flora n'en revenait pas de l'entendre demander des nouvelles de ses cigares.

— Tu as failli mourir, vieil âne ! Si les garçons ne s'étaient pas jetés dans le feu pour te sortir de là, tu serais grillé comme *un boniato* à l'heure qu'il est ! Tu pourrais peut-être les remercier ! cria-t-elle par-dessus les craquements du toit qui s'effondrait.

— *Gracias, muchachos*, fit il rapidement. Vous n'avez pas sorti mes cigares ?

On mit ce délire sur le compte du choc que le vieux avait subi et on s'éloigna de la chaleur insoutenable du brasier. Tout le village ainsi réuni, dans la nuit claire et chaude, ne put alors que regarder brûler la maison des Lopez. Pour Flora, en état de choc dans les bras de Xiomara, c'étaient trente ans de souvenirs qui partaient en fumée. Quelques photos de leurs enfants et petits-enfants, quelques objets glanés sur le parcours de ses cinquante ans de mariage et qui marquaient différentes époques de sa vie, et surtout cette maison, modeste mais qu'ils avaient construite de leur mains à l'aube de la quarantaine.

Pour Manuel Lopez, c'étaient trente précieux *hoyos de Monterey*, roulés à la main par nul autre que lui-même à l'époque glorieuse où il était le meilleur *torcedor* de la *galera*, qui se consumaient avec les meubles et la maison. Il avait reçu une boîte de cinquante de ces merveilles le jour de sa retraite, il y avait sept ans. Il en savourait un de temps à autre, religieusement, deux ou trois par an, pas plus, et conservait la boîte dans des conditions idéales de température. Le reste du temps, il fumait des *puros* de moindre prestige, mais avait toujours trouvé qu'ils s'éteignaient mal. Pour lui aussi, en somme, c'était une vie de souvenirs que cette boîte de cigares emportée par le feu.

Les pénuries de toutes sortes qui frappaient le pays rendirent impossible l'obtention des matériaux nécessaires à la reconstruction de la petite maison. Les Lopez n'eurent d'autre choix que de quitter le *barrio* pour aller s'installer chez leur fils aîné, à Cárdenas, ce qui n'enchantait guère Manuel, qui s'accordait mal avec sa belle-fille, à qui il trouvait tous les défauts du monde et dont la seule intolérance réelle était de ne pas supporter la fumée et l'odeur de ses cigares.

L'acte de bravoure dont avaient fait preuve Laurencio et Miguel en sauvant *in extremis* la vie de Manuel Lopez les rapprocha davantage encore. La jambe de Laurencio avait nécessité quelques soins. Le jour suivant la nuit de l'incendie, les deux garçons allèrent ensemble, en fin d'après-midi, à la clinique de Varadero. Miguel prit le volant de la Ford et Laurencio se laissa conduire, détendu et confiant. Les brûlures de sa jambe étaient sans gravité, il aurait pu se passer de médecin, à la rigueur, et s'en remettre aux remèdes de Xiomara, mais il avait délibérément provoqué ce moment d'intimité avec le frère de Yasmin. Miroitant de tout son éclat dans le rétroviseur, le soleil derrière eux était encore une boule de feu suspendue au-dessus des arbres.

— Il y a quelque chose dont j'aimerais parler avec toi, Miguel, dit Laurencio, après de longues minutes de silence.

— Tout ce que tu voudras, *amigo*.

— Tu es sûr que tu ne m'en voudras pas ?

Miguel marqua un temps, avant de répondre.

— Bien entendu que j'en suis sûr ! Nous sommes beaux-frères, non ?

— Oui. Alors, dis-moi, que s'est-il passé à Palma Soriano ?

— Notre tante Milena en a eu assez de vivre avec une saloperie de mari qui la brutalisait, et nous avec. Une nuit, elle nous a réveillés, Yasmin et moi, et on est partis dans la voiture d'un voisin qui nous aimait bien. On est allés vivre à Palma Soriano jusqu'à la mort de Milena, qui s'est occupée de nous jusqu'au dernier moment comme une mère.

— Tu as très bien compris le sens de ma question, Miguel, mais tu réponds à côté. J'ai dit : « Palma Soriano » parce que c'est là que vous viviez, mais, en fait, ça s'est passé tout près, à Santiago, bien après que Yasmin soit revenue au village... mais juste avant que tu n'y reviennes, toi.

— C'est un interrogatoire en règle. Comment as-tu fait le lien ?

— Ça n'est pas moi mais Jesus qui a fait le rapprochement. C'est un excellent policier, tu sais.

— Il s'intéresse à tous les gens qu'il ne connaît pas, ton ami ?

— Non, mais ceux qui font tout pour éviter de le rencontrer lui mettent la puce à l'oreille. Depuis que tu es revenu, tu as refusé trois fois de te joindre à nous pour des sorties à Matanzas, à Varadero et, la dernière fois, à la foire de Triunvirato, où tu aurais pu rencontrer un tas de belles filles.

— Je ne pouvais pas, j'avais des...

— Des prétextes, Miguel. Chaque fois des prétextes dérisoires. Jesus a compris que tu évites de le rencontrer. Alors, il a réfléchi et voilà. Mais ne crains rien : Jesus ne cherche qu'à mieux te comprendre, c'est tout. Il ne veut te créer aucun ennui. Je t'en donne ma parole.

— Arturo Torres a flambé comme une torche dans son sommeil d'ivrogne, avec sa sale baraque. C'est ça qui s'est passé à Santiago. Tu le sais déjà, non ?

— Arturo Torres était ton oncle, enfin... le mari de Milena ?

— Oui. Et c'est tout ce qu'il méritait, crois-moi.

— Qu'est-ce que cet homme t'avait fait, Miguel ?

— À moi, rien.

— À Milena, sa femme, alors ?

— Oh ! elle, la pauvre ! elle a subi tous les affronts, toutes les humiliations et toutes les violences qu'on peut imaginer. Elle s'était fait une carapace.

— Alors... Yasmin ?

— Yasmin, oui. Il l'a... Il l'a forcée. Elle avait douze ans. Le salaud ! Je n'en avais que quatorze et je ne savais pas quoi faire, mais je me suis préparé longuement. À la mort de ma tante, Yasmin a décidé de revenir ici et j'étais d'accord avec elle. Puis, je suis devenu militaire et j'ai pu faire ce que je rêvais de faire depuis longtemps. Pendant un congé de trois jours, j'ai exécuté ce que j'avais dans la tête dans tous les détails et je l'ai fait brûler comme une vermine. On a cru à un accident et personne ne saura jamais. Surtout pas ma sœur, n'est-ce pas ?

Laurencio ne semblait plus écouter. Il découvrait le drame de Yasmin avec un étonnement déconcertant et une profonde tristesse. Jamais elle n'avait laissé voir ou entendre quelque chose. Il fut pris de fureur. Il regardait le tableau de bord de la voiture comme s'il avait voulu l'arracher.

— Quelle ordure ! Tu as bien fait, *hermano* : c'est vraiment tout ce qu'il méritait.

— Si tu savais le bonheur que j'ai ressenti d'avoir enfin la profonde conviction que justice était rendue, que j'avais vengé ma sœur.

Laurencio écouta, pensif, ses paroles et acquiesça d'un imperceptible hochement de la tête. Il savait de quoi parlait Miguel ; il en avait eu un aperçu auprès de David Sloman.

— Faisons demi-tour, dit-il soudainement.

— Mais... on va à la clinique.

— Inutile, mes brûlures sont insignifiantes. Les soins de Xiomara suffiront. C'était un prétexte pour être seul avec toi. Nous avons eu la conversation que j'espérais. Retournons chez nous, au *barrio*.

Laurencio venait de découvrir que le frère de Yasmin et lui sortaient d'un moule similaire : celui de la violence faite à leurs mères. Miguel avait souffert en silence de la disparition brutale de Magdalena. L'enfant de huit ans qu'il était avait abondammant mouillé de ses larmes son oreiller durant des années. Puis, il y avait eu le viol de sa petite sœur qu'il s'était juré de protéger. Alors, il n'y avait plus eu pour lui que la vengeance. Laurencio se sentit si proche de Miguel qu'il décida de voir avec Jesus si ce jeune homme qui s'était fait justice en dépit de la menace d'un sévère châtiment ne pourrait pas être un allié dans la préparation de leur propre vendetta.

Miguel Márques se rangea sur le bas-côté, puis il fit un virage complet pour revenir sur leur trajet. En face d'eux, au beau milieu de la route qui s'étendait à perte de vue, dans un ciel rose et bleu, s'enfouissait mollement à l'horizon une boule rouge et aveuglante comme une passion dévorante s'immergeant dans un cœur.

Chapitre 12

LAURENCIO ÉTAIT MONTÉ seul jusqu'au petit cimetière en haut de la colline. La tombe de Soledad était intacte ; pas un brin de mauvaise herbe ni même un signe d'érosion de la pierre par le temps. Laurencio y veillait.

Par une vision simpliste de la mort, il aurait pu considérer le repos de sa mère comme un sommeil définitif et éternel, mais il partageait la croyance de Xiomara en la matière et n'avait jamais adhéré à cette belle exégèse qui lui eût fait une autre vie. Il n'avait jamais pu faire taire l'appel de Soledad du fond de son sépulcre. Il la concevait prisonnière de ce corps dont il imaginait, avec effroi et affliction, l'état après tant d'années : vestiges fragilisés, désagrégés, magmas de poussière. L'âme de Soledad était là, sous cette herbe verdoyante, qui attendait pour s'envoler que s'accomplisse la menace que la jeune fille avait un jour proférée contre celui qui les séparerait, elle et son enfant : « Je jure de le pourchasser de ma malédiction jusqu'à son dernier jour », avait-elle promis solennellement à son bébé naissant, n'étant encore elle-même qu'une enfant, dans ce poulailler qui devint sa maison. Bien qu'ignorant ce serment de sa mère, Laurencio n'en percevait pas moins l'écho, une voix qu'il entendait depuis toujours, qui l'exhortait à aller jusqu'au bout de son entreprise. Sa persévérance était la seule condition à l'ascension définitive de Soledad vers le grand vide, là-haut, par-delà les nuages, de l'autre côté du soleil. Il savait que lorsque tout serait fini sa vie à lui commencerait enfin : Yasmin, des enfants, une maison et tous les projets qu'il caressait pour être heureux, entouré des siens.

Le grand jour de la réparation approchait, mais Laurencio et Jesus n'avaient toujours pas arrêté la meilleure façon de faire. L'idée générale était de laisser Bellini et Capplan s'installer et de les attirer l'un après l'autre en un même lieu, d'où ils ne repartiraient jamais. La chose devait se faire à l'insu de la moindre personne étrangère au secret. Ils finirent donc par admettre qu'ils auraient besoin d'aide. Ils avaient fait le tour de toutes les possibilités et procédé par élimination. Au bout du compte, il ne resta qu'un seul scénario valable à leurs yeux n'incriminant ni ne menaçant la conscience d'innocents. Jesus avait expliqué à Laurencio que les trois personnes jusqu'à maintenant impliquées avaient toutes les chances de leur côté. Jamais avant ce jour il n'avait fait allusion à l'extraordinaire collaboration de Cristina Cruz ; mais ce jour-là il en fit un éloge tel que Laurencio fut forcé de reconnaître, dans le discours de son camarade de toujours, une admiration pleine de passion. Jamais Jesus n'avait parlé d'une autre femme que Soledad en des termes si louangeurs et Laurencio fut agréablement soulagé lorsque Jesus avoua l'attirance formidable qu'il ressentait depuis des mois pour la *señorita Cruz.* Ils ne furent pas longs, en conséquence, à s'entendre sur la proposition qu'ils allaient faire à la jeune femme. Ils arrangèrent avec elle une rencontre à La Havane, en ce troisième jour d'avril de l'an deux mille.

En redescendant du cimetière où il était resté plus d'une heure, Laurencio trouva la voiture devant la porte des Vicario. Pépé, qui ne conduisait plus, prenait toujours plaisir à la sortir de la grange pour la garer devant la maison, prête à prendre la route, après l'inspection d'usage. Pour Yasmin, ce jour-là, l'excursion de son fiancé à La Havane était commandée par ses fonctions à la banque. Laurencio n'avait pas vraiment menti en expliquant que cette visite à « certaines personnes » faisait partie des derniers préparatifs, dont lui et Cristina Cruz avaient été chargés, avant l'arrivée imminente des investisseurs canadiens. Il avait simplement omis de préciser que ces ultimes points de détail concernaient exclusivement deux d'entre eux.

Il avait été convenu que Jesus attendrait à la sortie du village. Laurencio le prendrait au vol afin de ne pas voir s'effondrer le petit mensonge comme un château de sable. Il partit donc au volant de la Ford après avoir rassuré Yasmin sur son retour bien avant la nuit. La voiture disparut de l'autre côté de la butte, Laurencio stoppa sous un palmier en bordure de la route, Jesus sortit du boisé, traversa le fossé en trois enjambées et s'engouffra dans l'automobile, qui repartit sans attendre.

Sur le trajet, les deux amis se firent les confidences que seuls deux êtres en parfaite harmonie peuvent se révéler. Laurencio et Jesus trouvaient essentiel de tout se dire. Jesus allait sur ses quarante et un ans, et Laurencio allait en avoir vingt-deux. Ces deux hommes, liés par la même femme depuis près de deux décennies, s'étaient enchaînés davantage l'un à l'autre par des actes inavouables sciemment faits. Ils continuaient à suivre leurs destins enchevêtrés, chacun d'eux voulant le bonheur de l'autre au même titre que le sien. Cet amalgame de leurs deux existences les préservait d'une solitude qui eût été trop lourde.

Jesus reprit la conversation amorcée depuis quelques jours déjà. En l'écoutant parler de Cristina Cruz, Laurencio avait le cœur léger. Enfin, son ami, son frère, son père démontrait des signes de vie réelle ; sa voix n'avait plus la même sonorité avec ses accents de passion nouvelle ; ses yeux se rallumaient, grâce à Dieu, d'un éclat disparu depuis longtemps. Laurencio reçut avec bonheur ces signes de résurrection. Les mots de Jesus trahissaient malgré tout la crainte de son aveu, par un ton coupable chargé d'excuses non dites. Laurencio le sentit.

— Je suis heureux, Jesus. Tu ne peux pas imaginer comme je suis content de te voir comme ça.

— Qu'est-ce que tu veux dire?

— Tu le sais bien, *amigo*. Et je vais te dire: tu ne pouvais pas mieux choisir. Cristina Cruz est une femme magnifique, la plus forte que je connaisse. Si tu réussis à te faire aimer d'elle, je te promets que tu seras heureux. Mais je te préviens: sois toujours à la hauteur; elle est brillante et a constamment besoin de stimulation de la tête aux pieds. Aime-la, et tu verras sa force devenir tendresse et amour; elle en donne autant qu'elle en prend. Tu ne seras jamais déçu: elle saura assouvir ton désir et réanimer sans cesse ton besoin d'aimer. C'est une nouvelle formidable, Jesus. Je suis vraiment content pour toi.

— Tu sembles la connaître sur le bout des doigts.

— Tu as raison. Notre voyage nous a permis de nous découvrir mutuellement. Nous nous sommes bien compris, elle et moi.

— Pour la première et la dernière fois, Laurencio, je peux te le demander?

Il y eut un silence.

— Pour la première et dernière fois: d'accord.

— Que s'est-il passé, entre vous deux, au Canada?

— Une seule fois pour toutes. Rien. Il ne s'est absolument rien passé, mis à part ce que tu sais déjà.

Jesus fut satisfait de la réponse et regarda la route devant lui. Laurencio fit de même. Pour la première fois, il avait menti à son compagnon. Il savait pourquoi il l'avait fait et pouvait très bien vivre avec l'idée. Il avait l'assurance inébranlable que Cristina réfléchirait dans le même sens que lui et garderait pour son jardin secret la fleur interdite à tout autre regard que le sien.

□

Ils atteignirent la capitale en début d'après-midi et se rendirent directement à l'endroit du rendez-vous que Cristina leur avait fixé. Laurencio gara la voiture près de l'hôtel. En sortant, Jesus se regarda dans la vitre de la portière, passa sa main dans ses cheveux et rectifia le col de sa chemise blanche et le pli de son pantalon de toile bleue, puis il chaussa les lunettes-soleil Armani que lui avait offertes Laurencio. L'homme dont Soledad était instantanément devenue amoureuse était encore plus séduisant peut-être qu'à vingt-quatre ans. Les tempes argentées, l'œil tout aussi langoureux depuis quelque temps, le sourire éclatant, il possédait un atout majeur pour plaire à Mademoiselle Cruz : il était dépourvu de petite moustache noire. Quelque part derrière eux, on entendait gronder l'océan qui frappait le *malecón*, un môle construit sur le pourtour de la ville et sur lequel les lames viennent se briser après avoir parcouru des kilomètres à la surface des eaux tropicales. Les deux amis pénétrèrent dans le hall de l'établissement et se mirent aussitôt en quête du piano-bar, où ils entrèrent côte à côte.

Cristina Cruz les vit de sa place et leur fit un signe discret de la main. Jesus retira ses lunettes ; l'endroit était sombre et qui venait du soleil, comme eux, avait besoin d'une minute pour ajuster sa vue. Il fut le premier à apercevoir la jeune femme, à sa table, et toucha l'épaule de Laurencio pour lui indiquer la direction. Ils la rejoignirent en se faufilant entre les fauteuils de cuir. Cristina se leva souriante et fit la bise à Laurencio en guise de bonjour, puis elle tendit vers Jesus un bras élégant jusqu'au bout des ongles. Ils échangèrent une poignée de main chaleureuse avant de s'asseoir. Laurencio choisit délibérément de s'installer à côté de Cristina, laissant à Jesus la chaise lui faisant face.

— Voici mon grand ami Jesus Griego, Cristina. Je suis heureux de vous le présenter enfin.

— Je suis ravie de faire votre connaissance, Jesus. Laurencio m'a tellement parlé de vous qu'il me semble vous connaître un peu.

— Je peux en dire autant, mademoiselle Cruz.

— Je vous en prie, appelez-moi Cristina. Vous appartenez à la section de criminologie, non?

— C'est exact, je suis affecté aux territoires de Matanzas et Varadero.

— Je suis contente de vous rencontrer ici, à La Havane, Laurencio, poursuivit-elle. Ça nous change des sempiternels bureaux de la banque.

Ils appelèrent le serveur et commandèrent deux bières et un martini blanc, puis Laurencio entreprit d'expliquer à Cristina la raison de cette rencontre. Il éprouva un certain embarras devant la tâche, qu'il estimait très délicate.

— Je ne sais pas vraiment par où commencer, Cristina, pour dire ce qui nous amène.

— Très bien. Laissez-moi deviner alors. Nous sommes le trois du mois. Dans douze jours nous accueillerons nos dignes invités. Jesus et vous, Laurencio, vous avez beaucoup discuté, beaucoup réfléchi et tous vos efforts ont été vains. Il faut être au moins trois pour préparer la fête: voilà votre conclusion. Et je vous dis: d'accord.

— Voilà ce que je disais, Jesus. Je te présente Cristina Cruz.

— Que disiez-vous donc?

— Laurencio m'avait prévenu que vous lisiez dans les pensées, Cristina. Je vois qu'il avait raison. Mais ce que je vois mal et qu'il n'a pas eu le temps de m'expliquer, c'est pourquoi, pourquoi prenez-vous tant de risques?

— Pour aller jusqu'au bout, Jesus Griego. Jusqu'au bout de ce que j'ai commencé là-bas, au Canada, par un jour ensoleillé du mois de juin, l'an dernier.

Elle se tourna vers Laurencio.

— Jusqu'au bout d'un... d'une amitié profonde. Je sais que vous me comprenez, Jesus, vous qui avez aimé Soledad Estebán-García comme toute femme rêve de l'être, qui avez donné à votre vie une inclination qui vous est toujours apparue comme l'unique possibilité. Vous savez ce que c'est que de vouloir aller jusqu'au fond de sa propre vérité. J'ai des raisons qui sont les miennes, mais elles sont de même nature que les vôtres : avides de justice. Celle rendue à la mémoire d'une jeune femme de notre île. Celle qui châtie des hommes qui ne méritent même pas l'air qu'ils respirent.

Elle s'arrêta de parler devant le regard soudain hagard de Jesus. Elle prit doucement sa main dans la sienne et poursuivit d'une voix chaude et pleine de compassion :

— Je vous demande pardon si j'ai remué des souvenirs douloureux. Je voulais seulement...

— Vous êtes une femme formidable. Heureux homme que celui qui vous méritera. Il sera touché par la grâce.

Cristina eut une moue de ravissement et se tourna vers Laurencio.

— Vous lui avez fait la leçon, Laurencio, pour qu'il atteigne le but à ce point, ou ce talent est tout à lui ?

— Cristina, je vous présente Jesus Griego, dit Laurencio avec un air de fierté.

Elle les regarda tour à tour avec affection et ils trinquèrent.

— Au succès de la fête, donc ! lança Cristina.

— Au succès de la fête ! reprirent en chœur les deux hommes.

Ils s'attaquèrent alors à une réflexion approfondie du sujet qui les réunissait dans ce bar obscur d'un hôtel de La Havane.

□

Au nord du tropique du Cancer, sur les eaux carnivores de la mer des Caraïbes, le rêve du paradis avait encore fait des victimes. Le pays entier était de plus en plus bouleversé, depuis quelques semaines, par l'histoire d'un petit garçon recueilli *in extremis* par des pêcheurs, unique survivant d'un naufrage tragique. Sa mère avait péri avec tous les autres passagers d'une embarcation de fortune, aux règles de flottaison approximatives. Nouvelle manifestation pathétique d'un autre opium du peuple, d'une illusion meurtrière, d'un leurre fatal, qui, bon an mal an, faisait son lot de victimes.

Déjà, vingt-six années plus tôt, Laurencio Vicario, fils de Pépé et Xiomara, comme d'autres avant lui, avait tenté la même folie, avait eu le même rêve mais pas la même chance que le petit rescapé qui causait tant d'émoi dans l'île. Le pays était encore plus agité que lors de la visite du pape, quelques mois auparavant. Ce bouillonnement populaire fut cause de grands soucis pour Laurencio, Jesus et Cristina. Les autorités *del Banco Nacional*, en accord préalable avec les différents ministères de l'État, décidèrent que le 15 avril n'était plus la date idéale pour recevoir les investisseurs étrangers. Le *lider máximo* avait décidé d'intervenir personnellement et publiquement dans cette histoire d'enfant sauvé de la mer où l'émotivité populaire menaçait une certaine stabilité sociale. Ceux du paradis, ennemis jurés du président, passaient à l'attaque et il lui fallait rétorquer, dût-il pour cela utiliser l'arme de ses adversaires : un petit garçon de six ans à peine, promu au rang de héros national au Sud et pris en otage par *Disney World* au Nord. On résolut de repousser la visite des hommes d'affaires de trois semaines en espérant que les esprits se seraient alors calmés.

Cristina et Laurencio furent chargés des démarches pour aviser les invités étrangers de ce contretemps. C'est alors que Laurencio eut une idée brillante. Elle appelait une modification du plan qu'ils avaient élaboré à trois ces derniers jours, mais elle en valait la peine. La mise en scène réglée par les trois complices avait un fort pourcentage de chances de réussite, mais le contretemps provoqué par l'avènement de ce petit naufragé dans la vie du pays permettait plus ! Le piège de Laurencio, Jesus et Cristina devenait presque parfait, en contournant la seule difficulté majeure qui les inquiétait encore : quelques jours après leur arrivée, la disparition, du jour au lendemain, de Bellini et de Capplan devait se justifier par un retour dans leur pays précipité par une cause incontournable. Mais, trois jours à peine avant la date prévue, on n'avait pas encore mis ce détail au point, faute d'un complice aux douanes qui devait affirmer avoir apposé le sceau de sortie dans leurs passeports. Bien que cela n'aurait aucunement retenu le processus de la vengeance, l'avantage de ce report d'échéance sembla couler de source quand Laurencio exposa son idée.

Cristina et lui allaient aviser individuellement chaque personne possédant une invitation du contretemps dû au grand souci des organisateurs de les recevoir dans un contexte social paisible. Ils se joueraient de Capplan et de Bellini en les faisant entrer dans l'île une semaine avant les autres. Ils les accueilleraient eux-mêmes à l'aéroport, sans ministre accompagnateur, sans journaliste, dans l'anonymat d'un groupe de touristes comme il s'en déverse chaque week-end dans les hôtels du pays. Le billet d'avion de Capplan le prierait de se présenter au comptoir de la compagnie nationale pour le vol matinal, qui arrivait à sept heures trente ; et Bellini recevrait une réservation sur celui qui se posait en début d'après-midi le même jour, soit le samedi 29 avril.

La télécopie de Cristina devait leur faire avaler cette anomalie, par une explication de son cru, sous l'en-tête prestigieux du ministère du Commerce. Il était impératif que les deux hommes voyagent séparément afin que l'un et l'autre puissent croire la délégation commerciale canadienne à bord de l'autre vol. Cristina les attendrait tour à tour avec une voiture officielle empruntée, et Jesus Griego serait au volant.

À peine mettraient-ils le pied sur la terre de l'île que l'un et l'autre seraient abordés par un délégué des douanes, dont la tâche particulière serait d'expédier les formalités d'entrée des invités spéciaux de l'État afin de leur épargner une attente fastidieuse. Laurencio avait pensé à Jórge Gutieréz, le cousin germain de Jesus, qui leur avait par le passé rendu un précieux service en extirpant un dossier confidentiel du département des archives. Gutieréz était aujourd'hui assigné aux douanes de l'aéroport de La Havane et pouvait aisément se présenter en uniforme à tout instant pour prendre en charge une personnalité invitée. La chose était courante et n'attirait aucune attention particulière. Jórge apporterait une aide muette comme une tombe et remettrait à son cousin, sans aucune question, tous les documents mentionnant l'entrée des deux hommes au pays.

Aucune réservation d'hôtel n'ayant été faite pour eux, une fois leurs noms disparus du fichier de l'ordinateur de la compagnie d'aviation, on pourrait affirmer sans crainte d'être contredit que Capplan et Bellini n'étaient jamais entrés dans l'île.

La participation de Cristina Cruz était cruciale pour un accueil chaleureux et distrayant, qu'elle devrait jouer deux fois la même journée. Elle se chargerait d'accompagner les voyageurs dans la voiture officielle ; là, elle laisserait parler son charme et proposerait la coupe de champagne rafraîchissante qui les plongerait dans les bras de Morphée pour des heures. Un quart d'heure étant suffisant à la substance choisie pour endormir un individu, le point de rencontre avec Laurencio avait été fixé à vingt-cinq kilomètres de l'aéroport, dans un endroit isolé. Il attendrait avec la Ford et, bâillonnés au ruban adhésif, un sac de toile sur la tête, pieds et poings liés, Capplan et, quelques heures après lui, Bellini seraient engouffrés dans le large coffre de la vieille américaine. Ils seraient alors transportés en un lieu connu seulement de Jesus et Laurencio. Les choses avaient été ainsi entendues. Cristina Cruz comprenait que la suite n'appartiendrait qu'à ses deux compagnons et ne désirait pas en savoir davantage, l'essentiel étant que la mort de Soledad Estebán-García allait être vengée par son fils. Quant à Cristina, elle serait allée jusqu'au bout et s'en féliciterait à jamais.

□

La décision, de haute autorité, de repousser la venue des investisseurs s'avéra très bonne. Le cœur de la population retrouva son rythme et les voix, le ton de la conversation. Chacun reprit son sort en main, attendant le pain du jour en demandant : « *Quien es el último*? Qui est le dernier ? » pour prendre sa place dans la file.

La justice avait prononcé son verdict concernant le sort du bambin que les propagandes du Nord et du Sud avaient moralement écartelé pendant des semaines, qu'elles avaient sans doute marqué pour la vie. Pour le meilleur ou le pire ? Il était encore trop tôt pour le dire. Quoi qu'il en soit, l'enfant était entre les bras de son père quinze jours plus tard et la vie de l'île s'écoulait depuis sous une rumeur plus clémente et hospitalière.

Sept heures quinze du matin, le samedi 29 avril. Une voiture noire battant pavillon diplomatique se présenta aux portes de l'aéroport. C'était une Lincoln 1959 rutilante au chrome étincelant qui n'avait jamais transporté que son propriétaire, le beau-frère d'un voisin de Jesus Griego. Le fanion écarlate qui flottait au bout de l'antenne, sur l'aile avant, n'avait de diplomatique que le souvenir improbable d'une main officielle qui s'était peut-être glissée sur une ancienne robe rouge de Cristina Cruz avant que celle-ci n'y passe les ciseaux. Nul n'aurait pu dire qu'il ne s'agissait pas d'un véhicule important. Les quelques personnes déjà amassées là pour attendre l'arrivée du prochain vol étaient leurrées et s'attendaient à en voir sortir quelque personnalité prestigieuse. Ils en virent descendre un chauffeur en costume noir et cravate portant des verres fumés Armani. Jesus alla ouvrir la portière arrière et Cristina s'extirpa de la grosse voiture, en tailleur élégant, souliers en crocodile, un porte-documents à la main.

Ils s'éloignèrent du véhicule et marchèrent vers les portes d'entrée du pas qui convient aux personnes affairées, en regardant droit devant eux. Jesus Griego se dirigea vers un homme en uniforme et s'adressa à lui sous les regards curieux des collègues. Sans entendre, on le vit donner des instructions. L'homme s'exécuta avec un geste de salut respectueux de la main vers le front. Ce fonctionnaire des douanes en uniforme était le cousin germain : Jórge Gutiérez, qui se chargeait d'intercepter Capplan à sa descente de l'avion qui venait de se poser et de l'aiguiller vers le petit bureau désuet où l'attendaient déjà Mademoiselle Cruz et son chauffeur.

Dans cet espace restreint pauvrement rafraîchi par un ventilateur de plafond qui ronronnait, Jesus marchait de long en large et son manège donnait le tournis à Cristina, qui le saisit par le bras au passage. Elle mit sa main dans la sienne.

— Calmez-vous, lui dit-elle avec douceur. Tout ira bien. Vous n'avez rien à craindre.

— Vous en avez l'air tellement sûre !

— Mais oui, j'en suis sûre. Vous êtes magnifique dans votre rôle. On jurerait cet acteur américain qui devient garde du corps d'une chanteuse populaire...

— Les acteurs américains, moi... mais si la chanteuse est aussi ravissante que vous, je le comprends de vouloir la protéger.

— Continuez de cette façon, Jesus, vous êtes sur la bonne voie, dit Cristina.

Jesus Griego s'approcha tout près d'elle et lui chuchota à l'oreille :

— J'ignore si je comprends bien ce que vous voulez dire, Cristina, mais je veux que vous sachiez que, lorsque nous en aurons fini avec tout ça, j'aimerais vous revoir. Je veux dire... si vous en avez envie et...

Il n'eut pas le temps de terminer sa phrase. Cristina le saisit par le revers de son veston et déposa un baiser sur ses lèvres.

— J'en ai même très envie, monsieur Griego.

Il semblait à Cristina Cruz qu'elle trouvait en Jesus Griego un homme de même nature que son meilleur ami Laurencio : sincère et délicat et d'une aussi grande force de séduction. Les traits fins, l'œil langoureux sous des sourcils noirs, le sourire éclatant auquel on croit parce qu'il part du cœur et, surtout, des mots plus doux les uns que les autres sortant d'une bouche qu'elle ne se lassait pas de regarder ; autant de détails attirants pour une jeune femme de trente-trois ans à la recherche du bonheur à deux.

On frappa à la porte du petit bureau. Jesus prit ses distances.

— Entrez ! dit Cristina.

Jórge Gutiérez apparut dans le cadre de la porte et céda aussitôt le passage à Mike Capplan, visiblement ravi de revoir Mademoiselle Cruz. Il avança vers elle, eut un regard rapide vers Jesus Griego et s'empressa de la remercier de la facilité avec laquelle il était parvenu jusqu'à ce bureau, évitant l'attente interminable dans les longues files de nouveaux arrivants.

— Bonjour, Mike. Vous avez eu un bon vol ?

— Un peu à l'étroit, mais pas mal, dit-il en riant.

Cette allusion à sa corpulence fit remarquer à Cristina que Capplan avait grossi depuis leur rencontre, dix mois auparavant.

L'individu était plus large de taille, plus enflé et rougeaud. Il riait du rire vulgaire de celui qui a tout, mais pas une seule réelle vertu ; de celui qui se sait privilégié parmi les privilégiés et qui, circonscrit par un laxisme inhérent, se croit doté d'une santé physique et sociale à toute épreuve.

Sans s'en douter une seule seconde, Mike Capplan était pourtant à l'article de la mort. Jesus Griego l'observait et le haïssait davantage à mesure que les secondes s'égrenaient. « Ainsi, c'est ce gros porc qui a tué ma Soledad. » Jesus eût possédé une force d'esprit assassine que Capplan se serait effondré sur place. Mais la haine ne devait pas supplanter la délectation que lui procurait le plan établi. Il devait s'y tenir et le fit.

— Nous récupérons à l'instant vos bagages et nous vous conduisons à votre hôtel. Qu'en pensez-vous, Mike? demanda Cristina.

— Est-ce que toute la délégation sera reçue de cette façon? l'interrogea Capplan.

— Non. Le vol de treize heures sera attendu par un autobus. On ne pouvait certainement pas vous faire attendre ici! Allons, venez: vous devez être impatient de vous installer.

— Vous avez parfaitement raison. J'ai chaud et j'ai le gosier sec. Un *mojito* bien frais, voilà ce qu'il me faut!

— Nous pourrons remédier à ça dans la voiture.

Cristina fit un signe discret à Jesus et celui-ci ouvrit la marche. Ils se dirigèrent vers le tapis de récupération des bagages. Capplan indiqua ses valises et Jesus les saisit pour les charger sur un chariot. Puis ils regagnèrent la Lincoln noire. Après avoir refermé le coffre arrière, Jesus retrouva sa place, au volant, et attendit l'ordre de Cristina pour démarrer. Capplan s'était enfoncé dans le siège confortable, dans la position écartée des gens de son volume, et s'ébaubissait en regardant l'intérieur du véhicule.

— Une Lincoln 59! Ça m'épate. Elle est en superbe état! Magnifique!

— Et fournie avec tout le confort, ajouta Cristina.

Elle leva le couvercle d'un petit coffret à ses pieds, où était couchée une bouteille de vin mousseux sur un lit de glaçons.

— Voulez-vous vous en occuper, Mike? lui demanda-t-elle en lui tendant négligemment la bouteille. Je sors les verres.

Elle ouvrit son porte-documents et en tira deux flûtes, les présentant à Capplan, qui se chargea de les remplir après avoir fait avec le bouchon une marque sur le vinyle clair du plafond. Jesus jeta un coup d'œil rapide pour constater les dommages et grommela son mécontentement entre ses dents. Pendant ce temps, Cristina tendit un verre à Capplan. Ils trinquèrent au séjour magnifique qui s'amorçait.

— À la vôtre, mon vieux ! fit Capplan vers Jesus.

N'eût été la présence de Cristina, elle-même insulaire, Capplan aurait lancé un méprisant « À la tienne, Pépito ! »

— *Gracias, señor* ! dit-il dans le rétroviseur, *y buenas noches*.

Mike Capplan n'entendant pas un seul mot d'espagnol, ce « bonne nuit » ironique de Jesus ne risquait rien. Cristina récupéra habilement le moment et dirigea son sourire vers Capplan, qui le prit aussitôt pour lui comme il faisait de toutes choses. Enfin, ils burent et, d'une seule traite, l'homme vida son verre. C'en était fait de lui. Ravie, Cristina remplit de nouveau la flûte de cristal qu'il tendait devant elle.

Ce verre avait été traité au préalable avec une substance soporifique puissante, badigeonnée sur sa paroi interne. Cet anesthésiant redoutable provenait du livre des recettes personnelles de Gisela Catala, la sorcière. Le flacon, qui tenait dans la paume de la main, avait coûté mille *pesos* à Laurencio et Jesus, qui avaient pu en tester l'efficacité avant de payer. La sorcière employait un courageux voisin, qui, moyennant deux cents *pesos*, acceptait de servir de cobaye et qui s'était effondré avec une seule goutte dans une tasse de café. Cette flûte de vin pétillant serait la dernière dans la vie de Mike Capplan.

Au bout d'une minute, il se mit à bafouiller, demandant ce qu'on lui avait fait boire. Il eut des hallucinations, puis l'écume aux commissures de la bouche. Il transpira abondamment, fut pris de tremblements suivis de spasmes et sombra dans un profond coma.

Cristina Cruz se détendit et regarda Jesus dans le rétroviseur. Ils échangèrent un sourire qui se transforma en un rire qui les libéra de la tension qui les habitait depuis le matin. Le plan se déroulait avec une telle conformité à sa préparation qu'ils avaient de quoi se réjouir. Ils roulèrent plusieurs minutes encore et arrivèrent enfin au lieu prévu. Ils quittèrent la route nationale pour s'engager sur un sentier de terre et aboutirent dans une carrière désaffectée. Ils traversèrent l'enclave de roche rougeâtre et s'arrêtèrent à l'entrée d'une mine où attendait déjà la Crown Victoria. Laurencio en descendit et accourut vers eux.

— Il est là ?

— Il est tombé comme une grosse merde, fit Jesus.

Laurencio alla vers Cristina et lui tendit la main pour l'aider à descendre du véhicule.

— Ça va, Cristina ?

— À merveille.

Laurencio posa ses mains sur les épaules de la jeune femme et l'embrassa tendrement sur la joue.

— Merci, dit-il. Tu es merveilleuse.

Le garçon venait de la tutoyer pour la première fois en présence de Jesus. Cristina fut touchée par cette familiarité délicieuse, qui avouait enfin leur rapprochement. Jesus ne voulut pas être en reste et, à son tour, vint déposer un baiser sur ses lèvres.

— C'est vrai, merveilleuse. Absolument magnifique.

— Eh bien ! si je dois être embrassée comme ça chaque fois, je vous amène la délégation tout entière !

Ils s'amusèrent de la remarque.

— Bien, dit-elle, allons. Ça n'est pas fini. L'avion de Bellini arrive à une heure. Il nous reste quatre heures.

Laurencio courut vers la Ford, s'y engouffra et la rapprocha de la Lincoln de façon à transborder Capplan plus facilement. Il ouvrit le coffre de sa voiture, puis Jesus et lui s'affairèrent à extirper l'énorme carcasse de Mike Capplan du siège où celui-ci était affalé. Ils eurent besoin de toute leur force pour le transporter deux mètres plus loin et le soulever pour le jeter au fond du coffre. Jesus lia les mains de l'homme inconscient dans son dos à l'aide d'un ruban adhésif extrafort, puis les pieds, et enfin le bâillonna. Laurencio voulut ensuite mettre une cagoule sur la tête de Mike Capplan.

— Attends, dit Jesus.

Il assena une claque monumentale à Capplan, tandis que Laurencio le regardait, éberlué.

— Pourquoi fais-tu ça ?

— Pour la marque qu'il a faite dans une voiture qu'on m'a prêtée.

— Patience, *amigo*. Bientôt, on pourra lui faire payer toutes les marques qu'il a faites sur nos vies. Je te le promets.

Il enfila la cagoule de toile noire sur la tête de Capplan.

— J'espère seulement que ce fils de pute ne crèvera pas d'un infarctus avant. Ce serait trop dommage !

Cristina s'approcha et jeta dans le coffre, près du corps, les deux flûtes à champagne et la bouteille. Elle remplaça les glaçons dans la petite glacière de la Lincoln et y déposa une nouvelle bouteille. Puis elle prit un second porte-documents, identique au premier, sur le siège de la Ford, qu'elle mit dans l'autre voiture.

— Les verres sont bien comme il faut ? demanda-t-elle.

— Ne crains rien, dit Laurencio. C'est moi qui les ai placés : le tien à gauche, le sien à droite.

Il ne resta plus alors à Jesus et Laurencio qu'à transférer les valises de Capplan d'une auto à l'autre et ils furent prêts à se séparer.

— Sois prudent, *hermano*, dit Jesus. Tout est prêt là-bas ?

— Tout est prêt, t'en fais pas.

Laurencio prit le visage de Jesus dans ses mains.

— On y arrive, Jesus. On y arrive après toutes ces années !

Ils se donnèrent une accolade fraternelle sous le regard ému de Cristina.

— Cristina, fit soudain Laurencio, attention à Bellini. Tu le sais comme moi, il est plus dangereux que Capplan.

— Ne t'inquiète pas, dit Cristina, j'ai connu plus méchant encore. Fais ce que tu as à faire, Laurencio. Jesus et moi, on s'occupe de Bellini.

— C'est vrai, ajouta Jesus, sois tranquille : je veille sur elle. Il ne lui arrivera rien, fais-moi confiance.

Ils se souhaitèrent bonne chance et se donnèrent rendez-vous au même endroit aux environs des deux heures quinze de l'après-midi. Laurencio sauta dans son véhicule et s'éloigna en leur adressant un signe de la main.

Jesus et Cristina restèrent seuls, debout, près de la Lincoln noire aux portières largement ouvertes. Ils regardèrent autour d'eux le paysage désolé, rocailleux, poussiéreux. Le soleil du matin plombait déjà avec ardeur et, dans le ciel bleu tendre, tournoyaient en planant très haut de grands oiseaux noirs.

— Nous avons au moins quatre heures à tuer, dit Jesus. Que suggères-tu ?

— Les distractions n'abondent pas dans le coin, plaisanta-t-elle. Que feras-tu, Jesus, quand tout sera fini ?

— Tu veux dire demain ?

— Demain et durant tout l'avenir qu'il te reste.

Il demeura silencieux un moment. Cette question banale lui paraissait d'une réelle difficulté. Il ne se l'était jamais posée. Depuis dix-huit ans, sa première pensée en s'éveillant et sa dernière en s'endormant étaient pour Soledad. Il revoyait sans cesse les mêmes scènes, les seules que son cœur aient eu le temps d'enregistrer. Soledad dans une robe-fourreau blanche que Placida Segura lui avait offerte ; les épaules nues, les cheveux libres sur sa peau de bronze clair tombant en boucles sombres sur ses sourcils épais et son regard bleu paisible comme un ciel de beau jour, une vive étincelle d'intelligence et de curiosité y brillant en permanence comme une étoile. Qu'elle était belle lorsqu'ils marchaient sur le chemin de terre à la tombée du jour ! Leur premier rendez-vous, leur seul moment d'intimité. Jesus refaisait cette promenade chaque soir, les mains croisées sur sa nuque, avant de s'endormir ; il se passait et repassait cet instant comme l'unique séquence d'un film inachevé.

Cette question de Cristina, qui pouvait sembler anodine, avait été sciemment posée, et dans un but qu'elle avait atteint du premier coup : celui de placer Jesus Griego devant la réalité du moment présent. Il avait quarante ans, les tempes grisonnantes et il avait passé sa vie dépourvu de références heureuses, ruminant, préparant, rêvant l'heure d'une vengeance qui était en train de s'accomplir. Qu'en sera-t-il de son existence quand cette ultime aspiration sera rejointe ? De quoi seront faits ses jours quand Soledad satisfaite reposera en paix pour l'éternité ? Allait-il perpétuer l'offrande absolue de son être à un souvenir, même inestimable ?

— J'ai adoré une femme unique que je n'ai connue qu'une seule journée. Puis un orage a éclaté, dans le ciel et dans ma vie. Elle est morte et je me demande si, depuis, j'ai vraiment apprécié le soleil une seule fois. Il me semble que tout a été gris et sombre tout le temps. Et subitement, là, dit-il en levant la tête, je revois le ciel bleu ; même ces charognards qui volent là-haut me semblent beaux, c'est dire ! Je crois que c'est grâce à toi, Cristina.

— Vraiment ? fit la jeune femme, avec mignardise.

— Comme si tu l'ignorais ! Il me semble avoir dit, il n'y pas plus d'une heure, que j'espérais te revoir lorsque tout sera fini.

Cristina pensa pour la première fois à l'éventualité d'un échec. Si l'obscur tribunal qu'ils avaient établi était découvert ? Si une erreur s'était infiltrée et qu'ils devaient être démasqués, arrêtés, condamnés ? Cette idée ne l'avait jamais effleurée. Elle s'était convaincue dès le départ que la chose était impossible, impensable, sur la base de la force de caractère et de la motivation rares de ces deux hommes qui avaient changé sa vie sur tous les plans. À l'aurore encore pâle d'un rêve nouveau, mais dans la perspective d'une possible relation riche et durable avec Jesus, qu'elle apprenait à apprécier et commençait, lui semblait-il, à aimer, la question surgit et la fit frémir. Il passa un nuage dans son regard clair.

— Quoi ? Que se passe-t-il ?

— Rien, mais j'ai une idée pour combler le temps qu'il nous reste à attendre.

— Je t'écoute, dit Jesus.

— Approche.

Elle le saisit par la main et l'attira vers la portière ouverte de la voiture. Elle lui fit faire demi-tour, le forçant à s'asseoir sur la banquette, et lui posa les mains sur les épaules pour le pousser à l'intérieur. Jesus se retrouva couché sur le dos et elle posa sur lui un regard qui parlait de lui-même.

— J'y pensais sans oser le faire, dit Jesus.

— Eh bien ! faisons-le sans y penser maintenant.

Elle s'allongea de tout son corps sur celui de Jesus et ils entreprirent le plus beau passe-temps qui soit quand on a quelques heures devant soi dans une carrière désaffectée. Cristina Cruz oublia rapidement l'objet de l'angoisse qui l'avait tenaillée une minute plus tôt.

□

Les mains moites de Laurencio agrippaient le volant de la vieille Ford. Il roulait en fixant la route au travers des volutes de chaleur montant de l'asphalte brûlant. Son cœur battait la chamade. Il avait dans le coffre de sa voiture la seconde tête du monstre décrit par Gisela Catala. Avant que le jour ne s'éteigne, il tiendrait la troisième ! La première étant déjà tranchée, il aurait devant lui ce qui restait de la créature malfaisante qui avait transformé son rêve d'enfance en un cauchemar perpétuel. La voiture longeait la mer calme aux reflets miroitant sur une nappe en camaïeu de bleus.

Laurencio pensa à Pedro Montilla : « Seigneur ! la tête qu'il ferait en apprenant ce qui se passe en ce moment ! » L'idée que son ami Pedro avait écopé trois années dans l'enfer du bagne en tentant désespérément de sauver sa mère vint tout près de l'inciter à mettre Montilla dans le secret de la vengeance. Il chassa la pensée prestement : il fallait s'en tenir à ce qui était prévu. Il arriverait à sa destination, cacherait la voiture à bonne distance et sortirait Capplan du coffre pour... Bon sang ! comment avaient-ils pu oublier ce détail ? Etait-il possible que ni lui ni Jesus n'aient pensé à cela ? À deux, ils avaient tout juste réussi à traîner Mike Capplan et à le soulever pour le mettre dans le coffre, alors comment pourrait-il l'en sortir seul et le porter jusqu'à l'endroit prévu ? C'était impossible, Laurencio en fut aussitôt convaincu. Capplan était une proie énorme et, même se sachant doté d'une certaine force physique, Laurencio ne se voyait pas transporter ce fardeau à travers le bois pour ne pas être aperçu de la route et contourner une partie de la colline pour arriver derrière la maisonnette et enfin soulever le prisonnier inconscient pour le jeter à l'intérieur par la petite fenêtre. Ce qui n'avait été, durant l'élaboration du plan, qu'une simple directive de marche à suivre lui apparaissait soudain comme un des travaux d'Hercule. Quelle bêtise d'oublier le facteur poids de la charge ! Laurencio approchait de sa destination. Il revint à la possibilité d'affranchir Montilla et de lui demander son aide, puis il eut l'idée qui le soulagea de son inquiétude. Puisqu'il lui fallait improviser et laisser entrer une autre personne dans le secret, ce serait quelqu'un d'aussi déterminé que Jesus et lui, quelqu'un qui avait fait la preuve qu'il pouvait, par conviction, oser un geste envers et contre le jugement du monde entier. Ce serait Miguel Marquez l'homme de la situation, d'autant plus que, depuis trois semaines, il ne travaillait plus à l'hôtel Melia. Laurencio savait donc qu'il le trouverait à la maison.

Il entreprit de passer en revue les meilleures façons de faire. Il décida qu'il irait jusqu'à la maison de Yasmin, ne ferait qu'un passage rapide sur la place, laisserait tourner le moteur le temps de demander à Miguel de le suivre. Celui-ci s'exécuterait sans poser de question, trop heureux de ce que Laurencio ait besoin de lui. Ils repartiraient aussitôt et, chemin faisant, il trouverait les mots pour lui exposer rapidement les faits. Voilà exactement ce qu'il ferait. C'était la seule manière possible d'agir : il s'en convainquit et arriva sur la dune du chemin où apparaissaient les petites maisons en parpaings du *barrio*. Le soleil était déjà haut dans le ciel et il n'y avait pas de temps à perdre. Le trajet depuis la carrière avait demandé plus d'une heure et demie et il fallait le refaire en sens inverse avant de retrouver Jesus et Cristina et de prendre à son bord le dernier passager pour la mort : Tony Bellini.

□

Samedi 29 avril, treize heures pile. L'avion transportant Bellini s'était posé sur la piste. À peine pied à terre, l'homme avait été intercepté par Jórge Gutiérrez, qui, affable, l'avait prié de le suivre. Bellini avait semblé fortement incommodé par la chaleur et pas fâché qu'on envoyât ainsi quelqu'un les prendre, lui et ses bagages. Il avait eu droit au même privilège que Capplan et apprécié le temps gagné par cette démarche, mais l'avait jugée en son for intérieur, avec vanité, comme allant de soi, pénétré qu'il était de la qualité d'invité de marque qu'il s'attribuait.

Aussi n'avait-il pas trouvé utile de remercier Cristina pour ces égards en la rejoignant dans le petit bureau dont l'air chaud était déplacé par les pales qui tournaient au plafond. Il avait, plus encore que Capplan, ignoré la présence de Jesus et, aussitôt après avoir servi à Cristina les quelques clichés désuets du séducteur de l'école italienne, il s'était empressé de demander qu'on le conduise à son hôtel, sur un ton presque péremptoire. Jésus l'avait trouvé plus détestable encore que son prédécesseur et n'en avait eu que plus hâte au moment tant attendu. En entrant dans la Lincoln, Bellini s'était lui aussi extasié devant la pièce de collection et avait posé la même question que Capplan à Cristina :

— Est-ce que toute la délégation du vol de ce matin a profité du même mode de transport ?

— Il était malheureusement impossible de disposer de plus d'une voiture diplomatique et celle-ci a été réservée pour vous.

Ils roulaient depuis plus de dix minutes et Cristina et Jesus étaient aux prises avec un grain de sable fort désagréable dans l'engrenage. La jeune femme avait offert à deux reprises le verre de champagne destiné à le rafraîchir, et Bellini l'avait refusé autant de fois. Tout ce qu'il désirait, c'était arriver à l'hôtel et prendre une douche. La Lincoln approcha de l'endroit où Jesus devait bifurquer, sur la route secondaire cahoteuse conduisant à la carrière. Bellini cessa d'écouter le babillage que Cristina s'efforçait de lui servir pour le distraire et regarda dehors.

— Il est sûr d'être sur la bonne route, votre chauffeur ?

— Oui, je crois que oui, dit Cristina, sentant la nervosité la gagner.

— Demandez-lui où on va ! ordonna Bellini.

Cristina se pencha en avant et s'adressa à Jesus en espagnol :

— Je crois que nous avons un petit tracas, Jesus.

Jesus arrêta la voiture, se retourna vers ses passagers en appuyant son bras sur le dossier de sa banquette, puis il adressa un sourire à Bellini avant de répondre :

— Nous n'avons aucun problème, Cristina.

Il étendit alors soudainement son bras et, à la surprise de sa compagne et encore plus de leur passager, colla le canon d'un revolver entre les yeux de Bellini, qui bafouilla en demandant des explications.

— Tu aurais mieux fait de boire le champagne qu'on t'offrait parce que là, tu vas mourir la gorge sèche, crétin.

Puis il parla de nouveau en espagnol pour demander à Cristina si elle pouvait tenir l'arme jusqu'à ce qu'ils arrivent au point de rendez-vous, à quelques minutes de route. La jeune femme dit que oui, bien sûr, mais qu'elle espérait qu'il ne tenterait rien parce qu'elle appuierait sur la gâchette sans hésiter. Jesus ne voulut pas courir ce risque, et pour la déception qu'en ressentirait Laurencio, et pour le désastre que représenterait du sang giclant dans cette voiture empruntée à un ami. Il assena donc un violent coup, du plat de son arme, sur le visage de Bellini, qui perdit connaissance. Jesus confia alors le revolver à Cristina et appuya sur l'accélérateur à en faire crisser les pneus. Ils roulèrent à fond de train jusqu'à la carrière, où ils ne virent pas la Ford de Laurencio.

Cristina émit une inquiétude que Jesus balaya aussitôt par une réponse d'un optimisme à toute épreuve. Ils s'affairèrent à bâillonner Tony Bellini avec le ruban adhésif, lui enfilèrent une cagoule comme ils avaient fait avec Capplan et lui lièrent solidement pieds et mains. Il restait à attendre l'arrivée de Laurencio. Malgré la confiance dont faisait preuve Jesus Griego, Cristina Cruz se faisait un sang d'encre :

— Pourvu qu'il ne lui soit rien arrivé...

— Rien, Cristina, il ne lui est rien arrivé. Laurencio est plein de ressources et il sera bientôt là.

Les grands oiseaux noirs, *las tiñosas*, tournoyaient encore dans le ciel bleu. L'attente sous le soleil se faisait atrocement longue. Appuyés contre le capot de la voiture, Cristina et Jesus se prirent par la main.

— C'est un garçon intelligent, Laurencio, dit Jesus. Je crois que tu as eu le temps de le connaître un peu au Canada.

— Un peu, oui.

— Il est de la trempe de ceux qui ne se laissent pas abattre. Même à l'armée, il était cité en exemple ; mais ça, ton père, le sergent Bolivar, a dû te le dire.

— C'est vrai. Tu l'aimes vraiment beaucoup.

— Il est ce que j'ai de plus cher au monde. J'aurais pu être son père ; je suis fier d'être son meilleur ami. Nous avons partagé tant de choses.

Cristina se tut. Elle pensa à son séjour à l'hôtel Delta, revit la chambre à l'éclairage tamisé, se rappela les instants gravés à tout jamais dans sa mémoire. Un soupir s'arracha de sa poitrine.

— Il a une admiration illimitée pour toi, dit Jesus. Il dit que tu es la femme la plus extraordinaire qu'il ait connue.

— Il est très jeune, il n'a pas dû en connaître beaucoup.

— Tu serais étonnée du nombre de femmes qui se sont intéressées à lui quand on voyageait à travers le pays. Nous sommes allés partout, lui et moi. On a visité tous les coins de notre île, toutes les villes. À quinze ans, il était déjà plus grand que moi et séduisait ces dames d'un seul sourire, mais il ne souriait pas souvent. Je crois bien que Yasmin Márquez sera la seule femme de sa vie.

— Heureuse fille.

— Elle le mérite plus que toute autre : il y a des années qu'elle l'attend.

— Alors, que Dieu le lui garde ! Qu'est-ce qu'il fait ? Il est très en retard. Je n'aime pas ça.

Un vrombissement de moteur retentit à cet instant au loin.

— Ça y est ! Je crois qu'il arrive. Je reconnais le moteur de la Ford.

La voiture de Laurencio déboucha à l'entrée de la carrière dans une traînée de poussière. Laurencio roulait à vive allure et modéra en s'approchant. Il stoppa le véhicule et en sortit pour venir vers eux d'un pas pressé.

— Je suis désolé, un petit imprévu m'a mis en retard. Comment ça s'est passé ?

Il n'attendit pas la réponse et se pencha pour regarder dans la Lincoln à travers la vitre obscure. Il aperçut Bellini qui se tortillait sur la banquette.

— Il est déjà réveillé ?

— Il n'a pas voulu boire le champagne. Nous avons dû improviser.

— Bien. Ne perdons pas plus de temps.

Jesus et Laurencio se chargèrent de transporter Bellini dans le coffre de la Crown Victoria, pendant que Cristina s'occupait des bagages.

— Il est nettement moins lourd que l'autre, dit Laurencio.

— Bon Dieu ! c'est vrai... Comment as-tu réussi à...

— Je n'aurais pas pu le faire seul. Il m'a fallu trouver de l'aide.

— Quoi ! Tu veux dire que...

— Ne t'en fais pas, *amigo*, c'est un allié absolument sûr : Miguel.

— C'est pour ça que tu étais en retard. Comment on a pu ne pas penser à ça ?

— Tout est arrangé maintenant. Miguel est là-bas, avec l'autre. Il veille sur lui et attend mon retour. On n'a rien à craindre.

Ils jetèrent Bellini au fond du coffre. Celui-ci s'agita comme un ver, émettant des borborygmes incompréhensibles sous sa cagoule. Jesus lui assena un direct du droit à la mâchoire qui le fit se tenir tranquille.

— Il a fait une marque dans la voiture, lui aussi ? demanda Laurencio.

— Non, mais il a refusé le champagne. Ça ne se fait pas ! dit-il en refermant le coffre.

Le moment était venu pour les trois amis de se séparer. Laurencio serra Cristina dans ses bras.

— Encore une fois, je ne sais pas ce que nous aurions fait sans toi, Cristina. Comment pourrons-nous te remercier un jour ?

— Je me propose de réfléchir à la question, lança Jesus. Je crois qu'ensemble Cristina et moi nous trouverons un moyen.

— Qu'en dis-tu, Cristina ? demanda Laurencio.

La jeune femme se retourna vers Jesus et se blottit contre lui.

— Il me semble que lorsqu'on s'y met, Jesus et moi, on réussit à avoir de bonnes idées, dit-elle en souriant.

— Dites donc, vous deux... J'ai l'impression que le temps a été encore plus chaud pour vous que pour moi cet après-midi.

— Il a fait chaud, c'est vrai ! dit Jesus.

Laurencio leva la main, signifiant qu'il ne voulait rien entendre de plus.

Ils convinrent de poursuivre l'opération selon ce qui était prévu. Jesus ramènerait Cristina chez elle, à La Havane, et de là il retournerait à Cárdenaz, où il rendrait la Lincoln à son propriétaire en lui versant les vingt dollars américains promis. Puis, récupérant sa moto, il filerait vers le *barrio*, où l'attendraient Laurencio... et Miguel.

Dans la petite maison sur la colline, les coupables d'une abomination perpétrée en ce même endroit près de vingt ans plus tôt devaient enfin faire face à une justice tardive mais inexorable.

Chapitre 13

La maisonnette accrochée au flanc de la colline était silencieuse alors que les milliers d'étoiles lumineuses s'éparpillaient autour d'un quartier de lune qui promettait la plus grande discrétion sur la folie des hommes. L'œil de Dieu, cependant, restait fixé sur eux.

Laurencio Alcazár-Estebán n'était qu'un enfant, cette nuit de 1982 où la tempête éclata au-dessus de sa petite tête. Il était aujourd'hui un jeune homme de presque vingt-deux ans et le ciel immense des Caraïbes était d'une grande pureté, de cette solennité qui porte les grâces inestimables. En ce samedi 29 avril de l'an 2000, Laurencio se sentait, dans tout son être, en état de grâce.

Sur le coup des dix heures, comme chaque soir, Juan Segura sortit sur le perron de sa maison pour tirer quelques bouffées sur sa pipe. C'était pour lui une sorte de rituel : il venait se repaître de l'immensité et de la sérénité du ciel nocturne avant d'aller dormir. Depuis le retour de Laurencio du Canada, il fumait avec ostentation la pipe en écume de mer qu'il avait reçue en cadeau. À travers les volutes de fumée moelleuses qui montaient dans la nuit, il aperçut une faible lueur à la fenêtre de la maison sur la colline. Il resta interdit plusieurs secondes, croyant avoir la berlue. Des années durant, il avait regardé dans cette direction, n'apercevant dans la nuit que ce que son souvenir avait conservé : l'image atroce d'une jeune fille baignant dans son sang sur le sol de terre battue. La lueur à la fenêtre le convainquit que l'imagination n'était pour rien dans sa vision. Fortement intrigué, il se retourna pour lancer vers sa femme :

— Je vais faire quelques pas, Placida !

Il se mit en marche vers la petite maison et gravit le sentier de terre, subjugué par la lumière dansante à la fenêtre. Il n'avait pas grimpé là-haut depuis ce jour où il avait aidé Pépé à sortir le lit de bambous de Soledad et les quelques meubles et décorations qui avaient composé le foyer de la jeune fille et de son enfant. Il s'approcha à pas feutrés et entendit des voix qui s'efforçaient de se faire discrètes. Aplati contre les parpaings grisâtres, il risqua un regard à l'intérieur. Ce qu'il y vit le laissa bouche bée. Il reconnut Laurencio, Jesus et Miguel, debout et regroupés à l'écart. Il y avait là deux autres hommes, attachés, assis sur le sol. Il regarda une fois encore et vit des cordes qui retenaient les inconnus à des pieux profondément enfoncés dans la terre.

La perspicacité de Juan Segura l'éclaira alors comme une ampoule dans le noir. Il eut l'intime conviction de ce qui était en train de se passer dans la maison de Soledad. Il en fut bouleversé. Était-il possible que ce diable de Laurencio ait réussi une telle chose ? Avait-il ramené les assassins de sa mère sur le lieu de leur crime ? Juan prit ses jambes à son cou. Ce qui se passait là lui sembla de la nature d'une extraordinaire cérémonie secrète qu'on ne trouble pas.

Il redescendit vers les maisons du *barrio*. Qu'allait-il faire ? Devait-il aller se coucher comme chaque soir et tenter d'oublier les dix minutes qui venaient de s'écouler ? Trouverait-il le sommeil après avoir eu connaissance d'un tel événement ? Il s'arrêta en chemin, regarda derrière lui, là-haut. « Tant pis si c'est une erreur, pensa-t-il, je dois le faire. » Il fila à grands pas vers la maison des Vicario.

Lorsque Pépé vint ouvrir, Juan Segura lui dit d'un air grave :

— Il faut absolument se parler, Pépé. Maintenant !

Pépé Vicario comprit, au ton de son ami, que la chose était d'importance capitale. Il ne posa aucune question et saisit son chapeau près de la porte.

— Xiomara, Yasmin, je sors un moment!

Le vieil homme suivit Juan de la démarche de guingois que lui faisait sa hanche malade. Ils ne pipèrent mot et allèrent frapper à la porte des Herrera.

— Antonio, dit Juan, nous devons te parler, c'est important.

La réaction fut là aussi immédiate, puis les trois hommes marchèrent jusque chez Pedro Montilla.

— Entrez, fit Pedro, qui vivait seul, on sera mieux à l'intérieur.

— Non, répliqua Juan Segura. On n'a pas le temps de s'asseoir, crois-moi.

Debout devant la porte ouverte de la maison Montilla, ils tinrent un conciliabule rapide dans la nuit. Juan exposa ce qu'il venait de découvrir. Pépé, Antonio et Pedro se retournèrent ensemble vers la colline et, apercevant à leur tour la lueur à la fenêtre, furent convaincus que Juan disait vrai. Ils ne furent pas longs non plus pour tomber d'accord sur la nature de ce qui se passait là-haut. La pensée de toutes ces années où le *niño de la niña*, comme il leur arrivait encore de désigner Laurencio, avait persévéré sous leurs yeux pour devenir quelqu'un d'important les persuada de la tangibilité de cette chose apparemment incroyable. Et si un doute avait subsisté dans l'esprit d'un seul d'entre eux, Pépé Vicario et Xiomara auraient tôt fait de le dissiper en révélant une certitude qui les habitait depuis nombre d'années.

Les quatre hommes prirent leur décision et établirent une marche à suivre. Montilla alla fermer sa porte et les autres partirent chercher leurs femmes. Ils se retrouvèrent chez les Vicario, où Xiomara et Yasmin furent rejointes par Placida et Angela. Les femmes s'étaient laissé diriger sans un mot face à l'autorité péremptoire et assez inhabituelle dont leurs époux avaient fait preuve. Elles furent consignées à l'intérieur et durent promettre de respecter les directives édictées par Pépé. Sous aucun prétexte elles ne devaient quitter la maison et, quoi qu'elles entendraient, elles devaient l'ignorer. Elles jurèrent d'obéir et Xiomara, qui n'était pas loin de deviner de quoi il retournait, se porta garante pour ses compagnes. La vieille femme fut tout à fait sûre de son sentiment lorsqu'elle vit par la fenêtre le groupe d'hommes monter sur le sentier vers la maison de Soledad.

— Sainte mère de Dieu... chuchota-t-elle.

Yasmin avait été la première à se faire une idée. Dès lors que Juan Segura avait frappé à la porte, elle avait pressenti la chose. Il y avait des jours qu'elle et Laurencio ne se voyaient presque pas et elle savait pourquoi. Elle savait aussi ce que signifiait la date de ce jour : 29 avril. Elle s'approcha, prit Xiomara dans ses bras et lui fit quitter la fenêtre.

— Asseyons-nous, Xiomara. C'est un destin qui s'accomplit. On a une seule chose à faire...

— Oui, prier. Prier pour l'âme de notre Laurencio. Prier pour que mon petit soit dans le vrai et que sa vie n'ait pas été vaine.

— Et on doit regarder ailleurs, ne pas poser les yeux sur ce qui se passe là-haut, sous peine de nous effriter comme ces statues dans la Bible.

— Seigneur, tu as raison ! s'exclama Xiomara. C'est la justice de Dieu ! C'est Sa volonté puisqu'Il a permis à mon Laurencio d'y arriver ! Tu as raison, asseyons-nous et qu'aucune d'entre nous n'aille regarder par la fenêtre !

Elle se signa rapidement.

— On pourrait enfin savoir ce qui se passe au juste ? demanda alors Angela Herrera. Qu'est-ce que c'est que ces histoires ? Qu'est-ce qu'il y a là-haut ?

Xiomara et Yasmin échangèrent un regard ; la vieille eut un signe de tête d'approbation.

— Elles ont le droit de savoir, comme nous, dit-elle.

Alors, Yasmin entreprit d'expliquer à Angela et Placida pourquoi leurs maris les avaient traînées jusqu'ici, les tirant du lit où elles s'étaient déjà glissées, avec en tête des projets beaucoup moins mystérieux et beaucoup plus titillants que cette soudaine réunion.

□

Lorsque les quatre hommes arrivèrent devant la porte de la petite maison, Pépé était à bout de souffle malgré que ses amis l'aient presque porté tout le long du sentier. Le vieil homme de quatre-vingt-un ans ne pouvait croire que la providence l'avait gardé assez longtemps en vie pour qu'il puisse voir la victoire de la petite Soledad et de son Laurencio. Il était au bord de la défaillance et son vieux cœur était un tonnerre dans sa poitrine quand il se plaça devant ses amis. Il serait, décida-t-il, celui qui frapperait le bois de la porte et qui le premier croiserait le regard de son petit-fils. Ce qu'il fit sans attendre.

Laurencio fut sidéré de voir le vieux Vicario debout devant lui, mais il eut le sentiment d'une véritable catastrophe en apercevant par-dessus l'épaule de son grand-père Pedro, Juan et Antonio.

— Qu'est-ce que vous venez faire ici ?

— Laisse-nous entrer, Laurencio. On sait ce qui se passe, dit Pépé de sa voix râpeuse et haletante.

— On veut être là, avec toi, petit, avec Jesus et Miguel, dit Segura.

— Tu ne peux pas nous priver de ce moment, Laurencio ; c'est vrai qu'on ne l'a pas attendu comme toi, mais c'est qu'on n'aurait même pas osé tellement il est incroyable ! dit Herrera.

— Tu sais bien que c'est notre vengeance à tous, *muchacho* ! ajouta Pedro Montilla.

Jesus apparut dans le cadre de porte et posa sa main sur l'épaule de Laurencio.

— Ils ont raison, *amigo.* Laissons-les entrer. Ils ont le droit d'être ici ce soir. Entre, Pedro, viens les voir de près. Viens regarder en face ceux qui t'ont fait du mal.

Laurencio s'écarta enfin et les quatre derniers membres du jury de l'ombre se joignirent aux autres. Ils allèrent aussitôt jeter des regards méprisants sur Capplan et Bellini. Bâillonnés, pieds et poings liés, les deux hommes avaient des mines terrifiées. En une autre nuit d'un lointain passé, en ce même endroit de l'Univers, ils avaient eu des visages d'une cruauté démente et meurtrière. Cette nuit, l'horreur leur apparaissait par l'autre bout de la lunette. Pedro Montilla ne put s'empêcher de cracher sur l'un et l'autre.

— Attends, Pedro, dit Laurencio. Nous voulons qu'ils comprennent bien ce qui leur arrive. On va faire les choses dans les formes.

— D'abord, enlevons-leur ça ! dit Jesus en arrachant le ruban adhésif de leurs bouches. Inutile de crier ou d'appeler, les avisa-t-il, ici où vous êtes, il n'y a personne pour vous. Ne perdez pas le peu de temps qu'il vous reste à crier.

— Pourquoi on est ici ? Qu'est-ce que ça veut dire, monsieur Alcázar ? Qu'est-ce que vous faites ? demanda Bellini, terrorisé.

— Je vais te l'expliquer, Bellini, crois-moi. Tu vas comprendre ! En attendant, ta gueule !

Miguel et les quatre nouveaux arrivants se tinrent en retrait, dans la demi-obscurité, et de leur place, sur le sol, Capplan et Bellini ne pouvaient voir que des jambes éclairées par la lampe à huile posée sur une caisse en bois. Jesus sortit son revolver et retira toutes les balles du chargeur. Il se retourna vers Pedro et les autres.

— Nous serons tous, ici, les exécuteurs des coupables. Vous le comprenez bien ?

— On le comprend, Jesus, dit Herrera.

Il leur demanda donc de tirer à vide sur Mike Capplan et Tony Bellini, en signe d'acceptation irréversible de la responsabilité du jugement et de l'exécution. Tour à tour, en commençant par Pépé, ils sortirent dans la lumière et tirèrent symboliquement sur les deux hommes, qui transpiraient à grosses gouttes.

— Dis-nous pourquoi, Alcázar ! Dis-nous pourquoi ! cria Capplan.

— Ferme-la, j'ai dit ! ordonna Laurencio.

Il tira de sa poche quelques feuilles de papier, les déplia et se retourna vers ses compagnons. En quelques mots et en espagnol, il résuma le contenu de la lecture qu'il allait faire dans la langue des accusés. Puis, il fit face de nouveau aux deux hommes.

— Je vais maintenant vous dire pourquoi, puisque la mémoire vous fait tant défaut. Vous êtes ici parce que je m'appelle Laurencio Alcázar-Estebán et que je suis le fils de Soledad Estebán-García, cette femme que vous avez violée et assassinée, vous et votre ami Sloman, ici, entre ces murs, il y a dix-huit ans. Ma mère, Soledad !

— Tu te trompes, ça n'était pas nous ! pleurnicha Capplan. C'est une erreur ! On va nous rechercher ! Vous aurez de gros ennuis !

L'homme arrogant et suffisant qui était descendu d'avion quelques heures plus tôt ressemblait maintenant à un porc suiffeux doté d'une parole inutile.

— Tu es plus pourri et lâche que j'aurais pu l'imaginer, Capplan. Je te conseille de te taire si tu n'as rien d'autre à dire ! Personne ne vous recherchera dans tout le pays. Vous n'y êtes jamais entrés : nous avons effacé toutes les traces que les deux limaces dégoûtantes que vous êtes avaient laissées derrière elles. Vous allez rendre compte de la vie volée à ma mère, Soledad ; à cet homme et à moi, dit-il en désignant Jesus. Vous allez mourir, soyez-en certains.

— On... on avait perdu la tête, Alcázar, dit alors Bellini. La drogue et l'alcool ! On ne sait même pas ce qu'on a fait cette nuit-là ! On était...

— Je me fiche de ce que raconte ce fils de pute ! hurla Capplan. Tout ce que je sais, c'est que moi je n'étais pas là. Je n'étais pas là !

— Ferme ta gueule, Capplan, intima Bellini. Tu ne vois pas que c'est fini ? C'est fini, abruti !

Capplan pleurait de rage et de terreur. Jesus s'avança et lui assena un coup de pied comme il l'eût fait à un chien bavant et grognant.

— Ferme-la, tas de merde !

— Je vais vous lire, dit Laurencio, un extrait du testament de votre ami David Sloman. Je vous conseille d'écouter attentivement et de recevoir ceci comme le chef d'accusation qui vous condamne.

Laurencio se planta devant eux.

— Ce soir-là, nous avions beaucoup bu, Mike Capplan, Tony Bellini et moi. Nous avions invité à notre table deux jeunes insulaires que nous connaissions depuis notre premier séjour dans l'île. Sebastian Mendez et Marco Cespedez étaient deux garçons qui vivaient aux crochets des touristes qui, comme nous, recherchaient des plaisirs illicites. Ils étaient en quelque sorte des guides, des conseillers, mais surtout des escrocs en herbe profitant de nos largesses des soirs fastes. Je dois à l'équité de dire ce qui est : le dénommé Cespedez n'a joué aucun rôle véritable dans tout ce qui suit. Soutirer de l'argent aux touristes que nous étions était son seul désir. Depuis les premiers instants, ce garçon nous détestait, avait pour nous une aversion à peine voilée ; nous lui inspirions une réelle antipathie. Il avait des principes moraux, voire politiques, dont son compagnon ne s'embarrassait guère. Cespedez se dissocia de Mendez ce jour-là, avant même de savoir si Capplan, Bellini et moi accepterions la proposition de celui-ci, bien que nous leur avions versé une avance substantielle. Après le repas à l'hôtel Sol de la Isla, nous nous sommes séparés des deux jeunes gens pour monter à la chambre de Mike Capplan. Celui-ci était (est encore) un adepte de la cocaïne et nous invita à partager une poudre à propos de laquelle il ne tarissait pas d'éloges. C'était une assurance contre le sommeil qui risquait de nous maîtriser après tant d'alcool et nous ferait manquer, disait-il, la nuit de notre vie. Il eût été un million de fois préférable de nous endormir. Je n'aurais pas assez de mille vies pour regretter de les avoir imité en me penchant au-dessus de cette substance et en l'aspirant par le nez. Nous avons fait une consommation inconsidérée de la drogue de Capplan. Je ne m'étendrai pas plus sur des états d'âme et des lamentations oiseuses qui pourraient laisser croire que je tente une quelconque fuite de mes responsabilités dans cette affaire. Au contraire, qu'on le sache : me considérant depuis toujours plus intelligent qu'eux, je ne m'en estime que plus coupable dans la perpétration de cette atrocité. Moi, David Sloman, fils de rabbin, sain d'esprit bien qu'infirme et malade, j'affirme que les dénommés Mike Capplan, Tony Bellini, Sebastian Mendez et moi-même avons, en l'île de Cuba et en l'an 1982, ensemble et sans esquive possible de la part d'aucun de nous, violenté et assassiné une jeune métisse du nom de Soledad...

Laurencio cessa de lire et releva la tête pour les regarder.

— La description détaillée de l'acte horrible qui suit, je l'ai lue ; vous l'avez commis : inutile d'aller plus loin.

— Tout ça, c'est les divagations d'un scribouillard qui a perdu la tête ! cria Capplan. Je vous supplie de vous renseigner : vous verrez que Sloman était fou !... C'est n'importe quoi !

Jesus explosa de colère et s'adressa à Capplan en le pointant de son arme :

— C'est écrit en toutes lettres ! Vous avez tué Soledad !

Le pollicier perdit le contrôle et tira une balle dans le genou de Mike Capplan, qui se tordit de douleur, le visage dans la terre qui avait bu le sang de Soledad.

— Non, Jesus ! s'exclama Laurencio.

Jesus se calma et posa l'arme dans sa main. Bellini, tremblant de peur, la tête penchée sur sa poitrine, avait les yeux fermés. Il tentait de sembler moins pleutre que son compagnon, mais un bruit sourd se fit entendre sous son séant et tous ses efforts de dignité se répandirent, avec une odeur nauséabonde, dans le pantalon de son costume signé. Il pleura, de honte ou de remords, lui seul aurait pu le dire.

Laurencio s'avança devant lui et regarda à ses pieds cet homme effondré pleurant sur Dieu savait quoi. Il tendit l'arme vers la tête de Bellini et souleva le chien. Le cliquetis du mécanisme fit relever la tête au condamné.

— Attends, je voudrais embrasser la croix que j'ai autour du cou avant. Je t'en prie, supplia-t-il dans un ultime soubresaut de piété italienne.

Laurencio se pencha et sortit du col de Bellini une croix en or au bout d'une chaîne. Il la présenta aux lèvres de l'homme, qui l'embrassa religieusement.

— Tony Bellini, je te condamne à mourir pour le meurtre de ma mère, Soledad...

— Je te demande pardon, murmura Bellini.

— Accordé.

Et il appuya sur la gâchette à bout portant. Le sang gicla du crâne de l'homme, qui fut projeté sur le sol. Un second coup résonna dans la nuit du *barrio*. Laurencio et Jesus furent éclaboussés au visage et aux mains. Les témoins de l'exécution restèrent dans l'ombre, observant sans un mot, sans un geste, la justice de Laurencio Alcázar. Et si le regard voilé de nuit de Pépé Vicario avait pu se lire à cet instant, c'est une admiration sans bornes pour son petit-fils qu'on y aurait perçue. Laurencio donna le revolver à Jesus. Celui-ci fit quelques pas en direction de Capplan et lui appliqua le canon sur la tête. L'homme pleurait, face contre terre, ce qui obligea Jesus à se pencher au-dessus de lui.

— Mike Capplan, je te condamne à mourir pour le meurtre de ma fiancée, Soledad...

— Je te demande pardon aussi, sanglota Capplan.

— J'y réfléchirai, dit Jesus, mais n'y compte pas trop.

Et il exécuta la sentence sans plus attendre. Le troisième coup de feu éclata et monta vers les étoiles. Les deux hommes gisaient dans leur sang, qui s'infiltrait déjà dans la terre. La vengeance de Laurencio et Jesus était accomplie. Soledad Estebán-García pouvait reposer en paix. Laurencio le ressentit profondément. Il avait tenu sa promesse. Il lui sembla qu'il respirait comme il ne l'avait pas fait depuis son enfance, comme s'il découvrait à peine l'air qui pénétrait dans ses poumons. Il se rapprocha de Jesus et les deux hommes se serrèrent dans les bras l'un de l'autre, sous les regards mouillés de Pépé, Pedro, Juan, Antonio et Miguel.

□

Pendant ce temps, à la lueur de l'ampoule suspendue au-dessus de la table de cuisine des Vicario, quatre femmes se tenaient par la main. Elles avaient tressailli à chacune des détonations et récité sans arrêt le *Notre Père*, les yeux fermés, la tête baissée. Puis elles tendirent l'oreille.

— Je crois que tout est fini, dit Yasmin.

— On dirait bien, dit Angela.

Placida voulut se lever de sa place. Xiomara la retint par le bras.

— Où tu vas ?

— Aux toilettes. Je peux ou tu préfères essuyer le plancher ?

— Va, dit Xiomara, mais personne à la fenêtre ! Je vais chercher le plat de *boniatos* avec un peu de café. Je crois que nos hommes ne sont pas près de redescendre.

Ce n'est en effet que de longues heures plus tard que les hommes du *barrio* réapparurent devant les femmes. Ils étaient harassés et se mouvaient avec lenteur. Le *jefe* sortit une bouteille de rhum et des verres, et les femmes regardèrent les hommes trinquer et boire en silence. Elles comprirent qu'aucune question ne devait être envisagée et que cela valait pour l'immédiat et pour toujours. Laurencio leva les yeux sur Yasmin. Elle le regardait en pleurant. Il sut que ces larmes étaient celles du bonheur. Ils pourraient enfin penser à eux, rien qu'à eux. C'est alors que Laurencio vit ce geste de sa compagne. Il réalisa qu'il lui était nouveau, et qu'il l'avait remarqué la première fois quelques jours auparavant. Il accompagnait chaque fois l'expression d'une joie, d'un bonheur. Dès qu'elle se sentait investie d'une profonde félicité, Yasmin avait le ravissement sur le visage et dans le regard et posait ses deux mains sur son ventre. Laurencio l'avait vue, depuis qu'il la connaissait, exprimer sa joie en levant les bras, bondissant comme une enfant, et il aimait cette spontanéité. Depuis quelques semaines, c'était différent : Yasmin posait ses deux mains sur son ventre dans un geste de douce protection. Comme un pélican tombe du ciel pour disparaître dans les vagues, la certitude plongea en Laurencio. Il en fut hébété. Il posa son verre devant lui, ne quittant pas Yasmin des yeux, et se leva lentement. Son mouvement brisa la bulle de silence qui s'était installée dans la petite cuisine. Chacun leva des yeux aux aguets vers Laurencio car il avait une attitude qui n'avait jamais appartenu au garçon réservé et sérieux que tout le monde connaissait. Xiomara, seule, se rappela l'avoir vu, aux jours heureux de sa toute petite enfance, faire ce qu'il faisait à l'instant : il dansait, les bras en l'air, en se tortillant, roulant le bassin et la tête, sur une musique venue de l'intérieur que lui seul entendait. On le regarda soudain avec une grande inquiétude et Pépé se leva gravement, persuadé que son petit-fils venait de perdre la tête. Il regarda sa femme et Yasmin qui souriaient et fut outré qu'elles prissent cela avec une telle légèreté.

— Que t'arrive-t-il, mon petit ? Tu vas bien ?

Laurencio, pour toute réponse, se mit à chanter :

Guantanamera:
Yo soy un hombre sincero, de donde crece la palma.
Y antes de morir me quiero echar mis versos del Alma.

Yasmin se mit à rire et perturba davantage la compréhension de Pépé Vicario, qui se désespéra plus encore.

— Je vais avoir un bébé! dit-il. Pas vrai, Yasmin? Pas vrai, dis?

Elle ne dit mot, se contenta de secouer la tête affirmativement, la mine radieuse, les mains sur son ventre.

Toutes les femmes, tous les hommes présents se retournèrent vers elle pour la voir confirmer la chose. Ce fut alors un éclat de joie généralisée qui se répandit dans la maison des Vicario. Pépé se laissa tomber sur sa chaise. Heureux et soulagé, il se jeta sur la bouteille de rhum.

— Buvons pour célébrer cette nouvelle.

On se regroupa, on posa des questions, on se réjouit. Ce nouveau bonheur s'installa jusqu'à reléguer derrière lui l'événement dramatique de la nuit, la fatigue qu'il avait apportée et la lourdeur consternante qu'il avait laissée dans les cœurs.

Dans la nuit avancée, sur la colline, la petite maison de Soledad s'élevait, silencieuse, sous les étoiles. Quiconque y serait entré à cet instant n'aurait jamais soupçonné ce qui s'y était passé quelques heures auparavant. Elle était vide, plus vide que jamais. Tout était consommé et la brise qui s'y engouffrait eût été douce comme une chatterie sur le visage d'un visiteur. Plus rien ne resterait de la mort et des drames qu'avait connus la modeste habitation quand le vent des tropiques aurait séché deux taches brunâtres sur le sol.

□

Trois mois passèrent sur cette nuit qui avait ressuscité le petit village et lui avait rendu la grâce. Entre-temps, la visite de la délégation de gens d'affaires canadiens avait été un énorme succès. L'événement s'était soldé par la signature de contrats enthousiasmants porteurs de grandes réalisations pour l'État. En foi de quoi Laurencio fut convoqué dans un bureau de La Havane où il n'aurait jamais ne fusse qu'imaginé mettre les pieds un jour.

C'était une grande pièce ombragée par des rideaux épais à demi tirés devant d'immenses fenêtres en arches. On l'avait prié, avec déférence et courtoisie, d'y entrer, en l'avisant qu'il y était attendu. À l'intérieur, Laurencio était resté debout devant la porte massive et avait regardé devant lui l'énorme bureau de style Régence, flanqué du fauteuil à haut dossier en cuir rivé, qu'il avait si souvent vus au petit écran des téléviseurs du pays. C'était de cette place que *el lider máximo* faisait des annonces à son peuple presque tous les dimanches. Au fond, dans un coin de la grande pièce, était planté debout l'emblème du pays : le drapeau de la nation. Laurencio l'avait aperçu, lui, mains croisées derrière le dos. Il regardait par la fenêtre et ne présentait qu'une silhouette en contre-jour, mais ô combien célèbre qu'il ne pouvait y avoir de doute : il se trouvait bien dans le bureau d'*el presidente*. Celui-ci avait parlé sans se retourner.

— Il m'arrive très souvent de regarder par ma fenêtre, avait-il dit d'une voix éraillée et fatiguée mais harmonieuse, pour regarder vivre nos frères et nos sœurs, monsieur Alcázar. J'y aperçois par moments un individu déterminé et volontaire qui marche dans la direction du bonheur de notre peuple en portant sur ses épaules l'espoir dont nous avons besoin. Il y a déjà longtemps que je vous ai aperçu, Laurencio Alcázar.

Il s'était retourné enfin et avait regardé son invité en s'approchant de son fauteuil.

— Venez. Venez vous asseoir. Je suis content de vous rencontrer.

— C'est un grand honneur pour moi, monsieur le président.

— Alors, nous sommes tous les deux honorés, avait ajouté le président.

En s'asseyant, Laurencio avait aperçu un livre, posé sur le coin du grand bureau. Il avait reconnu l'ouvrage : *Le Général dans son labyrinthe*, du grand écrivain et ami personnel du président, Gabriel García Márquez. Ce regard, même furtif, sur le livre n'avait pas échappé au *líder*, qui avait posé sa main sur le livre.

— J'admire le grand art, monsieur Alcázar, en particulier quand celui-ci répand un parfum d'amour de la patrie et de ses enfants. Cet écrivain aime son pays et ses semblables, on le sent à chaque page qu'il a rédigée. Il est impossible de douter de son cœur, tout comme il est impossible de douter du vôtre, mon ami. Vous avez accompli de grandes choses malgré votre très jeune âge. L'État que vous avez si bien servi veut vous récompenser.

Laurencio avait écouté parler son président et s'était senti transpercé par la perspicacité de son regard. Il n'avait même pas esquissé un geste pour exprimer l'humilité. Il avait pris plus de plaisir à entendre le son de cette voix, qui s'adressait directement et personnellement à lui, que les récompenses qu'elle énonçait. Cet homme, assis là, ce vieux révolutionnaire en costume militaire représentait, depuis sa plus tendre enfance, avant même ses premières années d'école, le symbole par excellence de la dignité de son peuple. C'était Pépé Vicario qui, le premier, lui avait inculqué cette admiration pour *el comandante*. Et il avait été ce jour-là face à face avec la légende vivante de toute sa nation. Il avait cru percevoir, dans cette voix cassée et sur ce visage aux traits tirés par plus d'un demi-siècle de luttes, une sorte d'épuisement, de lassitude. Comme si les dix dernières années d'un régime aux abois avaient eu raison de l'ardeur passionnée du vieil homme.

Le président lui avait accordé plus de trente minutes de son temps, lui faisant un laïus au terme duquel Laurencio s'était vu pourvu de privilèges et d'un poste important au sein de la plus haute sphère de l'organisation du gouvernement : une place à la table des conseillers particuliers du *lider*. Le président lui avait signifié qu'il pouvait réfléchir avant de prendre une décision et que celle-ci serait respectée, quelle qu'en serait la nature. Alors, Laurencio avait été gratifié d'une poignée de main énergique qu'il n'était pas près d'oublier.

□

Quelques semaines plus tard, Laurencio avait pris une décision bien mûrie, l'été entra de plain-pied dans le mois d'août. Partout, les hibiscus fleurirent frénétiquement, promettant du temps chaud et parfumé dans les alentours du *barrio*.

Laurencio avait obtenu, depuis plusieurs jours déjà, la récompense promise par l'État pour les services rendus. On n'avait pas discuté sa décision, ni tenté de le faire changer d'idée. On lui avait simplement et clairement fait comprendre qu'il pourrait revenir sur cette décision à tout moment si bon lui semblait. Puis, on lui avait souhaité bonne chance dans cette entreprise, qui en laissait plusieurs perplexes.

Laurencio avait exprimé un désir étonnant pour tous ceux qui l'avaient rencontré et l'avaient tenu pour un jeune homme ambitieux aux grands projets ; celui de vivre simplement auprès des siens. Il exploiterait un service de randonnée et de pêche en haute mer pour les touristes. Il travaillerait en compagnie du meilleur navigateur-pêcheur de l'île : Pedro Montilla, et du plus prometteur de ses élèves : Miguel Márquez. Il ne lui manquait que l'embarcation et le permis d'exploiter un tel commerce. On lui avait accordé l'une et l'autre.

C'est ainsi que le jeune homme, qui se serait contenté d'une modeste barque de pêcheur, passa de directeur des missions commerciales *del Banco Nacional* à commandant à bord d'un magnifique *cruiser* de douze mètres dont il n'aurait jamais osé rêver. On avait, selon son désir, aménagé *la caleta* en véritable port d'encrage pour ce seul bateau et un escalier en bois avait été construit de la route jusqu'en bas, contre le roc de la falaise. Les touristes seraient amenés en taxi par la route et descendraient jusqu'au quai sur pilotis érigé dans la crique. C'était le point de mouillage privé du *Pez espada*, nom décidé à l'unanimité pour l'embarcation par le capitaine et son équipage.

Laurencio passerait ses journées sur les eaux limpides de l'océan, en compagnie de ses deux amis, pour faire vivre aux touristes des heures magnifiques qui seraient pour eux autant de souvenirs de vacances. Pedro Montilla ne manquerait pas une occasion de raconter une certaine histoire de poisson monstrueux et de lutte héroïque. Et sauf la taille du thon, qui, dans la mémoire de Pedro, majora d'un mètre, l'histoire qu'il raconterait serait authentique. Laurencio était heureux de sa décision et de la vie qui s'annonçait plus clémente.

Le ventre de Yasmin avait grossi à vue d'œil et un examen médical lui avait annoncé l'arrivée d'un enfant de sexe féminin. Elle était resplendissante de santé et, depuis quelque temps déjà, préparait fébrilement, avec Xiomara et toutes les femmes du *barrio*, la fête du jour de son mariage. La date de la cérémonie avait été fixée pour le quinzième jour du mois et il n'y avait plus de temps à perdre.

Ce jour-là, le capitaine Alcázar et son équipage avaient une bonne raison d'être de magnifique humeur. Ils s'étaient préparés durant quatre semaines et avaient appris sur le bout des doigts le fonctionnement de leur vaisseau de luxe. Ils avaient répété les moindres gestes de la profession, découvert leur bateau de la poupe à la proue, et la manipulation des énormes lignes à pêche et de leur gréement n'avait plus de secret pour eux. Moteurs, cadrans, ordinateur de bord, radio, cabine, frigo... tout cela était devenu routine assimilée et ils étaient prêts, ce matin-là, à recevoir leurs premiers clients. Ils attendaient depuis le petit matin l'heure d'effectuer la première sortie dans l'exercice de leur nouvelle profession. Les touristes devaient arriver à neuf heures. Ils furent ponctuels.

C'était un couple étonnant : une pin-up spectaculaire, mélange de grâce et d'extravagance, et un homme svelte très moustachu, tous deux affublés de verres fumés sombres et portant couvre-chef. La femme était vêtue d'un jean coupé en un short court et d'un t-shirt coupé juste sous les seins. Malgré un style vestimentaire des plus actuels, elle avait tout d'une starlette du cinéma des années 50 ; lui, la dégaine d'un Latino qui aurait fait fortune à l'étranger dans la production cinématographique. « Un producteur et sa petite amie », pensèrent Miguel et Laurencio en les voyant arriver.

Dans son costume blanc froissé, derrière ses lunettes-soleil et sous son panama à large bord, l'homme s'avança sur le quai en bois d'un pas décidé, un énorme *Torpedo de Montecristo* entre les doigts. La starlette le suivait en trottinant sur des talons hauts et tenait à la main une boîte ficelée qu'elle portait comme une cage d'oiseau. Son compagnon s'engagea sur la passerelle sans se soucier d'elle et grimpa à bord en lançant au hasard un bonjour en anglais coloré d'un fort accent.

— Attends-moi, mon minet ! lança la pâle copie de Rita Hayworth d'une voix de crécelle aiguë. Je ne peux pas suivre !

— Débrouille-toi ! se fit-elle répondre sur un ton sec. Je t'avais dit de ne pas mettre ces échasses ! On va pêcher, bon sang, pas faire une séance de photo !

Laurencio pallia la goujaterie de l'individu en saisissant la main tendue de la femme et l'aida à franchir la distance qui la séparait du pont.

— Merci, jeune homme. Heureusement qu'il reste quelques gentlemen ici-bas ! Parce que tu crois, dit-elle blessée, qu'un panama, un costume cent pour cent lin, des *Santiags* aux pieds et un *havane* à la main, c'est mieux pensé pour aller pêcher ?

Pedro Montilla passa derrière Miguel et chuchota :

— Quelle joie ! On va bien s'amuser pour une première sortie !

L'homme au chapeau blanc soupira d'exaspération. Il sortit une liasse de billets et tendit la somme convenue à Laurencio.

— Puis-je me permettre une opinion, monsieur ? demanda ce dernier.

— Bien entendu, fit la starlette.

— Je crois que... enfin, de toute évidence, vous n'êtes pas préparés pour le genre de sortie que nous devons faire. Ne serait-il pas préférable de remettre ça à une autre fois ? Revenez demain avec la tenue adéquate. Qu'est-ce que vous en dites ?

— Tu ne veux pas de mon argent, mon garçon ? demanda le client.

— La question n'est pas là, monsieur. Je cherche simplement à ne pas vous le faire gaspiller. Je veux que vous ayez du plaisir, c'est tout.

— C'est pas comme ça que vous deviendrez riche, commandant ! dit la femme en s'approchant. Vous êtes trop scrupuleux !

— Je me suis même déjà fait dire, mademoiselle, que je suis d'une naïveté déconcertante et je me fiche d'être riche.

— En voilà un autre qui crache vers le paradis et qui se prend pour Che Guevara ! dit le moustachu avec un air méprisant. Quand on crache en haut, ça nous retombe en plein visage !

Laurencio fronça les sourcils et son regard se chargea de colère. L'outrecuidance de ce personnage venait de dépasser des limites.

— Qu'est-ce que vous avez dit, là ? Le paradis et le Che ? Deux sujets qu'on n'aborde pas quand on n'y connaît rien, *viejo* ! Et je vais vous demander respectueusement de descendre de ce bateau tout de suite !

— Ne t'énerve pas, Laurencio, dit Miguel en espagnol. Ce sont des touristes et c'est notre travail.

— J'ai choisi ma vie, *amigo*, et j'ai l'intention de la vivre sans supporter les imbéciles autour de moi ! Allez ! descendez !

— Chérie, fit celui-ci dans ses petits souliers, dis quelque chose !

La jeune femme ondula jusqu'à Laurencio, le visage dans l'ombre de son grand chapeau, et tendit la boîte ficelée qu'elle avait à la main.

— Nous vous demandons pardon, commandant. Permettez-nous de rester et d'aller en mer avec vous.

— Bon, soupira Laurencio, mais vous n'êtes pas en tenue pour pêcher le gros poisson !

— Ne vous inquiétez plus pour ça. Nous avons tout ce qu'il nous faut dans cette boîte.

Elle s'affaira à l'ouvrir sous les regards découragés de Pedro et Miguel. Elle en tira une magnifique casquette de commandant de bord avec des épis dorés brodés sur la visière, qu'elle plaça elle-même sur la tête de Laurencio. Puis elle sortit encore de la boîte deux bouteilles de champagne.

— Voilà ! Là, tu es beau comme un ange ! Un vrai capitaine !

Elle venait de tutoyer Laurencio en perdant sa voix de crécelle. Elle retira son large chapeau, secoua sa chevelure, qui se déroula, libre sur ses épaules, et enleva ses lunettes. Laurencio tomba assis de stupeur devant Cristina Cruz, qui riait comme une enfant.

— Mais alors...

Il se retourna vers l'homme en blanc, qui arracha sa grosse moustache et retira son panama. Jesus Griego éclata de rire à son tour, ainsi que Miguel et Pedro.

— C'est pas vrai ! s'exclama Laurencio, soulagé d'un grand poids. On n'a pas le droit d'avoir une idée comme ça !

— C'est elle ! fit Jesus en pointant Cristina du doigt. Mais j'avoue que je l'ai trouvée bonne ! Si tu avais vu ta tête, *hermano !* « Qu'est-ce que vous avez dit là ? » fit-il en imitant son ami. J'ai cru que tu allais me jeter par-dessus bord !

— J'ai bien failli le faire !

Cristina se débarrassa de ses talons aiguilles encombrants et Jesus tomba la veste en demandant qu'on l'aide à retirer ses bottes western. Il roula le bas de son pantalon et eut aussitôt l'air d'un pêcheur.

— C'est mieux comme ça, non ?

— Quant à moi, fit Cristina Cruz en se trémoussant dans son court deux-pièces, je n'ai rien d'autre à me mettre ; je suis un peu mal à l'aise devant votre équipage, capitaine...

— Ho mais... surtout, intervint Miguel, ne vous en faites pas pour nous, *señora Cruz*.... Hein, Pedro ? Ça ne nous dérange pas... Hein, Pedro ?

— *Si, si ! Muy bien, muy bien !* dit Pedro en déroulant nerveusement le fil d'une ligne alors qu'il aurait dû l'enrouler. *Todo esta muy bien.*

Un éclat de rire général secoua alors l'embarcation.

— Parfait : on démarre les moteurs et on fait machine arrière toute ! lança le commandant Alcázar, ajustant sa casquette toute neuve.

— Moteurs et machine arrière. Parfait, capitaine ! dit Miguel.

Le *cruiser* ronronna et sortit lentement de *la caleta* en s'éloignant du quai. Le groupe d'amis s'engagea sur les eaux des Caraïbes, face au soleil levant, et leurs rires se perdirent sous le vrombissement des moteurs. La première journée en mer fut magnifique.

□

Le jour du mariage fut une fête plus grandiose et mémorable encore que celle que les Vicario avaient organisée pour les quinze ans de Soledad. Une cinquantaine d'invités, de la nourriture plein les tables qui avaient été montées sous des toiles multicolores, des lampions, de la musique et de l'amour à revendre. Le temps fut complice du bonheur et le ciel s'ajusta à cet événement si attendu de tous. Jesus et Cristina avaient été les témoins, Placida et Juan avaient servi de parents à la mariée, et des dizaines de voisins *campesinos*, à des kilomètres à la ronde, avaient été invités. La *fiesta* allait se prolonger toute une journée, suivie d'une nuit entière. La plupart des convives mangèrent, burent et dansèrent jusqu'à assouvissement complet de leurs ressources. Seuls deux hommes inconnus de presque tous, portant *guayaberas* blanches, restèrent assis à leur table sans se lever des heures durant. Ils avaient regardé les autres s'amuser et avaient semblé satisfaits. Cristina s'était alors approchée de Laurencio pour lui expliquer qu'il s'agissait de deux délégués officiels, symbolisant la présence de l'État à la fête.

— Alors, l'État doit s'amuser aussi !

Il avait fait porter aux hommes deux énormes pichets de bière, accompagnés d'un message : « Buvez, chantez, dansez, amusez-vous comme des fous ! Je ne veux voir que des visages heureux aujourd'hui. » Les deux individus s'étaient alors pliés au souhait du jeune marié. Une heure plus tard, l'un et l'autre débraillés, dépeignés et grisés, s'étourdissaient sur la musique endiablée, dans les bras de Placida, Angela et toutes les femmes, venues des *barrios* voisins, que leurs maris négligeaient pour une partie de dominos ou de cartes. Ce jour-là, l'État s'avéra pourvoyeur de cavaliers pour danseuses délaissées.

Au plus fort de la fête, Yasmin en robe de mariée monta sur une chaise et demanda un moment de silence pour faire une annonce. Obtenant l'attention de chacun, elle s'excusa de cette intervention en promettant qu'elle ne serait pas longue et annonça publiquement la naissance prochaine de son enfant.

— Je ne veux pas te faire de peine, *hermanita*, lança son

frère Miguel par-dessus la foule, mais tout le monde est déjà au courant !

Ce fut un éclat de rire général.

— Je sais bien, dit Yasmin, mais ce que je veux dire maintenant, c'est que cette petite fille qu'on attend, Laurencio et moi... je veux que tout le monde le sache dès aujourd'hui, elle s'appellera Soledad !... Voilà.

On n'entendit soudain plus que le ronflement d'un vieillard qui s'était endormi la tête sur ses bras devant son verre de rhum. La voix d'Angela monta alors de l'assistance :

— C'est une merveilleuse idée, *niña* !

— Une magnifique idée, Yasmin ! renchérit Placida.

Tout le monde approuva de la tête et la rumeur s'installa de nouveau parmi les invités. Ils avaient été touchés par la pensée de Yasmin et la manière qu'elle avait trouvée de garder vivant le nom de celle que tous avaient aimée.

— Allez ! Amusez-vous, la fête n'est pas finie ! cria Yasmin en sautant de sa chaise.

Laurencio l'attrapa par le bras et la tira vers lui pour la regarder avec amour. Il l'embrassa fougueusement, sous les applaudissements d'un groupe d'amis.

— Merci, ma chérie. Je t'aime tant ! Amuse-toi, mon amour.

Tout avait été préparé pour le départ, le lendemain, après quelques heures de sommeil, pour leur voyage de noce. Ils partaient seuls, sur le *Pez espada*, pour trois semaines pendant lesquelles ils feraient le tour complet de leur île, de leur pays, en suivant la côte et s'arrêtant où bon leur semblerait.

Laurencio regarda un instant Jesus et Yasmin qui dansaient, heureux, puis tourna les yeux vers Cristina Cruz, qui paraissait épanouie et dansait dans les bras de Miguel. Xiomara et Pépé étaient comblés, il ne s'y trompait pas. Ils avaient beaucoup vieilli, mais les Vicario avaient toujours la bonté universelle sur le visage et dans les yeux ; à moins que ce ne fût l'amour qu'il portait à ces deux vieux qui leur faisait cette mine. Laurencio se sentit envahi de reconnaissance envers Xiomara et Pépé, ainsi qu'envers ceux du *barrio*, qui un jour, il y avait une éternité, avaient recueilli une fillette de treize ans avec son bébé dans les bras et l'avaient aimée sur-le-champ, sans condition. Il sentit les larmes monter à ses yeux et, voulant échapper à l'émotion et à la compassion de qui l'aurait observé, il se leva pour faire quelques pas sur la place du *barrio*. Il marcha jusqu'au sentier de terre et s'arrêta pour se tourner vers la maisonnette sur la colline. Il réalisa alors avec exultation que les arbustes qu'il avait plantés sur le toit de la petite demeure, et qui avaient doublé de taille et de volume en quatre mois, venaient de fleurir. Cette floraison lui sembla d'autant plus soudaine que quelques heures auparavant il avait regardé dans cette direction et n'avait remarqué aucun signe d'éclosion des bourgeons. Il s'approcha de quelques pas. Là, sous ses yeux, les trois massifs plantés en mai étaient couverts de fleurs. La *flor mariposa* était ainsi nommée pour la délicatesse de ses pétales et sa blancheur. La fleur-papillon, aux lignes pures et légères, au parfum subtil, était la fleur préférée de Soledad. Laurencio avait planté ces trois arbustes en hommage à celle qui, comme un papillon, était enfin montée au ciel, papillon dont le passage sur la Terre n'avait laissé qu'amour, affection et tendresse. Chaque année, on verrait refleurir les *flores mariposas* et on se souviendrait de Soledad.

Jesus posa sa main sur l'épaule de Laurencio.

— Je ne t'avais pas entendu arriver, Jesus.

— Qu'est-ce que tu fais ici tout seul ? Viens, viens rejoindre tes amis et ta jeune épouse.

— Je viens, *amigo*. Mais regarde un peu ! Regarde ces fleurs, sur le toit de *la casita*. C'est à peine croyable : il y en a tellement ! Je ne croyais pas que, pour une première saison, il en sortirait tant ! Regarde !

— Nous leur avons fourni le meilleur engrais qui soit, *hermano* ! Ces *mariposas* puisent leur beauté dans le fumier le plus merdique qui ait jamais engraissé un sol ! De quoi t'étonnes-tu ? Nous les verrons resplendir chaque été et nous savourerons longtemps notre victoire. Viens maintenant. Viens t'amuser.

Le jeune homme pensa au travail éreintant de toute une nuit et qui avait nécessité les efforts de six hommes pour apprêter la terre de ce jardin sur le toit. Il esquissa un sourire victorieux.

Le jour commençait à décliner et la fête battait son plein. Laurencio regarda le soleil rouge descendre sur la colline et embraser le ciel. Il lui sembla que les trois massifs fleuris, sur le toit de la maisonnette, avaient frémi sous la brise, mais il n'y avait pas de brise ce jour-là. Il retourna se mêler aux fêtards et retrouva Yasmin, les Vicario et tous les autres. Il était enfin heureux et savait que c'était pour longtemps.

Table des matières

CET OUVRAGE
COMPOSÉ EN GALLIARD CORPS 12 SUR 14
A ÉTÉ ACHEVÉ D'IMPRIMER
LE HUIT OCTOBRE DE L'AN DEUX MILLE UN
PAR LES TRAVAILLEURS ET TRAVAILLEUSES
DES PRESSES DE MARC VEILLEUX IMPRIMEUR
À BOUCHERVILLE
POUR LE COMPTE DE
LANCTÔT ÉDITEUR.

IMPRIMÉ AU QUÉBEC (CANADA)